LE LIVRE DE L'ANNÉE

1981

LES ÉVÉNEMENTS DE 1980

LE LIVRE DE L'ANNÉE

Grolier Limitée
MONTRÉAL

DIRECTEUR DE LA PUBLICATION KENNETH H. PEARSON

DIRECTRICE ASSOCIÉE DE LA PUBLICATION FERN L. MAMBERG

CONSEILLER À LA RÉDACTION NORMAND TALBOT

DIRECTRICE DE LA RÉDACTION ANNE MINGUET-PATOCKA

COORDONNATEUR DU SERVICE DE RÉDACTION MICHEL GONTARD

RÉDACTEURS MICHEL EDERY
DANIELLE EIDUS
DANIELLE LEWI-BENCHITRIT
GEOFFROY MENET
RICHARD PAIEMENT
JOCELYN SMYTH

CORRECTRICE D'ÉPREUVES JOSETTE BANZ

CHEF ADMINISTRATIF KATHRYN JOURDAIN

DIRECTEUR DES ÉDITIONS POUR LA JEUNESSE WILLIAM E. SHAPIRO

SERVICE DE PRODUCTION

CHEF DES SERVICES DE PRODUCTION HARRIET RIPINSKY

CHEF DE SERVICE WESLEY J. WARREN

DIRECTEURS DE LA PRODUCTION JOSEPH J. CORLETT
ALAN PHELPS

TABLE DES MATIÈRES

COLLABORATEURS

BELL, James O.
Assistant du rédacteur en chef national *Los Angeles Times*   RONALD WILSON REAGAN

BERNIER, Yvon
Professeur de littérature française au collège Merici de Québec
    MARGUERITE YOURCENAR, LA PREMIÈRE « IMMORTELLE »

BLANCHARD, Wendie R.
Rédactrice en chef à la revue *Creative Crafts*
                     DES ARTS DÉCORATIFS EN VOGUE

BLOCK, J.R.
Hofstra University   TRÈFLE, CARREAU, CŒUR ET PIQUE

BROCHU, André
Professeur agrégé à l'université de Montréal. Auteur de *L'instance critique; Hugo : amour/crime/révolution; La littérature et le reste*
                     JEAN-PAUL SARTRE (1905-1980)

CAPEN, Peter D.
Auteur et photographe
        LA VIE SOUS-MARINE AUTOUR D'UN RÉCIF CORALLIEN

CHEVALIER, Manon
Journaliste à *La Presse*   LES DISPARUS DE L'ANNÉE
                     UNE ANNÉE DE SÉISMES

CRONKITE, Walter
Journaliste au réseau de télévision CBS
                     PANORAMA DE L'ANNÉE 1980

FRENCH, Bevan M.
Chef du programme de recherches sur les matériaux extra-terrestre, à la NASA; auteur de *The Moon Book*; *Mars : The Viking Discoveries*; *What's New On The Moon ?*
            LES MYSTÈRES DE SATURNE DÉVOILÉS
                 ESPACE : FLASH D'INFORMATION

JOHNSON, Lorna
Services éducatifs, Galerie nationale du Canada
                 LA GALERIE NATIONALE DU CANADA

GENNARO, Joseph F.
GRILLONE, Lisa
Auteurs de *Small Worlds Close Up*
            VOIR LES CHOSES SOUS UN AUTRE ANGLE

GOLDBERG, Hy
Coordinateur des nouvelles sportives (NBC)
                 LES JEUX OLYMPIQUES DE 1980

HAHN, Charless
Rédacteur à la rubrique philatélique du *Chicago Sun-Times*   LA PHILATÉLIE

KULL, David J.
Rédacteur en chef du magazine *Medical Laboratory Observer*   UN CHIEN EN GUISE D'OREILLES

KURTZ, Henry I.
Auteur de *Captain John Smith; John and Sebastian Cabot*   L'AÉRODROME DU VIEUX RHINEBECK
                     ESPIONNE POUR L'UNION
                 BOSTON : LE BERCEAU DE LA LIBERTÉ

LE MONDE EN 1980

Le 4 novembre 1980 était élu le 40e président des États-Unis, M. Ronald Reagan.

PANORAMA DE L'ANNÉE 1980

L'année 1980 a été une année de remises en question. Aux États-Unis cela s'est traduit par l'élection d'un nouveau président. Dans d'autres pays du monde, on semble avoir procédé à un réexamen des programmes établis afin de définir de nouvelles priorités et orientations pour la décennie qui vient de commencer.

Un nouvel affrontement entre les pays occidentaux et l'Union soviétique a menacé la politique de détente des années 70, qui avait réduit la tension entre l'Est et l'Ouest. L'année a commencé par une sévère critique élevée contre l'Union soviétique qui, à la fin de 1979, avait envoyé plusieurs milliers de soldats en Afghanistan. Les troupes sont restées dans le pays, soutenant un nouveau gouvernement et tentant d'écraser une résistance musulmane. Il apparaît de plus en plus, à la fin de 1980, que les Soviétiques sont engagés dans un combat qui promet d'être long.

L'invasion soviétique a été condamnée par les Nations unies, comme par beaucoup de pays. Les États-Unis ont décrété un embargo sur les ventes de céréales à l'Union soviétique et pris la tête du mouvement de boycottage des Jeux olympiques qui ont eu lieu à Moscou. Le Sénat des États-Unis a refusé d'étudier un nouveau traité de limitation des armes stratégiques entre les États-Unis et l'Union soviétique. Comme les Soviétiques, à en juger par leurs interventions, semblaient enclins à utiliser la force pour arriver à leurs fins, on a procédé à une évaluation des forces armées américaines en termes de puissance et de préparation au combat. En juillet, les États-Unis ont commencé à procéder au recensement des hommes âgés de 19 et 20 ans, en prévision de l'instauration d'un service militaire.

Plus tard dans l'année, ce fut au tour d'un allié européen de l'U.R.S.S., la Pologne, d'être menacé d'une intervention soviétique. Au mois d'août, des grèves massives paralysaient l'économie polonaise — déjà bien affaiblie — et ébranlaient jusqu'à la base son système économique. Pour la première fois, les travailleurs d'un pays communiste obtenaient le droit de grève et le droit de former des syndicats indépendants. Les plus hauts dirigeants du pays étaient remplacés, mais les divergences continuaient entre les nouveaux syndicats et le gouvernement. En décembre, l'Union soviétique, craignant certainement que l'agitation ne se répande parmi ses propres travailleurs et parmi ceux des autres pays communistes, massait des troupes le long de la frontière russo-polonaise. Les États-Unis et leurs alliés se sont entendus sur une série de mesures économiques et politiques à prendre au cas où les troupes soviétiques franchiraient la frontière.

La présence des troupes soviétiques en Afghanistan a soulevé la question de l'équilibre des forces au Moyen-Orient, région vitale car elle produit la plus grande partie du pétrole mondial. En 1980, le Moyen-Orient a continué à connaître de nombreux conflits. Israël et l'Égypte, qui avaient signé en 1979 un traité de paix mettant fin à une guerre de 30 ans, échangeaient des ambassadeurs et ouvraient leur frontière commune aux échanges touristiques et commerciaux. Mais les autres pays arabes restaient hostiles au traité et les pourparlers israélo-égyptiens concernant une éventuelle nation pour les Arabes de Palestine — question clé entre Israël et les pays arabes — demeuraient au point mort. Dans la région du golfe Persique, une guerre éclatait entre l'Iraq et l'Iran, où des divisions profondes entre différents groupes ont empêché la libération des 52 otages américains. En novembre, le gouvernement iranien devait fixer les conditions de leur libération, après l'échec de pressions économiques ainsi que diplomatiques et une expédition militaire avortée.

Tous ces événements au Moyen-Orient ont contribué à faire monter le prix du pétrole en 1980. À son tour le coût élevé de l'énergie a contribué à aggraver l'inflation et les problèmes économiques qui assaillent bien des pays, dont les États-Unis. Les questions économiques et la politique étrangère ont été au centre des questions électorales durant l'élection présidentielle américaine. Sur ces questions, ainsi que sur beaucoup d'autres, les candidats offraient aux électeurs un choix très clair. Le président Jimmy Carter réaffirmait sa croyance aux objectifs traditionnels du parti démocrate. M. Ronald Reagan, ancien gouverneur de l'État de Californie, était connu depuis longtemps pour être le représentant de la tendance conservatrice au sein du parti républicain. La course à la présidence était rendue plus incertaine encore par la présence d'un solide candidat indépendant, M. John Anderson, représentant de l'Illinois.

M. Reagan devait emporter une retentissante victoire. Les Républicains gagnèrent non seulement la course à la présidence mais, pour la première fois depuis les années 50, acquirent la majorité au Sénat. Que leur victoire ait été due à une insatisfaction vis-à-vis de l'administration Carter, ou qu'elle ait été le résultat d'une montée du conservatisme parmi les Américains, ou les deux, tout portait à croire que l'on pouvait s'attendre à des changements dans la politique des États-Unis.

D'autres pays ont connu également d'importantes élections. Au Canada, où un gouvernement progressiste conservateur avait été élu en 1979, les électeurs ont redonné le pouvoir aux Libéraux, dirigés par Pierre Elliot Trudeau. En Afrique, des élections et l'indépendance officielle ont mis fin à une longue et sanglante guerre civile au Zimbabwe, ancienne colonie britannique connue sous le nom de Rhodésie. En Inde, les électeurs ont ramené au pouvoir Mme Indira Ghandi, qui avait été battue en 1977.

Plusieurs chefs d'État importants sont morts durant l'année, dont Mohammed Reza Pahlavi, l'ancien chah d'Iran détrôné, Masayoshi Ohira, premier ministre du Japon, et le maréchal Tito, qui dirigeait la Yougoslavie depuis la Seconde Guerre mondiale. Le monde a eu à déplorer également la mort de plusieurs artistes bien connus : le comédien Jimmy Durante, le réalisateur Alfred Hitchcock, les acteurs Peter Sellers et Steve McQueen, l'actrice Mae West et le chanteur John Lennon.

En 1980 également la nature a rappelé brutalement sa force. Le mont St. Helens, un volcan de l'État de Washington longtemps endormi, est entré en éruption en mai, faisant de nombreuses victimes et causant de sérieux dégâts. Une grave sécheresse a affecté plusieurs régions du monde. Des tremblements de terre ont causé la mort de milliers de personnes en Algérie et en Italie.

Mais 1980 fut aussi une année d'espoir. Des découvertes scientifiques et technologiques faites dans des domaines aussi variés que la génétique et les voitures électriques semblaient être pleines de promesses. Aux États-Unis, à la fin de l'année, les Américains étaient heureux de constater certains progrès dans les négociations avec l'Iran en vue de la libération des otages. Et les remises en questions qui ressortaient de l'examen de bien des événements de 1980 étaient elles-mêmes porteuses d'espoir. Elles semblaient indiquer que le monde était à la recherche de solutions aux tensions et aux problèmes qui le tourmentaient.

WALTER CRONKITE

4 M. Mohamed Mahmoud Ould Louly, chef de l'État mauritanien, a été destitué par l'ex-premier vice-président du Comité militaire de salut national, M. Mohamed Khouna Ould Haidalla, qui s'est emparé de ses fonctions.

8 En Inde, le parti de Mme Indira Gandhi, le Congrès, remporte les élections législatives avec une majorité absolue à la Chambre du peuple. Le 14, Mme Gandhi est élue premier ministre de son pays, poste qu'elle avait occupé de 1966 à 1977.

14 L'Assemblée nationale des Nations unies, par un vote de 104 à 118, « déplore violemment » l'intervention soviétique en Afghanistan. Rappelons qu'en décembre 1979 des milliers de soldats soviétiques

Mme Indira Gandhi est redevenue premier ministre de l'Inde à la suite des élections du mois de janvier.

Des Américains vivant près de la frontière canadienne expriment leurs remerciements au Canada qui a aidé six Américains à sortir d'Iran.

avaient envahi l'Afghanistan, ce qui avait inquiété de nombreux pays. (Le 29 janvier, les 36 pays du monde musulman participant à la Conférence islamique internationale d'Islamabad condamnent unanimement l'intervention soviétique. Ils ont suspendu l'Afghanistan de l'organisation et décidé de supprimer toute aide au gouvernement afghan. Ils ont également lancé un appel en faveur du boycottage des Jeux olympiques de Moscou si les troupes soviétiques ne se retirent pas d'Afghanistan.)

25 En Iran, Abol Hassan Bani Sadr est élu président de la république. L'ex-ministre des finances devient ainsi le premier président iranien. En avril 1979, le pays était devenu une république islamique.

28 L'ambassade canadienne à Téhéran réussit à faire sortir d'Iran six diplomates américains. Ces derniers, qui avaient réussi à s'échapper après l'irruption des étudiants iraniens dans l'ambassade américaine, ont ensuite trouvé refuge à l'ambassade canadienne. M. Kenneth Taylor, ambassadeur du Canada à Téhéran, les a ensuite hébergés pendant 3 mois dans sa résidence. C'est à la faveur du retrait des diplomates canadiens que les six Américains, munis de passeports canadiens, ont quitté Téhéran. Les quelque cinquante Américains pris en otages le 4 novembre dernier sont toujours détenus dans les locaux de l'ambassade américaine à Téhéran.

29 Jimmy Durante meurt à l'âge de 86 ans. Surnommé « Schnozzola » à cause de son grand nez, le comédien américain a donné des spectacles pendant plus de 60 ans.

31 La reine Juliana des Pays-Bas annonce qu'elle abdiquera le 30 avril en faveur de sa fille aînée la princesse Beatrix. « Il ne serait pas responsable de continuer à exercer plus longtemps ma tâche, car tôt ou tard les forces humaines diminuent », a déclaré la souveraine.

4 Le gouvernement américain publie un guide diététique dans le dessein d'améliorer les habitudes alimentaires des Américains et leur santé. Le guide recommande aux Américains de diminuer leur consommation de sucre, de graisses, de sel et d'alcool. Dans les cuisines des cantines scolaires, ces conseils ont été écoutés : elles ont réduit la quantité de gras et de sel dans les plats servis aux enfants.

18 Au Canada, des élections générales ramènent le chef du parti libéral, M. Pierre Elliott Trudeau, au pouvoir. Avec 146 sièges sur 282 son parti reprend le contrôle de la Chambre des communes. Le parti conservateur de M. Joe Clark a 103 sièges et le nouveau parti démocrate 32. Quand au petit parti créditiste il est rayé de la carte électorale.

18 En Pologne, M. Edward Babiuch est nommé premier ministre. Il remplace M. Piotr Jaroszewicz qui occupait ce poste depuis neuf ans.

À Los Angeles, des pluies diluviennes ont causé de sérieux dégâts. L'Arizona et le nord du Mexique ont également été dévastés.

22 En Californie, en Arizona et au nord du Mexique des pluies diluviennes font 36 morts et causent de graves dégâts qu'on estime à 500 000 000 $. De nombreux résidents de ces régions sont évacués. Les secteurs qui ont été particulièrement touchés sont ceux des hauteurs de Los Angeles. Des coulées de boue ont en effet emporté des bâtiments, des voitures et la végétation.

25 Au Surinam, un coup d'État militaire renverse le gouvernement de M. Henck A.E. Arron. M. Arron était au pouvoir depuis la fin de 1975, c'est-à-dire depuis l'accession du Surinam à l'indépendance.

27 À Bogota, en Colombie, des terroristes s'emparent de l'ambassade de la République Dominicaine et prennent 60 otages, dont 15 ambassadeurs. Les terroristes réclament que leur soit versée une rançon de 50 000 000 $ et que des terroristes colombiens soient relâchés. Ces derniers avaient été emprisonnés pour leurs activités terroristes. (Pendant les discussions entre les émissaires du gouvernement et le délégué des terroristes un certain nombre d'otages sont libérés. Un des otages, l'ambassadeur d'Uruguay, s'enfuit. Le 27 avril, les derniers otages sont relâchés pacifiquement).

La Croix-Rouge internationale a livré de la nourriture aux otages détenus dans l'ambassade de la République Dominicaine en Colombie.

3 Prem Tinsulanonda devient premier ministre de Thaïlande. Il succède au général Kriangsak Chamanand qui occupait ce poste depuis la fin de 1977.

4 En Rhodésie, on annonce que le parti de M. Robert Mugabe a remporté les élections parlementaires qui s'étaient tenues du 27 au 29 février. Il obtint 62,9 pour cent des voix et 57 sièges sur 80 réservés aux Noirs. M. Mugabe, qui pendant des années a lutté contre les autorités blanches pour que les Noirs soient représentés au gouvernement, a donc formé le premier gouvernement du Zimbabwe indépendant. (Le 18 avril la Rhodésie est en effet devenue le Zimbabwe.)

6 Mme Marguerite Yourcenar, philosophe, poète, historienne et romancière, est élue à l'Académie française. C'est la première femme qui siégera sous la Coupole depuis la fondation de l'Académie par Richelieu.

25 Mgr Oscar Romero, archevêque de San Salvador et « porte-parole des déshérités », est assassiné. On pense que l'auteur de ce crime est une organisation para-policière d'extrême droite.

Une plate-forme norvégienne dont on se servait comme hôtel pour les hommes qui travaillaient dans les puits de pétrole a fait naufrage. Bilan : 123 morts.

Jesse Owens, l'une des étoiles de l'athlétisme, n'est plus.

26 Roland Barthes, écrivain et professeur au Collège de France, meurt à Paris des suites d'un accident de la circulation. Il avait 64 ans. On lui doit, entre autres, *Le Degré zéro de l'écriture, Système de la mode* et *Michelet par lui-même.*

27 Une plate-forme norvégienne amarrée en mer du Nord au-dessus d'un champ pétrolifère fait naufrage. La plate-forme servait d'hôtel pour les travailleurs. Seules 89 personnes sur 212 ont pu être sauvées.

31 L'athlète noir américain, Jesse Owens, meurt à l'âge de 66 ans. Owens fut l'un des plus grands et des plus célèbres athlètes de l'histoire. En 1936, aux Jeux olympiques de Berlin, alors qu'Hitler voulait prouver la supériorité de la race « aryenne », Owens remporta quatre médailles d'or, victoires qui eurent leur importance aussi bien en politique qu'en athlétisme.

12 William R. Tolbert, président du Libéria depuis 1971, est tué pendant un coup d'État fomenté par des soldats libériens. Le sergent Samuel K. Doe, qui est âgé de 28 ans, devient le nouveau président. La loi martiale est en vigueur et des hauts-fonctionnaires du gouvernement Tolbert sont exécutés pour « haute trahison, corruption et violation des droits de l'homme ».

15 Le philosophe français Jean-Paul Sartre meurt à Paris à l'âge de 74 ans. Sa disparition suscite une grande émotion dans le monde entier. Sartre, qui a exprimé ses idées dans de nombreux essais, ainsi que dans ses romans et ses pièces de théâtre, était un existentialiste, c'est-à-dire qu'il croyait que l'homme devait avoir l'entière liberté de choisir les situations qu'il vivait et que lui seul était responsable de ses actes. Sa philosophie et son engagement politique ont eu une grande influence sur des écrivains et penseurs du monde entier.

15 M. René Lévesque annonce que le référendum sur la souveraineté-association aura lieu le 20 mai.

21 Au Yémen du Sud, Abdel Fattah-Ismaïl démissionne de ses fonctions de chef de l'État et de secrétaire général du parti socialiste. Il était au pouvoir depuis la fin de 1978. Le premier ministre, Ali Nasser Mohammed, lui succède.

24 Échec de l'opération de sauvetage américaine lancée pour délivrer les otages américains en Iran. La force aérienne engagée dans le raid se composait de six avions C 130 et de huit hélicoptères. Les

Le nouveau secrétaire d'État américain, M. Edmund S. Muskie.

Le célèbre cinéaste américain Alfred Hitchcock est mort à l'âge de 80 ans.

six C 130 réussirent à atterrir dans le désert iranien mais seul six hélicoptères y parvinrent. On a alors constaté sur un des appareils une défaillance du système hydraulique. L'ordre était alors donné d'annuler l'opération. Pendant l'évacuation des hommes, un hélicoptère a transpercé le fuselage d'un C 130 en instance de départ. Les deux appareils ont pris feu et huit hommes ont trouvé la mort.

28 Aux États-Unis, le secrétaire d'État, M. Cyrus Vance, démissionne. M. Edmund S. Muskie, un sénateur du Maine, est nommé par le président Carter pour le remplacer.

29 Le cinéaste américain Alfred Hitchcock meurt à Hollywood à l'âge de 80 ans. Le maître du « suspense » policier avait notamment réalisé *L'homme qui en savait trop, Les 39 marches, La mort aux trousses, Les oiseaux* et *Frenzy*. Hitchcock avait été annobli par la reine d'Angleterre le 31 décembre 1979. En dépit de sa notoriété, aucun de ses films n'avait été couronné par un oscar à Hollywood. Il avait cependant reçu deux prix : le prix Irving Thalbert et celui de l'Institut cinématographique américain.

MAI

4 Le maréchal Tito, de son vrai nom Josip Broz, meurt à l'âge de 87 ans. Il dirigea la Yougoslavie pendant plus de 35 ans. Créateur du mouvement des non-alignés, il a toujours voulu mener une politique indépendante de Moscou et des pays occidentaux. Le monde entier a rendu hommage à « celui qui ne s'aligna jamais ».

5 En Grèce, le premier ministre, M. Constantin Caramanlis, est élu président de la république au troisième tour de scrutin.

11 Président de l'Ouganda depuis le mois de juin 1979, M. Godfrey Binaisa, est renversé à la suite d'un coup d'État. Des officiers assureront le pouvoir jusqu'aux prochaines élections.

18 Aux États-Unis, le mont St. Helens, un volcan situé au sud-ouest de l'État de Washington, entre en éruption. Au moins 32 personnes auraient trouvé la mort.

Des enfants déblaient des cendres volcaniques dans une rue de leur ville après l'éruption du mont St. Helens.

Le premier ministre du Québec, M. René Lévesque, a essuyé une défaite au référendum sur la souveraineté-association.

18 Le gouvernement sud-coréen fait appliquer la loi martiale sur l'ensemble du pays. Les universités sont fermées, les réunions politiques et les grèves interdites. Ce recours à la force est décidé pour briser l'agitation ouvrière et estudiantine régnant depuis deux mois. L'opposition réclamait l'élaboration d'une nouvelle constitution, la fin de la censure sur la presse et des élections libres.

20 Au Québec, au cours d'un référendum, les électeurs refusent au premier ministre, M. René Lévesque, le mandat de négocier la « souveraineté-association » de la province à Ottawa, c'est-à-dire l'indépendance politique du Québec et une association économique avec les neuf autres provinces. 40,5 pour cent de la population votent « oui » contre 59,5 pour cent en faveur du « non ».

21 Le président Carter déclare l'état d'urgence à Love Canal, Niagara Falls, New York. On prévoit d'évacuer plus de 700 familles résidant dans ce secteur. De 1947 à 1952, Love Canal a été utilisé comme décharge industrielle de déchets chimiques extrêmement nocifs. Par la suite, il fut recouvert et transformé en terrain à bâtir. Dans les années 70, environ 80 produits chimiques — certains cancérigènes — commencèrent à s'infiltrer dans les sous-sols des maisons. Des études ont révélé que le nombre de cancers et d'autres maladies était anormalement élevé dans ce quartier.

JUIN

7 Le romancier américain Henry Miller meurt à l'âge de 88 ans à son domicile californien. En 1934, son premier roman *Tropique du cancer* fait scandale. Miller sera d'ailleurs interdit de publication aux États-Unis jusqu'en 1960. On lui doit aussi la trilogie *Sexus, Plexus, Nexus* et *Jours tranquilles à Clichy,* dont on a tiré un film.

12 M. Masayoshi Ohira meurt à l'âge de 70 ans des complications entraînées par un infarctus du myocarde. Élu pour la première fois à la Diète en 1952, il était véritablement entré dans la vie politique en 1960 lorsqu'il devint chef du secrétariat du premier ministre de l'époque. Il occupa par la suite plusieurs fonctions ministérielles avant d'accéder en décembre 1978 au poste de premier ministre.

12 Les chefs d'État et de gouvernement des neuf pays du Marché commun se réunissent à Venise et discutent surtout de la situation au Proche-Orient. Ils se prononcent pour l'association de l'Organisation de libération palestinienne à la négociation sur un règlement de paix au Proche-Orient.

Les chefs d'État des sept pays les plus industrialisés du monde occidental se sont rencontrés pendant 2 jours à Venise.

24

23 Les chefs d'État et de gouvernement des sept pays les plus industrialisés du monde occidental (Grande-Bretagne, Canada, France, Allemagne de l'Ouest, Italie, Japon et États-Unis) terminent leur réunion de Venise en adoptant une résolution de douze pages consacrée aux problèmes économiques. Ils se sont engagés à développer d'autres sources d'énergie que le pétrole de façon à réduire leur consommation pétrolière d'ici 1990.

26 Le président Valéry Giscard d'Estaing annonce que la France a mis au point la bombe à neutrons. Elle utilise le phénomène de la fusion thermonucléaire qui mélange des produits de fission avec des isotopes d'hydrogène. Contrairement à la bombe à fission, la bombe à neutrons ne cause pas de sérieux dégâts matériels. En revanche, ses effets de rayonnement sont beaucoup plus nocifs.

27 Le Parlement canadien adopte officiellement *O Canada* comme l'hymne officiel du pays. L'hymne, qui a 100 ans, existe en français et en anglais. Le gouvernement avait invité tous les Canadiens à l'entonner le 1er juillet à midi où qu'ils soient et quoi qu'ils fassent.

28 Le pianiste, chef d'orchestre et acteur espagnol José Iturbi meurt à l'âge de 84 ans. Iturbi connut un vif succès dans les années 40 pour les rôles qu'il tint dans plusieurs comédies musicales.

De jeunes Canadiens (anglais et français) chantent
O Canada, devenu officiellement l'hymne canadien.

JUILLET

5 L'esclavage est officiellement aboli en Mauritanie par le Comité militaire de salut national. Les Haratine, noirs de peau, étaient considérés par leurs maîtres maures comme leur propriété.

11 Richard I. Queen, l'un des 53 otages détenus depuis la prise de l'ambassade américaine à Téhéran en novembre 1979, est relâché sur l'ordre de l'ayatollah Khomeiny. Queen doit en effet subir un traitement médical.

13 Le président du Botswana, sir Seretse Khama meurt à l'âge de 59 ans. Il était au pouvoir depuis l'accession de son pays à l'indépendance en 1966. Le 18 juillet, le vice-président, Quette Masire, lui succède à la présidence.

17 Coup d'État militaire en Bolivie pour faire échec à un processus de démocratisation. M. Hernán Siles Zuano, chef d'une coalition de gauche, qui avait été largement vainqueur des élections qui s'étaient tenues en juin, allait être confirmé dans ses fonctions de président de la république par le Congrès bolivien. Mais les forces ar-

Peter Sellers, le comédien britannique aux 100 visages, est mort. On le voit ici dans le rôle de l'inspecteur Clouseau.

mées ne l'entendaient pas ainsi et le général Luis Garcia Meza, commandant en chef des forces armées, a été investi des fonctions de président.

17 Au Japon, un vote du Parlement nomme M. Zenko Suzuki premier ministre. Il succède à M. Masayoshi Ohira, mort en juin.

24 Le comédien britannique Peter Sellers meurt à l'âge de 54 ans des suites d'une crise cardiaque. Il s'était spécialisé dans les rôles loufoques et a tourné plus de cinquante films, dont *La panthère rose* dans lequel il incarnait l'inspecteur Clouseau.

27 L'ex-chah d'Iran, Mohammed Reza Pahlavi, meurt au Caire à l'âge de 60 ans. Il régna sur l'Iran pendant trente-sept ans avant de s'exiler le 16 janvier 1979. Plusieurs pays lui donnèrent l'asile et c'est finalement en Égypte qu'il trouva son dernier refuge.

29 Des chercheurs américains de Stanford University annoncent qu'ils ont réussi à mettre au point des cellules qui produisent des anticorps humains. Les anticorps sont des protéines fabriquées par l'organisme pour lutter contre les bactéries ou toute substance étrangère. Des anticorps produits en laboratoire pourront sans doute être utilisés dans le traitement de nombreuses affections, dont le cancer.

30 Les Nouvelles-Hébrides, un archipel du Sud-Pacifique, qui étaient depuis 74 ans sous la tutelle de la France et de la Grande-Bretagne accèdent à l'indépendance et deviennent officiellement la République de Vanuatu.

Les Néo-Hébridais fêtent leur indépendance.

4   Des manifestations importantes se déroulent dans toute l'Italie après l'explosion de la gare de Bologne, qui a fait 76 morts et 203 blessés. Des terroristes d'extrême-droite ont revendiqué l'attentat.

11   L'ouragan Allen, après avoir dévasté pendant une semaine les îles des Antilles, la péninsule du Yucatan et les côtes du Texas, s'est calmé. On estime que c'est l'un des ouragans les plus meurtriers du siècle. Sainte-Lucie, Haïti et la Jamaïque sont les îles qui ont été les plus touchées. Selon le bilan officiel, la tempête aurait fait 270 morts. De plus, des milliers de maisons ont été détruites, ainsi que les récoltes.

13   Au Surinam, le président John Ferrier est destitué par l'armée. Il occupait la présidence depuis l'indépendance du pays en 1975. Il est remplacé par M. Henk Chin Sen, qui occupait les fonctions de premier ministre.

14   En Pologne, quelque 17 000 travailleurs se mettent en grève au chantier naval Lénine de Gdansk. La grève se propage dans tout le pays, entraînant une crise nationale. (À la fin du mois d'août on estimait à 500 000 le nombre des travailleurs en grève. Au début du mois de septembre, les grévistes ont repris le travail après que

Corpus Christi, au Texas, a été dévasté par l'ouragan Allen.

En Pologne, M. Lech Walesa, le leader de la grève, a parlé à la foule massée devant les grilles du chantier Lénine après ses entretiens le 22 août avec les membres du Comité central.

le gouvernement leur eut promis des augmentations salariales et le droit de créer un syndicat « autogéré », entre autres.

15 Une expédition américaine annonce qu'elle a retrouvé le *Titanic*, le célèbre paquebot qui a fait naufrage en 1912 dans l'Atlantique, alors qu'il accomplissait son voyage inaugural. Plus de 1 500 personnes avaient trouvé la mort. L'expédition de 1980 a utilisé des sonars pour repérer l'épave. Et c'est dans un profond canyon sousmarin que des signaux indiquèrent la présence d'un objet ayant les mêmes longueur, largeur et hauteur que le bâtiment. Les recherches ont été interrompues à cause de tempêtes mais une seconde expédition est prévue en 1981.

16 En Corée du Sud, le président Choi Kyu Hah démissionne. Il était au pouvoir depuis le mois de décembre 1979.

20 Les États-Unis annoncent qu'ils ont construit un avion « invisible »; l'engin ne peut pas être détecté par les radars car il ne possède aucun angle droit et a été enduit d'une couche d'un matériel affaiblissant les ondes de radar. M. Ronald Reagan, candidat républicain à la présidence, a accusé le gouvernement d'avoir révélé un secret qui pourrait mettre en péril la défense nationale américaine. Ce à quoi M. Carter a répondu que de nombreux Américains étaient au courant du projet et « qu'il est difficile de cacher pendant longtemps une telle réalisation ».

SEPTEMBRE

5 Le plus long tunnel routier du monde (16 kilomètres) est inauguré en Suisse. Il traverse les Alpes et passe sous le col du Saint-Gothard. Depuis 900 ans, le col est emprunté pour passer d'Europe du Nord en Europe du Sud.

12 L'armée s'empare du pouvoir en Turquie. Le premier ministre, M. Suleyman Demirel, qui occupait ce poste depuis octobre 1979, est renversé. Le Parlement est dissous. (Le 20 septembre, l'amiral en retraite Bulent Ulusu est nommé premier ministre.)

16 À New York, la 35e session de l'Assemblée générale des Nations unies s'ouvre. Le baron allemand Rüdiger von Wechmar est élu président de l'Assemblée, poste qu'il occupera pendant une durée d'un an.

16 Le psychologue suisse Jean Piaget meurt à l'âge de 84 ans. Il s'était rendu célèbre pour ses travaux sur le développement de l'enfant.

Le gouverneur général du Canada, M. Edward R. Schreyer, remet l'Ordre du Canada à Terry Fox. C'est la plus haute récompense que le gouvernement peut décerner à un citoyen canadien.

Troupes iraquiennes en Iran. La guerre entre les deux pays a éclaté en septembre.

Les théories qu'il avança sur l'acquisition des connaissances influencèrent beaucoup la psychologie enfantine et les systèmes d'enseignement.

17 Anastasio Somoza Debayle est assassiné au Paraguay. Somoza avait été président du Nicaragua jusqu'en juillet 1979, date à laquelle il avait été obligé de démissionner et de s'exiler.

19 Terry Fox est décoré de l'Ordre du Canada, la plus haute récompense qu'un citoyen canadien puisse recevoir. Âgé de 22 ans, Terry Fox est le plus jeune Canadien auquel est décerné l'Ordre du Canada, et ce pour son courage et sa persévérance. En 1977, Fox avait été amputé de la jambe droite car il était atteint d'un cancer. Après qu'on lui eut placé une jambe artificielle, Fox commença à s'entraîner comme coureur de fond. Parti le 16 avril 1980 de Saint-Jean (Terre-Neuve), il voulait traverser le Canada (8 530 kilomètres) à pied pour collecter des fonds au profit de la recherche médicale. Malheureusement, la maladie le frappa à un peu plus de la moitié du parcours et il fut obligé de mettre un terme à son périple. Ses efforts ont néanmoins rapporté des millions de dollars à la Société de recherche pour le cancer.

22 Les Iraquiens bombardent des champs de pétrole en Iran, ce qui déclenche un conflit armé entre les deux pays. Le 23 septembre, les Iraquiens pénètrent en Iran, leur principal objectif étant de devenir maîtres du Khuzistan, province riche en pétrole. Les Nations unies échouent dans leurs efforts pour arrêter la guerre et les combats causent des dégâts importants dans les deux pays. De plus, l'approvisionnement mondial en pétrole risque de pâtir de cette guerre.

3 À Paris, devant la synagogue de la rue Copernic où étaient réunis plus de 300 fidèles, un attentat à la bombe fait trois morts et vingt blessés. Cet acte antisémite provoque une vive émotion dans la communauté israélite française et l'indignation dans l'ensemble du pays. L'attentat a été commis par un groupe néo-nazi.

10 Deux séismes ravagent le nord de l'Algérie. El Asnam, une ville de 125 000 habitants, est presque complètement détruite. On estime à 20 000 le nombre de personnes tuées par le tremblement de terre.

11 Les cosmonautes soviétiques Leonid Popov et Valery Rioumin regagnent la Terre. Ils venaient de passer 185 jours dans l'espace à bord de la station spatiale Saliout 6.

13 Le gouvernement cubain annonce qu'il va relâcher trente-trois détenus américains. La plupart d'entre eux avaient été incarcérés sous des accusations d'entrées illégales dans l'île, de traffic de drogue

M. Lawrence R. Klein, récipiendaire du prix Nobel de sciences économiques, prenant connaissance d'une note de félicitations humoristique lors d'une fête donnée en son honneur.

ou de détournement d'avion. (Le 27 octobre, les prisonniers sont libérés. Trente arrivent en avion à Miami, tandis que trois décident de rester à Cuba.)

18 En Italie, M. Arnaldo Forlani devient premier ministre. Il succède à M. Francesco Cossiga qui avait occupé ces fonctions depuis le mois d'août 1979.

23 M. Alexis Kossyguine, premier ministre de l'Union soviétique, qui n'était plus en état d'occuper ses fonctions, donne sa démission. Il occupait son poste depuis 16 ans. M. Nicolaï Tikhonov, âgé de 75 ans, le remplace à la tête du gouvernement.

30 En Jamaïque, le parti travailliste remporte les élections parlementaires et M. Edward P. G. Seaga devient premier ministre. Il remplace M. Michael N. Manley qui avait été élu en 1972.

LES PRIX NOBEL 1980

Chimie : MM. Paul Berg et Walter Gilbert (États-Unis) et M. Frederick Sanger (Grande-Bretagne). MM. Gilbert et Sanger reçoivent la moitié du prix pour « leurs contributions à la détermination des séquences de base dans les acides nucléiques ». M. Berg reçoit l'autre moitié du prix pour « ses études fondamentales en biochimie sur les acides nucléiques et en particulier sur les recombinaisons d'A.D.N. M. Sanger était déjà lauréat du prix Nobel de chimie 1958.

Sciences économiques : M. Lawrence R. Klein (États-Unis) pour « la construction de modèles économétriques de conjonctures et leur application à l'analyse de la politique économique ». Les modèles peuvent servir à prévoir les conséquences qu'ont sur l'économie des mesures comme des réductions d'impôts et l'augmentation des dépenses gouvernementales.

Littérature : M. Czeslaw Milosz (Polonais ayant émigré aux États-Unis) pour ses poèmes, ses romans et ses essais (écrits en polonais). Dans ses œuvres il dépeint « le monde dans lequel vit l'homme après qu'il eut été chassé du Paradis ».

Paix : M. Adolfo Pérez Esquivel (Argentine) pour son action en faveur des droits de l'homme. M. Pérez Esquivel s'est attaché à créer des communautés en Amérique latine qui ont pour tâche d'aider socialement, économiquement et humainement les déshérités.

Physique : MM. Val L. Fitch et James W. Cronin (États-Unis) pour avoir mis en évidence la dissymétrie de la matière. La découverte des deux lauréats pourrait jouer un rôle dans notre compréhension de l'univers.

Médecine et physiologie : MM. Baruj Benacerraf et George D. Snell (États-Unis) et Jean Dausset (France) pour leurs travaux fondamentaux d'immuno-génétique. Leurs travaux ont une portée essentielle pour une meilleure compréhension de l'un des mécanismes biologiques essentiels chez les vertébrés, celui qui commande d'une part le maintien d'une bonne santé et d'autre part la défense de cette intégrité contre des agressions extérieures.

NOVEMBRE

4 Aux élections américaines, les Républicains MM. Ronald W. Reagan et George H. Bush sont respectivement élus président et vice-président. Le parti de M. Reagan obtient la majorité absolue au Sénat; il progresse également à la Chambre des représentants sans, cependant, que la majorité démocrate soit remise en péril.

6 Le premier ministre du Québec, M. René Lévesque, a remanié son gouvernement. Il accordera dans les mois à venir une plus grande importance aux questions économiques et sociales en vue des élections de 1981.

7 L'acteur américain Steve McQueen meurt à l'âge de 50 ans après une longue maladie. Parmi ses films qui lui ont valu beaucoup de succès, citons : *La grande évasion, L'Affaire Thomas Crown* et *Papillon.*

14 En Guinée-Bissau, le président Luiz de Almeido Cabral, qui dirigeait le pays depuis son indépendance en 1974, est renversé à la suite d'un coup d'État. Le premier ministre, M. Joao Vieria, qui a fomenté le coup, s'empare du pouvoir.

Steve McQueen n'est plus. On le voit ici dans une scène du film *L'affaire Thomas Crown.*

Le très fort séisme qui a secoué l'Italie a fait environ 3 000 morts.

21 À Las Vegas, Nevada, 84 personnes trouvent la mort dans l'incendie du Grand Hôtel MGM. C'est l'incendie le plus meurtrier depuis 1946 aux États-Unis.

22 Jules Léger, gouverneur général du Canada de 1974 à 1979, meurt à Ottawa à l'âge de 67 ans. M. Léger, au cours de sa longue carrière politique, avait occupé diverses fonctions dans les gouvernements de Mackenzie King et de Saint-Laurent. Il avait également été ambassadeur du Canada au Mexique, en Italie et en France. Pendant son mandat de gouverneur général, le Canada obtint le pouvoir de déclarer la guerre et de signer des traités de paix, pouvoir que détenait encore la Grande-Bretagne.

23 En Italie, un violent séisme secoue une région montagneuse située au sud-est de Naples. Plus de 3 000 personnes ont trouvé la mort et les sans-abris se comptent par dizaines de milliers. Plus de 170 villages et communautés ont été touchés, certains ont été complètement détruits. C'est le pire tremblement de terre que l'Italie ait connu depuis 65 ans. (Dans les jours qui suivent le tremblement de terre, le gouvernement italien est sévèrement critiqué pour la façon dont les secours sont organisés.)

25 En Haute-Volta, le président Sangoulé Lamizana est écarté du pouvoir à la suite d'un coup d'État qui s'est déroulé sans effusion de sang. Il occupait ses fonctions depuis 1966. Il est remplacé par une junte militaire dirigée par le colonel Saye Zerbo. Ce dernier a mis en place « un comité de redressement pour le progrès national ».

DÉCEMBRE

1 Publication d'un rapport du Chef du service fédéral de la santé publique aux États-Unis indiquant que toutes les cigarettes sont nocives, y compris les cigarettes à faible teneur en nicotine. D'après le rapport, « de toutes les causes évitables de décès et de maladies, la cigarette est la plus importante . . . Même les cigarettes les moins nocives présentent des risques de loin supérieurs à ceux que rencontrent les non-fumeurs. »

3 Le *Solar Challenger,* avion mû par l'énergie solaire, effectue un vol de 22 minutes au-dessus du désert de l'Arizona. Il s'agit du plus long vol réalisé par un avion solaire. Le *Solar Challenger* et un appareil expérimental antérieur, le *Gossamer Penguin,* sont les premiers avions qui ont réussi à décoller et à voler en utilisant l'énergie solaire. Cette énergie est collectée par des photopiles disposées sur l'aile et la queue de l'avion. Ces photopiles convertissent l'énergie solaire en énergie électrique qui entraîne le moteur de l'appareil.

5 Francisco Sá Carneiro, premier ministre du Portugal depuis janvier, trouve la mort à 46 ans dans un accident d'avion. Il est remplacé à la tête du gouvernement portugais par Francisco Pinto Balsemão.

8 Mort à l'âge de 40 ans de John Lennon, le célèbre chanteur-compositeur anglais, abattu devant son appartement à New York. Lennon devint une célébrité mondiale comme membre des Beatles, groupe anglais de rock qui devait donner une nouvelle orientation à la musique populaire au cours des années 60. Pour beaucoup, Lennon était le plus talentueux des Beatles. En novembre 1980, Lennon et son épouse, Yoko Ono, avaient présenté au public *Double Fantasy,* le premier album enregistré par Lennon en cinq ans.

12 Le père de la Révolution tranquille, M. Jean Lesage, meurt à l'âge de 68 ans. Il avait été premier ministre du Québec de 1960 à 1966.

13 José Napoléon Duarte est nommé président du Salvador. C'est le premier président civil nommé en 49 ans.

18 M. Alexis Kossyguine, ex-premier ministre de l'Union soviétique, meurt à l'âge de 76 ans d'une crise cardiaque. Il avait pris sa retraite au mois d'octobre car sa santé ne lui permettait plus d'exercer ses fonctions. Installé à la tête du gouvernement en 1964, M. Kossyguine avait fait preuve de beaucoup de savoir-faire politique.

Ci-contre : John Lennon et sa femme, Yoko Ono, en 1980. Ci-dessous : Lennon (à l'extrême-droite) et les autres membres du groupe de rock Beatles, en 1966. Le célèbre chanteur-compositeur devait être abattu le 8 décembre, à New York.

Le 20 janvier 1981, M. Ronald Reagan deviendra officiellement le 40e président des États-Unis.

ÉTATS-UNIS : L'ÉLECTION PRÉSIDENTIELLE

Aux élections présidentielles de 1980, l'ample victoire du candidat républicain M. Ronald Reagan sur le président démocrate sortant M. Jimmy Carter a prouvé que les Américains voulaient qu'un changement d'orientation s'opère dans leur pays. Ancien acteur de cinéma devenu gouverneur de la Californie, M. Reagan avait déjà cherché à deux reprises l'investiture républicaine pour la course à la Maison Blanche. M. Reagan, qui est âgé de 69 ans, est le plus vieux président élu de toute l'histoire américaine.

La course à la présidence commença en août 1978, lorsque le Républicain Philip Crane posa sa candidature au poste de président. D'autres Républicains entrèrent bientôt en lice : M. Reagan lui-même; M. Bush, ancien député du Texas à la Chambre des représentants, puis ambassadeur auprès des Nations unies avant d'être nommé directeur de la CIA; M. Howard Baker, sénateur du Tennessee; M. Robert Dole, sénateur du Kansas; M. John Connally, ancien gouverneur du Texas, et M. John Anderson, député de l'Illinois à la Chambre des représentants.

Dans le passé, un président en place était pratiquement assuré d'obtenir l'investiture de son parti pour un second mandat. En 1980, cependant, Carter se vit disputer la candidature par deux Démocrates connus sur la scène politique américaine : M. Jerry Brown, gouverneur de la Californie, et M. Edward Kennedy, sénateur du Massachusetts.

▶ ÉLECTIONS PRIMAIRES ET CAUCUS

De février à juin 1980, des élections primaires ont eu lieu dans 38 États. Elles permettaient aux Américains de voter pour le candidat qu'ils aimeraient voir nommer par leur parti. Les délégués des candidats à l'investiture participèrent ensuite au congrès national du parti; c'est le congrès qui choisit le candidat à la présidence. Dans les États où il n'y eut pas d'élection primaire, les partis organisèrent des caucus (réunions des membres locaux du parti) pour chacune des circonscriptions électorales, au sein desquels les membres du parti votèrent pour les candidats ou les délégués.

Petit à petit, certains aspirants à la présidence se retirèrent de la course car ils se rendirent compte qu'ils ne pouvaient pas compter sur le soutien de l'électorat. Du côté des Républicains on avait trois candidats : MM. Reagan, Bush et Anderson. Mais, en mai, M. Reagan ayant un nombre suffisant de délégués pour être nommé candidat officiel, M. Bush décida d'abandonner. M. Anderson ne sortit vainqueur d'aucune des élections primaires. Cependant, bon nombre de Démocrates et de Républicains libéraux lui ayant exprimé leur soutien, il décida de relever le défi et de se présenter comme candidat indépendant.

À la fin de 1979, la prise de l'ambassade américaine à Téhéran et la détention de quelque 50 otages américains marquèrent profondément la lutte que se livrèrent les candidats démocrates. M. Carter faisait savoir qu'il interrompait ses déplacements dans le pays en raison de la crise iranienne, et se limita dès lors à donner des conférences de presse dans le cadre de la campagne électorale. Cette stratégie, qui, les premiers temps, se révéla efficace, fit par la suite l'objet des critiques de M. Kennedy, qui accusa M. Carter de se servir de la crise comme prétexte pour éviter d'aborder des questions épineuses.

En avril, les États-Unis essayèrent, sans succès, de libérer les otages. Après cet échec, Carter reprit sa campagne électorale dans le pays. À la suite des élections primaires et des caucus, 60 pour cent des délégués appelés à siéger au congrès du parti démocrate donnèrent leur voix à M. Carter. M. Brown décida alors de se retirer de la course. M. Kennedy, en revanche, ne se considérait pas vaincu.

Les Républicains se réunirent à Détroit du 14 au 17 juillet pour leur congrès national au cours duquel ils adoptèrent un programme politique conservateur. Par une majorité écrasante, Ronald Reagan fut choisi comme candidat à la présidence.

La grande question qui se posait, même avant l'ouverture du congrès, était de savoir qui serait le candidat officiel de M. Reagan à la vice-présidence. Bon nombre de Républicains considéraient l'ex-président Gerald Ford comme le candidat idéal. Mais MM. Reagan et Ford ne parvinrent pas à s'entendre sur l'autorité qu'aurait M. Ford en tant que vice-président et M. Reagan fit appel, au dernier moment, à son principal adversaire des primaires : M. George Bush.

Le congrès national du parti démocrate se déroula à New York, du 11 au 14 août. Dès le premier jour, M. Kennedy échoua dans sa tentative de faire changer les règlements du congrès et abandonna la course à la présidence. Certaines de ses lignes de conduite politique furent cependant intégrées au programme officiel du parti.

▶ UN CHOIX ÉVIDENT

Les candidats à la présidence ainsi que leur parti prirent des positions radicalement opposées sur un certain nombre de points importants.

Économie. M. Reagan était partisan d'une forte réduction des impôts directs, soit 30 pour cent étalés sur trois années. Il déclara également qu'il serait possible d'ici 1983 de diminuer, voire même d'équilibrer, le budget fédéral. Il fit savoir qu'il préconisait l'expansion du secteur privé pour créer de nouveaux emplois et redresser l'économie.

M. Carter était partisan d'une réduction relativement faible des impôts, affirmant qu'une coupure importante provoquerait une poussée inflationniste. D'après lui, il serait impossible de rétablir l'équilibre budgétaire (promesse qu'il avait faite pendant sa campagne de 1976) sans renoncer à d'importants programmes. La « plate-forme » politique des Démocrates proposait une intervention du gouvernement pour créer de nouveaux emplois.

Énergie. M. Reagan se pencha sur la question de la production d'énergie. Il déclara que la crise énergétique résultait principalement des règlements fédéraux, qui tendent à limiter la production américaine de pétrole et de gaz. Il recommanda qu'un contrôle moins strict soit exercé et s'opposa à la conservation des richesses énergétiques. M. Carter, lui, insista sur l'importance de la conservation. Il se montra convaincu que le gouvernement devait jouer un rôle primordial dans la mise en valeur des combustibles synthétiques et des autres nouvelles sources d'énergie.

Environnement. M. Reagan déclara que bon nombre de réglementations relatives à l'envi-

John Anderson, candidat indépendant, représentait la seule vraie menace pour les deux principaux partis.

Le président Carter et M. Reagan se serrent la main avant le débat télévisé du 28 octobre.

ronnement étaient superflues et entraînaient la suppression d'emplois.

M. Carter défendit les lois actuelles de protection de l'environnement. Il annonça qu'il n'était pas prêt à sacrifier l'environnement aux intérêts de l'industrie et se dit partisan d'une législation visant à protéger les terres désolées que possède le gouvernement fédéral en Alaska.

Politique étrangère. Les Républicains se prononcèrent en faveur d'une ligne de conduite ferme contre l'expansionnisme communiste. Reagan déclara que les États-Unis ne devraient pas « se mêler » des questions de politique nationale (sur les droits de l'homme par exemple) des pays avec lesquels les États-Unis entretiennent des relations amicales. Il dit vouloir adopter la prudence quant à l'établissement de relations plus étroites avec la Chine.

M. Carter avait ouvert complètement les relations diplomatiques avec la Chine, et son opinion sur la question des droits de l'homme avait marqué la politique étrangère des États-Unis. Tout en condamnant les actes d'agression soviétiques, la plate-forme des Démocrates préconisait une politique de détente entre l'Est et l'Ouest.

Défense et questions militaires. M. Reagan fit savoir qu'il rejetterait le traité SALT II sur la limitation des armements et négocierait une nouvelle entente. Il affirma que les États-Unis devaient maintenir leur supériorité militaire et demandait une expansion du matériel de guerre, tout en s'opposant à la conscription.

M. Carter s'érigea en défenseur de SALT II. Il avait demandé l'inscription, sur les rôles de l'armée, des jeunes gens âgés de 19 et 20 ans, mais il ne voulait pas que l'on appelle les jeunes sous les drapeaux en temps de paix. M. Carter était partisan d'une augmentation du budget militaire.

Questions sociales. M. Reagan s'opposait à l'Amendement sur l'égalité des droits (Equal Rights Amendment), mais se déclara en faveur de l'égalité des droits pour les femmes. Le programme politique des Républicains réclamait un amendement constitutionnel qui interdirait l'avortement. Il rejeta l'application de quotas pour les groupes minoritaires en ce qui concerne l'emploi et l'inscription dans les écoles.

M. Carter appuyait l'Amendement pour l'égalité des droits. Il se dit contre l'avortement, mais était également contre un amendement constitutionnel qui l'interdirait.

Vers la fin du mois d'août, M. Anderson continuait à jouer un rôle important dans la course à la présidence. M. Anderson avait choisi Patrick Lucey, ancien gouverneur démocrate du Wisconsin, comme colistier; leur plate-forme politique était généralement conservatrice sur les questions d'ordre économique, et libérale sur celles d'ordre social. La candidature de M. Anderson inquiétait particulièrement les partisans de M. Carter, lesquels craignaient de perdre des votes normalement destinés au candidat démocrate.

La Ligue des électrices (League of Women Voters) essaya d'organiser une série de débats télévisés entre les principaux candidats à la présidence et invita M. Anderson à participer à la première séance. Or M. Carter refusa de prendre part au débat si M. Anderson était présent et demanda que cette première séance réunisse uniquement les candidats des deux principaux partis, proposition qui fut rejetée. Le 21 septembre, une première confrontation eut lieu entre MM. Reagan et Anderson, débat qui rallia des électeurs derrière les deux hommes. À l'approche de la date des élections, M. Anderson perdit du terrain.

Le 28 octobre, un débat télévisé eut lieu entre MM. Carter et Reagan. M. Carter insista surtout sur la question de la guerre et de la paix, alors que Reagan s'en tint principalement à l'économie.

Le 4 novembre, jour de l'élection, 52,4 pour cent seulement des Américains ayant droit de vote se présentèrent aux urnes. Un si faible pourcentage de participation à une élection présidentielle ne s'était pas vu depuis 1948. M. Reagan obtint 51 pour cent des suffrages, M. Carter 41 pour cent et M. Anderson 7 pour cent. M. Reagan l'emporta sur ses rivaux dans 44 États, ce qui lui valut d'obtenir 489 mandats de grands électeurs. M. Carter ne vint en tête que dans le District de Columbia et dans 6 États, ce qui lui donna 49 mandats de grands électeurs. M. Anderson et les autres candidats n'en remportèrent aucun.

La victoire des Républicains ne s'est pas limitée à la Maison Blanche. Leur parti a gagné 11 sièges supplémentaires au Sénat, ce qui lui a donné la majorité pour la première fois depuis les années 50. Il a gagné 33 nouveaux sièges à la Chambre des représentants, sans pour autant y obtenir la majorité, et s'est assuré 4 nouveaux gouverneurs d'État.

M. Reagan sera-t-il capable de relancer l'économie américaine ? Parviendra-t-il à améliorer la situation des États-Unis dans le monde ? Pourra-t-il réduire les dépenses fédérales et limiter la dépendance du pays en matière d'énergie ? De nombreux défis sont lancés à l'administration Ronald Reagan au moment où elle se prépare à entrer officiellement en fonctions.

RÉSULTATS DE L'ÉLECTION PAR ÉTAT — (Les chiffres indiquent le nombre de mandats de grands électeurs — il en fallait 270 pour remporter l'élection.)

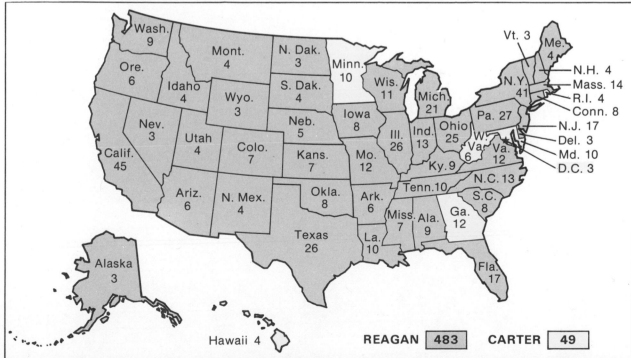

REAGAN 483   CARTER 49

L'AFGHANISTAN DEPUIS L'INTERVENTION SOVIÉTIQUE

Relief accidenté, climat rigoureux, terres peu fertiles ... L'Afghanistan n'est pas un pays riche et pourtant, pendant des siècles, il a connu les invasions et la domination d'armées étrangères. Qu'a-t-il donc de si particulier, ce pays, pour avoir une histoire aussi tumultueuse ? C'est dans sa situation géographique qu'il faut chercher la réponse à cette question. Ce pays d'Asie centrale a été baptisé « Le carrefour de l'Asie ». Au fil des siècles, de puissants pays ont toujours cherché à s'assurer le contrôle de l'Afghanistan afin de protéger leurs propres intérêts.

C'est ce qui s'est produit, une fois de plus, en 1980. Vers la fin de décembre 1979, les troupes soviétiques ont pénétré en Afghanistan. Dès février 1980, près de 90 000 soldats soviétiques avaient déjà été envoyés dans le pays et, à la fin de l'année, la présence soviétique s'était transformée en occupation militaire.

▶ POURQUOI L'INVASION SOVIÉTIQUE ?

L'Union soviétique a des milliers de kilomètres de frontières. De tout temps les Soviétiques ont fait leur possible pour que les pays avec lesquels ils ont une frontière commune soient des pays amis. En Europe, par exemple, les pays communistes prosoviétiques forment une zone « tampon » entre l'Union soviétique et les pays non communistes d'Europe occidentale. L'Union soviétique et l'Afghanistan ont plus de 1 600 kilomètres de frontière commune.

En septembre 1979, M. Hafizullah Amin

devint président de l'Afghanistan. Des rebelles musulmans profondément antisoviétiques, les moudjahidines, se dressèrent contre son gouvernement prosoviétique. Ils s'opposaient violemment à l'établissement d'un gouvernement communiste en Afghanistan et menèrent une guérilla contre l'armée afghane. Les Soviétiques proposèrent à Amin de faire intervenir l'Armée rouge pour vaincre la rébellion. M. Amin refusa. L'armée soviétique pénétra néanmoins en Afghanistan, participa au renversement de M. Amin, qui fut exécuté, et apporta son soutien au nouveau régime de M. Babrak Karmal.

L'armée soviétique s'installa donc en Afghanistan où elle prit part à la lutte contre les moudjahidines et s'assura le contrôle des grandes villes, des axes routiers et des aéroports.

Pour ces rebelles musulmans, le combat mené contre les Soviétiques avait pris les dimensions d'une guerre sainte. Au Moyen-Orient et ailleurs dans le monde, nous avons assisté ces dernières années à une vague d'activités politiques de la part des musulmans, ces derniers entendant protéger les valeurs traditionnelles de leur religion. La révolution de 1979 en Iran en est un exemple. Or, l'Union soviétique compte plus de 20 000 000 de musulmans dont la majorité vit à proximité de la frontière afghane. C'est pourquoi l'Union soviétique, de crainte de voir la guérilla se propager chez elle, considéra qu'il était nécessaire de mater la rébellion afghane.

L'Afghanistan est un pays enclavé dans les

Vers la fin de 1979, les troupes soviétiques pénétrèrent en Afghanistan. Les grandes villes du pays devaient très vite tomber aux mains de l'envahisseur.

Dans le reste du pays, les rebelles musulmans s'opposèrent farouchement aux soviétiques tout au long de 1980.

terres mais, en l'occupant, les troupes soviétiques s'approchaient très près du golfe Persique. Or une grande partie du pétrole exporté par les pays du Moyen-Orient est acheminée par cette voie maritime. Certains considérèrent que l'intervention soviétique aurait pu être dictée par la perspective de contrôler le golfe.

▶ LA CONDAMNATION DE L'INTERVENTION SOVIÉTIQUE

De nombreux pays ont émis des protestations indignées face à l'intervention soviétique. M. Carter, président des États-Unis, l'a qualifiée de « grave menace pour la paix ». Il a ajouté que « toute tentative visant à assurer l'hégémonie de l'U.R.S.S. dans la région du golfe Persique serait considérée comme une atteinte aux intérêts vitaux des États-Unis et que cette agression serait repoussée par tous les moyens, y compris le recours à une intervention militaire ».

En janvier 1980, des vaisseaux de la marine américaine et de la marine britannique se rapprochèrent du golfe Persique. Le même mois, les Nations unies adoptèrent une résolution déplorant l'intervention soviétique et demandant le retrait immédiat des « troupes étrangères » en Afghanistan. De leur côté, les États-Unis proposèrent de mettre l'embargo sur les céréales destinées à l'Union soviétique. À l'exception de l'Argentine, les grands pays producteurs de blé déclarèrent qu'ils étaient prêts à réduire le volume de leurs exportations vers l'Union soviétique. En outre, le boycottage des Jeux olympiques de Moscou par les États-Unis et par de nombreux pays fut sans doute la mesure de représailles qui bénéficia de la plus grande publicité. Ces actions conjuguées furent toutefois insuffisantes pour obtenir le retrait des troupes soviétiques.

En Afghanistan même, les rebelles musulmans poursuivaient la guérilla. De nombreux soldats de l'armée régulière afghane, qui soutenait la politique de Moscou, passèrent dans les rangs des rebelles. On assista à des manifestations contre les Soviétiques jusque dans les villes dont ils avaient le contrôle. En février, les habitants de Kaboul, la capitale, et de six autres villes, participèrent à une grève massive. Cette grève démontrait que, contrairement aux déclarations des Soviétiques, l'ensemble de la population condamnait la présence soviétique.

En novembre, l'O.N.U. condamna une fois de plus l'incursion soviétique en adoptant une deuxième résolution dont le ton était toutefois moins dur qu'en janvier. Les Soviétiques maintinrent que leur action était non seulement justifiée mais que, en outre, elle ne concernait qu'eux. C'est ainsi que, fin 1980, les troupes soviétiques étaient toujours en Afghanistan et le monde se demandait si leur présence allait se transformer en une occupation permanente.

LES POINTS CHAUDS DU MOYEN-ORIENT

Des conditions historiques et géographiques ont fait du Moyen-Orient l'une des régions les moins paisibles du monde. Situé à la jonction de l'Asie, de l'Afrique et de l'Europe, il est baigné par d'importantes voies maritimes. Dans l'Antiquité, cette région fut traversée par de nombreux migrants. De puissants empires — égyptien, babylonien, perse et autres — y connurent grandeur et décadence. En outre, d'importantes religions telles que le judaïsme, le christianisme et l'islam sont nées au Moyen-Orient.

1980 aura donc perpétué le riche passé, souvent violent, de cette région. Si besoin était, les conflits qui ont opposé les Arabes et les Juifs, les Arabes et les Iraniens (qui sont les descendants des Perses de l'Antiquité) seraient là pour nous le confirmer. L'islam, religion longtemps considérée comme une force unificatrice au Moyen-Orient, a connu de graves problèmes de scission.

En surface, ces conflits sont alimentés par des divergences d'intérêts individuels aux niveaux politique et culturel. Toutefois, étant donné la richesse en pétrole du Moyen-Orient, les troubles qui agitent cette zone ont généralement des répercussions sur le reste du monde. Le pétrole a donné une telle importance au Moyen-Orient que si une crise s'y déclenche elle renferme virtuellement le germe d'une guerre totale entre les grandes puissances.

ÉGYPTE ET ISRAËL

Depuis sa création en 1948, Israël est en désaccord avec les pays arabes du Moyen-Orient. Cette année-là, en vertu d'un plan de l'O.N.U., le territoire britannique de la Palestine devait être divisé en deux États, l'un juif, l'autre arabe. Toutefois, les Arabes de Palestine considérèrent que ce plan les lésait et ils déclarèrent la guerre à Israël. Il y eut en fait plusieurs guerres israélo-arabes, en 1956, 1967 et 1973. Pen-

Des Arabes sur la rive ouest du Jourdain.

dant ces années de lutte, Israël devait s'emparer du Golan (pris à la Syrie), de la rive ouest du Jourdain et des quartiers arabes de Jérusalem (pris à la Jordanie), ainsi que de la bande de Gaza et d'une grande partie de la péninsule du Sinaï (prise à l'Égypte).

En 1980, on comptait environ 4 000 000 d'Arabes palestiniens. La majorité d'entre eux vivent sur la rive ouest du Jourdain et dans la bande de Gaza, territoires conquis par les Israéliens en 1967, ou sont réfugiés dans des pays voisins. Ils continuent de revendiquer leur droit à un pays indépendant et, en 1980, la question de la création d'un État palestinien a été, une fois de plus, l'un des principaux obstacles à l'établissement de la paix au Moyen-Orient.

Pourtant, deux ans plus tôt, les perspectives de paix semblaient devoir se concrétiser. En 1978, le président égyptien Anouar el-Sadate et Menahem Begin, premier ministre d'Israël, sous l'impulsion de Jimmy Carter, président des États-Unis, avaient conclu un accord de paix en deux parties. Dans un premier temps fut signé en mars 1979 un traité de paix entre Israël et l'Égypte. Il s'agissait là du premier traité de paix entre Israël et un État arabe. Selon les termes de ce traité, les Israéliens acceptaient de se retirer de la péninsule du Sinaï dans un délai de trois ans et d'établir des relations normales avec l'Égypte. L'autre partie de l'accord était un engagement à élaborer une formule d'État autonome pour les Arabes de la rive ouest du Jourdain et de Gaza. Les détails des modalités de création et d'administration de cet État devaient être arrêtés l'année suivante et il avait été convenu que la Jordanie et des représentants palestiniens prendraient part aux délibérations.

Toutefois la Jordanie et les autres pays arabes — ainsi que le Mouvement pour la libération de la Palestine (M.L.P.) — rejetèrent l'accord israélo-égyptien et, quelques jours après la signature du traité, la plupart des pays arabes interrompaient toutes relations économiques et diplomatiques avec l'Égypte.

Les conditions du traité de paix furent satisfaites fin 1979 et en 1980. Dès la fin de janvier 1980, la majeure partie de la péninsule du Sinaï avait été restituée à l'Égypte et la frontière entre les deux pays était officiellement ouverte. En février, l'Égypte et Israël nommaient des ambassadeurs dans leur capitale respective.

L'ambassade israélienne au Caire. En février, Israël et l'Égypte ouvrirent des ambassades dans leur capitale respective.

Malheureusement, les négociations en vue de créer un État palestinien ne connurent pas le même succès. Israël hésitait à abandonner son contrôle de la rive ouest du Jourdain ainsi qu'à renoncer à certains de ses pouvoirs. De nombreux Israéliens craignaient, en effet, que la création d'un État palestinien ne constitue un danger pour leur propre pays.

Et pendant même que les pourparlers se poursuivaient avec l'Égypte, les Israéliens continuaient de renforcer leurs positions sur la rive ouest du Jourdain. Dénonçant la mauvaise foi apparente des Israéliens, l'Égypte décida d'interrompre les négociations en mai. Les pourparlers reprirent malgré tout pour être interrompus, une fois de plus, le 30 juillet après l'adoption d'une loi israélienne qui faisait de Jérusalem, y compris le secteur oriental de la ville, la capitale d'Israël. Cette loi irrita au plus haut point les Arabes car Jérusalem est une ville sainte aussi bien pour les musulmans que pour les juifs. Au même moment, chaque pays devait faire face à des problèmes internes. La paix et l'aide américaine ne réussirent pas à relancer l'économie chancelante de l'Égypte sans compter que le rejet de l'Égypte par les autres pays arabes devait porter un coup sérieux au prestige de M. Sadate. En Israël, des problèmes économiques firent perdre à M. Begin une partie du soutien dont il bénéficiait. Par ailleurs, de nombreux Israéliens critiquèrent le choix de Jérusalem comme capitale et le renforcement de la présence israélienne sur la rive ouest du Jourdain. Les Palestiniens, de leur côté, organisèrent des manifestations, des grèves de protestation, et accomplirent de nombreux actes de terrorisme au cours desquels des Israéliens trouvèrent la mort. Israël répliqua aux attaques en faisant intervenir son armée et en déportant les chefs arabes.

À l'automne, Israël et l'Égypte acceptèrent de s'asseoir à nouveau à la table des négociations mais de graves désaccords continuent de les séparer sur des points capitaux.

▶IRAN

En 1980, le cas des otages américains n'étaient toujours pas réglé et la deuxième année du pouvoir des chefs religieux islamiques fut marquée par des luttes de pouvoir.

Jusqu'au début de 1979, l'Iran avait été l'un des principaux producteurs de pétrole du monde et un pays qui s'orientait vers une modernisation accélérée. Cette même année, l'ayatollah Ruhellah Khomeiny prit le pouvoir à la suite d'une révolution qui provoqua le départ du chah Mohammed Reza Pahlavi. L'objectif premier de Khomeiny était d'établir un gouvernement qui restaurerait les traditions islamiques de jadis.

En 1980, si Khomeiny continua d'être la figure dominante du gouvernement iranien, on assista toutefois à la formation de plusieurs factions. L'une d'entre elles était constituée de fondamentalistes musulmans qui voulaient que le gouvernement suive strictement les codes religieux de jadis. Les modérés faisaient preuve d'une plus grande souplesse face à l'ap-

Aux États-Unis, le Canada fut acclamé pour avoir aidé six Américains à fuir l'Iran.

En avril, les États-Unis lancèrent une mission de sauvetage pour libérer les otages. L'épopée se termina tragiquement dans le désert iranien.

plication de ces codes. On assista en outre à la montée de groupes gauchistes et communistes.

C'est un modéré, Abolhassan Bani-Sadr, qui fut élu à la présidence en janvier. Toutefois, lors des élections parlementaires du mois de mars, les fondamentalistes remportèrent plus de la moitié des sièges. Tout au long de l'année, les dissensions entre le président et le parlement constituèrent une entrave aux activités du gouvernement et à l'économie du pays dans son ensemble. En outre, des combats de rues éclatèrent entre les gauchistes et les gardes révolutionnaires, disciples des fondamentalistes.

Un conflit éclata également entre le gouvernement et les minorités iraniennes. Les Kurdes, peuple établi dans la zone frontalière de l'Iran, de l'Irak et de la Turquie, revendiquent depuis longtemps le droit à l'autonomie. Ils se rebellèrent ouvertement contre le gouvernement iranien. D'autres groupes s'agitèrent également, en particulier les Arabes de la province du Khuzistan dans le sud-ouest de l'Iran. Or,

c'est dans cette région que se trouvent les principaux gisements de pétrole iraniens.

Pendant ce temps, les démarches entreprises pour la libération des otages américains semblaient ne devoir aboutir nulle part. Au début de l'année, 50 Américains étaient détenus par les étudiants militants dans l'ambassade des États-Unis à Téhéran et trois autres avaient été arrêtés par le gouvernement iranien. Les militants s'étaient emparés de l'ambassade le 4 novembre 1979, peu après l'entrée du chah dans un hôpital américain. Le chah devait quitter les États-Unis quelques semaines plus tard mais les militants déclarèrent qu'ils ne libéreraient les otages qu'à condition que le chah revienne en Iran pour y être jugé. Il régnait en Iran un climat de ressentiment à l'encontre des États-Unis, qui avaient soutenu le régime du chah, et le nouveau gouvernement iranien appuya les exigences des militants.

En janvier, six Américains ayant évité de tomber aux mains des militants réussirent à s'échapper d'Iran grâce à une audacieuse intervention du Canada. Cinq d'entre eux se trou-

M. Richard Queen, qui fut libéré par les Iraniens pour cause de santé, a été reçu par le président Carter.

vaient dans l'ambassade au moment de son occupation mais ils avaient pu s'échapper à temps par une porte arrière et étaient allés se réfugier à l'ambassade du Canada où le sixième était venu les rejoindre.

Pendant plus de deux mois, les six Américains se dissimulèrent chez des diplomates canadiens. Entre-temps, M. Kenneth Taylor, l'ambassadeur du Canada, avait entrepris de réduire progressivement le personnel de son ambassade et il se procura de faux passeports et des visas de sortie pour les Américains. Le 28 janvier, les Américains utilisèrent leurs faux papiers pour monter à bord d'un avion à destination de Francfort en Allemagne fédérale. Le même jour, les derniers diplomates canadiens quittaient à leur tour l'Iran.

Alors que le peuple américain acclamait le coup de force canadien, le gouvernement poursuivait ses efforts pour libérer les otages. Au début de l'année, l'Iran avait annoncé que le sort des otages serait décidé par le parlement qui devait être élu dans le courant de l'année. En avril, les États-Unis interdirent tout commerce avec l'Iran et demandèrent à leurs alliés d'en faire autant. Enfin, le 25 avril, les États-

Unis tentèrent au cours d'un raid militaire de délivrer les otages.

Le plan américain prévoyait qu'un minimum de six hélicoptères de la marine américaine iraient se poser, en pleine nuit, en un point isolé du désert qui s'étend au sud-est de Téhéran. Ils étaient censés y rencontrer des avions transportant des troupes de choc, du carburant et de l'approvisionnement. Les hélicoptères devaient ensuite transporter les commandos dans une retraite située dans les montagnes près de Téhéran. Profitant de l'obscurité, les commandos devaient alors prendre l'ambassade d'assaut, libérer les otages et les évacuer par hélicoptères.

Or le raid ne se déroula pas comme prévu. Huit hélicoptères décollèrent d'un porte-avion qui croisait au large du détroit d'Ormuz. Un de ces hélicoptères fut abandonné lorsqu'on s'aperçut qu'une de ses pales était fêlée. Un autre fit demi-tour lorsque son compas gyroscopique, élément clé de l'appareillage de navigation, tomba en panne en pleine tempête de sable au-dessus du désert iranien. Les six rescapés se présentèrent au rendez-vous où ils étaient attendus par les avions de transport.

· Là, un hélicoptère fut incapable de reprendre l'air par suite d'une panne de pompe hydraulique.

Il fut jugé qu'il était impossible de mener la mission à bien avec seulement cinq hélicoptères et le raid fut annulé. Les hélicoptères s'approchèrent donc des avions de transport pour refaire le plein en prévision du retour mais, dans l'obscurité, l'un d'entre eux entra en collision avec un avion. Les deux appareils prirent feu et huit hommes périrent. Les derniers hélicoptères furent abandonnés.

Après ce raid manqué, les militants déclarèrent qu'ils allaient transférer les otages en divers endroits du pays. Il fut impossible de savoir combien d'otages restaient à l'ambassade et où furent transférés les autres. En juillet, un otage, M. Richard I. Queen, fut libéré après être tombé gravement malade. Plus tard, au cours du même mois, le chah, qui s'était réfugié en Égypte, mourait des suites d'un cancer. Toutefois, l'Iran affirma que seul le nouveau parlement pouvait décider du sort des otages.

Deux jours avant l'anniversaire de la prise de l'ambassade, le parlement iranien posa quatre conditions à la libération des otages. Les États-Unis devaient 1) promettre de ne pas s'ingérer dans les affaires de l'Iran; 2) restituer les biens iraniens détenus dans les banques américaines depuis la prise de l'ambassade; 3) inviter les Américains qui s'étaient fait déposséder de leurs propriétés par le nouveau gouvernement iranien à abandonner toutes poursuites légales et 4) remettre les richesses personnelles du chah à l'Iran.

Les représentants américains déclarèrent qu'il serait facile de satisfaire aux deux premières conditions mais que des problèmes juridiques d'une part et la difficulté d'identifier les richesses du chah d'autre part compliquaient singulièrement la résolution des deux autres demandes. Les deux gouvernements échangèrent une série de messages afin de tenter de clarifier leurs positions respectives. Pendant ce temps-là, les otages se préparaient à passer leur deuxième Noël en captivité.

▶IRAN ET IRAK

En 1980, l'Irak déclara la guerre à l'Iran. La cause immédiate de cette guerre était une querelle de longue date qui opposait les deux pays sur la question du Shatt-al-Arab, voie navigable qui sépare les deux pays et se jette dans le golfe Persique. Les pétroliers empruntaient cette voie d'eau pour transporter le pétrole vendu par les deux pays au reste du monde.

Si c'est une querelle de frontière qui déclencha la guerre, il faut bien savoir que l'hostilité entre les deux pays remonte au VIIe siècle. À cette époque-là, la religion islamique se scinda en deux branches, les Sunnis et les Chiites. De nos jours, le peuple et les dirigeants iraniens sont en grande majorité chiites. Par contre, si la plupart des Irakiens sont également chiites, ils sont gouvernés par des Sunnis.

Une raffinerie de pétrole iranienne, qui a été bombardée par les Irakiens, est la proie des flammes.

NAISSANCE D'UNE NATION : LE ZIMBABWE

Le 18 avril 1980, à Harare (ex-Salisbury) une immense clameur monta lorsque la bannière rouge, verte, jaune et noire du Zimbabwe fut hissée pour la première fois. Cet événement marquait non seulement l'accession à l'indépendance du Zimbabwe mais encore, comme devait le dire le nouveau chef du gouvernement, M. Robert Mugabe, « la récompense suprême et inestimable » d'années de souffrance et de discrimination raciale.

Le Zimbabwe, qui fut longtemps la colonie britannique de Rhodésie du Sud, a été déchiré pendant des années par la guerre civile. C'est en 1965 que tout commença. Cette année-là, le gouvernement blanc de la colonie, qui représentait environ 4 pour cent de la population, déclara son indépendance. La Grande-Bretagne et d'autres nations refusèrent, toutefois, de reconnaître son indépendance à la Rhodésie à moins que ne soit représentée la majorité noire. À l'intérieur, des groupes de Noirs dissidents commencèrent à mener une lutte armée.

En 1979, après des années de lutte et l'intervention de pays étrangers, les Blancs permirent qu'un gouvernement noir élu prenne le pouvoir. Ce dernier était dirigé par l'évêque Abel T. Muzorewa. Cependant, les deux autres nationalistes noirs, MM. Joshua Nkomo et Robert Mugabe n'étaient pas satisfaits : le gouvernement de Muzorewa, estimaient-ils, ne représentait pas vraiment les Noirs de Rhodésie. Pour eux, la lutte se poursuivit donc. Quelques mois plus tard, un accord survint à Londres entre les représentants de la couronne britannique, ceux du gouvernement Muzorewa et les chefs des mouvements de guérilla. Ils se mirent d'accord sur un cessez-le-feu, la promulgation d'une nouvelle constitution et la convocation d'élections générales. Le gouvernement Muzorewa démissionna et un gouverneur britannique, lord Soames, fut dépêché en Rhodésie pour administrer le pays jusqu'aux élections.

Les élections eurent lieu en février 1980. Les trois principaux partis de libération étaient respectivement menés par MM. Muzorewa,

Bureaux de vote flottants aux élections de février.

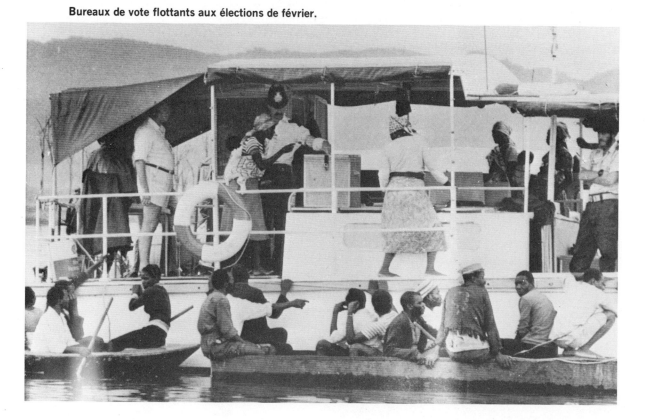

Robert Mugabe (au milieu) devint premier ministre du Zimbabwe.

Mugabe et Nkomo. Le parti de M. Mugabe, la ZANU, remporta une victoire écrasante avec 62,9 pour cent des voix.

Le mandat du gouvernement débuta dans une atmosphère d'espoir. L'économie était saine et Mugabe promit aux Blancs que leurs biens ne seraient pas confisqués. Et bien que Mugabe s'avouât marxiste, il semblait qu'il ne voulût pas former un gouvernment autoritaire. Il fit appel à l'unité en ces mots : « . . . les maux du passé doivent être pardonnés et oubliés, le racisme et l'oppression sont des iniquités qui devront disparaître à jamais de notre système politique et social ».

Une fois l'euphorie dissipée, la réalité apparut dans toute sa clarté : le pays n'était pas encore guéri de ces longues années de conflit. Environ 850 000 citoyens, noirs dans l'ensemble, avaient perdu leur foyer pendant la guerre, 20 000 avaient été tués. Les semailles n'avaient pas été faites. Le nouveau gouvernement estima qu'il lui faudrait 4 500 000 000 (milliards) $ pour assurer la reconstruction du pays.

De plus, les différends entre Noirs et Blancs et entre divers groupements noirs n'étaient pas absents. Mugabe, de son côté, était poussé par

des membres extrémistes de son parti à faire plus rapidement des réformes. Les Blancs commencèrent alors à quitter le pays en nombre toujours croissant car, même si les changements devaient se faire progressivement, leur avenir au Zimbabwe n'était en rien garanti.

De violents incidents éclatèrent également. Les deux principaux mouvements de guérilla, dérigés par Mugabe et Nkomo, avaient reçu l'ordre de rendre les armes et de rejoindre l'armée nationale régulière. Peu de guérilleros obéirent; les autres formèrent des bandes armées errant dans le pays et terrorisant Noirs et Blancs sans distinction. Un incident en particulier témoigne du climat régnant au Zimbabwe : un membre du Cabinet Mugabe fut accusé d'avoir participé à l'assassinat d'un fermier blanc. En outre, les guérilleros appartenant à différentes tribus, on assista à des incidents entre guérilleros eux-mêmes.

À l'étranger, comme au Zimbabwe, on observe avec anxiété les décisions du gouvernement et la façon dont il fera face aux défis qui se posent à lui. On espère malgré tout qu'après tant d'années de guerre, le Zimbabwe vivra enfin en état de paix.

CANADA 1980: QUELQUES FAITS NOUVEAUX DANS LE SECTEUR POLITIQUE

En 1980, il y eut trois faits nouveaux d'importance dans le secteur politique canadien. Aux élections fédérales du 18 février, le parti libéral de M. Pierre Elliott Trudeau fut ramené au pouvoir après avoir battu le parti conservateur de M. Joseph Clark. Le 20 mai, le gouvernement du Québec organisait un référendum et demandait aux électeurs s'ils voulaient que la province accède à l'indépendance. Dans les six derniers mois de l'année, le gouvernement fédéral proposait d'importants changements d'ordre constitutionnel, ce qui entraîna un débat national orageux.

▶ LE RETOUR DES LIBÉRAUX

Des élections qui se sont tenues en février ont été rendues nécessaires par la défaite du parti conservateur au mois de décembre 1979.

Les Communes avaient en effet rejeté le budget présenté par le gouvernement de M. Clark. Les Conservateurs, qui ne restèrent au pouvoir que neuf mois, avaient remporté les élections de mai 1979 avec une très petite marge, soit 136 sièges sur 282 à la Chambre des communes. Ils formèrent donc un gouvernement minoritaire auquel il fallait absolument l'appui des 6 députés du parti créditiste pour tout vote incertain. En étant absent au moment du vote sur le budget, le parti du Crédit social a provoqué la chute du gouvernement conservateur.

La bataille électorale opposa surtout les Libéraux aux Conservateurs, le Nouveau parti démocratique (N.P.D.) étant un important troisième en Ontario et dans les provinces de l'Ouest. Quand au Crédit social, il concentra ses efforts au Québec.

Aux élections fédérales du 18 février, le parti libéral battit le parti conservateur, ce qui ramena au pouvoir M. Pierre Elliott Trudeau.

À Montréal, des partisans du « NON » au référendum brandissent les drapeaux du Canada et du Québec.

Les Libéraux menèrent une campagne électorale très discrète et ne proposèrent aucun programme fixe. Ils concentrèrent, au contraire, leurs attaques sur la politique économique et fiscale que les Conservateurs avaient proposée dans leur budget du mois de décembre. Ce dernier avait attiré la colère de la majorité des électeurs car il prévoyait d'importantes augmentations de taxes et une hausse du prix des carburants canadiens. Par le passé, le gouvernement fédéral avait réussi à maintenir le prix du pétrole bien au-dessous des prix du marché international. La stratégie adoptée par les Libéraux pendant la campagne électorale porta ses fruits et le parti de M. Trudeau remporta aux élections une victoire surprenante. Les résultats finaux donnaient 146 sièges aux Libéraux, 103 aux Conservateurs et 32 au N.P.D., tandis que le Crédit social était rayé de la carte électorale.

Et bien qu'ils aient obtenu la majorité absolue à la Chambre des communes, un nuage assombrissait la victoire des Libéraux : si le parti était solidement représenté dans les provinces de l'Est, l'Ouest, en revanche, ne comptait que deux députés libéraux. Ce qui fit dire à quelques critiques que les Libéraux étaient loin d'avoir l'appui de tout le pays.

▶ LE RÉFÉRENDUM QUÉBÉCOIS

Un référendum est le vote de tous les citoyens pour appuyer ou rejeter une mesure proposée par le gouvernement. Celui qui eut lieu au Québec le 20 mai faisait suite à l'engagement que le parti québécois, le PQ, avait pris lorsqu'il avait accédé au pouvoir en 1976.

Le gouvernement précisa officiellement les détails de sa proposition dans un « Livre blanc » publié en novembre 1979. Ce livre blanc prévoyait, entre le Québec et le Canada, l'instauration d'une nouvelle forme de collaboration appelée « souveraineté-association ». Cette proposition envisageait de faire du Québec un État souverain, un pays indépendant disposant d'une juridiction suprême et qui, par conséquent, pourrait promulguer ses propres lois, lever ses propres impôts et établir des relations avec l'étranger tout en continuant d'être associé au Canada dans le cadre d'une union économique et monétaire.

D'après la convention régissant la consultation populaire, tout parti ou organisme politique participant à la campagne devait appartenir soit au comité en faveur du « oui » soit au comité en faveur du « non ». Le comité du « oui » était essentiellement constitué du parti québécois et de quelques organismes nationalistes québécois alors qu'à la tête du comité du « non » on retrouvait M. Claude Ryan, chef du parti libéral provincial.

Lors de la campagne référendaire, les partisans de la souveraineté-association firent valoir les inconvénients que représentait, selon eux, le système fédéral actuel pour la province. Ils soulignèrent au contraire les atouts économiques et culturels dont pourrait bénéficier le Québec en tant qu'État souverain et indépendant conservant des liens économiques avec le Canada.

Le camp adverse insista sur le fait qu'il ne fallait pas interpréter son rejet de la souveraineté-association comme un soutien du système constitutionnel actuel. Ils se prononçait pour un « fédéralisme révisé ». Ce nouveau fédéralisme, dont Ryan avait tracé les grandes lignes dans son « Livre beige », proposait un certain nombre de réformes constitutionnelles qui étaient censées éliminer la plupart des griefs du Québec à l'encontre du système fédéral.

Ce furent finalement les arguments de M. Ryan et de ses partisans qui prévalurent. La proposition de souveraineté-association que préconisait M. René Lévesque fut rejetée par environ 60 pour cent des électeurs, alors que 88 pour cent des Québécois s'étaient rendus aux urnes.

▶ VERS UNE NOUVELLE CONSTITUTION CANADIENNE

Il y a des années que les gouvernements fédéral et provinciaux discutent de la possibilité d'adopter une nouvelle constitution pour le Canada. En 1980, le référendum québécois a vivement intensifié ce débat constitutionnel. Le parti libéral, aussi bien au niveau fédéral qu'au niveau provincial, s'engagea à réviser le système fédéral après le référendum.

Le système constitutionnel du Canada pose un problème de taille : c'est dans l'Acte de l'Amérique du Nord britannique adopté par le Parlement britannique en 1867 que se trouvent ses principes fondamentaux. En plus de ne pas correspondre à la réalité actuelle, cet acte ne peut être amendé que par la législature britannique, même dans les domaines relatifs aux droits provinciaux.

Quand de tels cas se présentent, le processus d'amendement de l'Acte de l'Amérique du Nord britannique a toujours été le suivant : les deux chambres du Parlement canadien doivent adopter une proposition demandant à la Grande-Bretagne d'effectuer l'amendement désiré. Ceci ne présente aucune difficulté étant donné que, traditionnellement, la Grande-Bretagne a toujours satisfait aux demandes du Canada. Toutefois, ce processus met le Canada dans une position gênante car il doit demander au parlement d'un autre pays d'amender le texte de sa propre constitution.

Peu après le référendum québécois, le premier ministre, M. Trudeau, rencontra les premiers ministres des dix provinces. Ils se mirent d'accord pour créer un comité constitutionnel composé de ministres des gouvernements fédéral et provinciaux. Ces ministres furent chargés d'étudier les divers domaines dans lesquels s'imposent des révisions d'ordre constitutionnel. Le comité consacra plusieurs mois à la préparation d'un rapport qui fut soumis à Ottawa au début du mois de septembre lors d'une « réunion au sommet » des chefs des gouvernements fédéral et provinciaux.

Dès le début de cette réunion, il apparut qu'il serait difficile de se mettre d'accord sur la plupart des points traités. Il existait bien des différences de vues entre les provinces, mais c'est entre le gouvernement fédéral et les provinces que devait se creuser la faille la plus importante. Dans le camp fédéral, les préoccupations premières de M. Trudeau étaient le rapatriement de la constitution, l'adoption d'une nouvelle formule d'amendement intégralement canadienne et l'incorporation de la Charte des Droits dans la nouvelle constitution. De leur côté, les provinces pensaient avant tout à protéger les pouvoirs dont elles disposent actuellement contre l'empiétement fédéral.

Les exigences des provinces variaient considérablement selon leurs intérêts particuliers. Le Québec, seule province à majorité francophone, s'opposait à toute restriction de son contrôle des droits linguistiques et éducatifs. Il réclamait en outre une intensification de ses prérogatives dans les domaines des communications et de l'immigration. De leur côté, les provinces de l'Ouest et Terre-Neuve s'inquiétaient essentiellement de conserver le monopole de leurs richesses naturelles, le pétrole et le gaz naturel en particulier. Presque toutes les provinces désiraient exercer un contrôle accru sur leur commerce avec les autres provinces. Toutes, enfin, voulaient une extension

Au cours des débats traitant de la constitution canadienne, le gouvernement fédéral et les provinces s'affrontèrent. L'Alberta, un important producteur de pétrole, demandait d'avoir le monopole de ses richesses naturelles.

de leur autorité en matière fiscale. Par ailleurs, si toutes les provinces étaient d'accord sur le principe du rapatriement de la constitution et de l'adoption d'un nouveau processus d'amendement, elles considéraient malgré tout que ces points ne devaient être réglés qu'après aplanissement de tous les autres différends les opposant au gouvernement central.

La réunion au sommet se termina sans que les ministres aient trouvé un terrain d'entente. M. Trudeau décida alors que le gouvernement fédéral allait rapatrier unilatéralement la constitution, c'est-à-dire sans l'accord préalable des provinces. Il présenta donc au Parlement canadien une proposition demandant au Parlement britannique d'adopter une loi qui conférerait au Canada les pleins pouvoirs quant à l'amendement de la constitution canadienne. La législation comporterait en outre un certain nombre d'autres modifications, dont une « Charte des Droits et des Libertés ». La clause la plus importante de cette Charte serait une garantie des droits linguistiques et éducatifs des minorités francophones et anglophones dans les provinces.

La présentation de la proposition du gouvernement libéral devant le Parlement canadien se heurta à une vive opposition du parti conservateur. Bien qu'ayant marqué son opposition à l'origine, le Nouveau parti démocratique soutint cette proposition après que certaines concessions lui eurent été accordées. Toutefois, ce sont les gouvernements provinciaux qui s'élevèrent le plus farouchement contre la proposition du gouvernement libéral. La plupart déclarèrent qu'ils étaient prêts à contester la constitutionnalité de l'action unilatérale de M. Trudeau devant la Cour suprême du Canada. Certaines provinces et certains groupes politiques envisagèrent de protester directement auprès du Parlement britannique.

Malgré la nature décisive de l'action entreprise par le premier ministre du Canada, la situation reste très incertaine. Les pressions exercées sur M. Trudeau le forceront-elles à faire d'autres concessions à l'opposition ? Le Parlement britannique acceptera-t-il d'adopter automatiquement cette législation controversée comme il l'a fait par le passé ?

Quoi qu'il advienne de l'Acte du Canada, il est bon de se rappeler que son adoption ne constituerait que la première étape d'un long processus — la création d'une nouvelle constitution pour le Canada.

HERBERT F. QUINN
Université Concordia

L'EXODE CUBAIN

La nuit du 22 avril 1980, l'*El Mer*, bateau de pêche américain, traversait péniblement les eaux sombres du détroit de Floride en direction du port de Key West. À son bord étaient entassés 33 réfugiés cubains qui, les traits tirés par la fatigue du voyage, guettaient l'approche du rivage.

Les passagers de l'*El Mer* faisaient partie des quelque 120 000 Cubains qui vinrent chercher asile aux États-Unis en 1980. La majorité des fuyards arrivèrent en avril et mai, profitant de la décision du gouvernement de Fidel Castro de lever les restrictions d'émigration. Ceux qui les accueillaient sur le sol américain, des amis et des parents surtout, étaient quelques-uns des 800 000 Cubains qui avaient fui l'île lors de la prise de pouvoir de Fidel Castro en 1959.

Cet exode eut pour origine un incident relativement anodin. Début avril, une vingtaine de Cubains avaient pénétré de force dans les locaux de l'ambassade du Pérou à La Havane, capitale de Cuba, et avaient demandé l'asile politique. Au cours de cet incident, un soldat cubain qui gardait l'ambassade avait été tué. En signe de protestation, Cuba priva l'ambassade de tous ses gardes. En quelques jours, 10 000 Cubains se réfugièrent à l'ambassade du Pérou, dans l'espoir de fuir le pays.

Plusieurs pays, y compris le Costa Rica, le Pérou, l'Espagne et les États-Unis, offrirent asile aux réfugiés cubains. Un pont aérien fut établi entre Cuba et Costa Rica mais les autorités cubaines le supprimèrent vers la mi-avril. Plusieurs centaines de petits bateaux de pêche américains prirent alors la mer en direction de Cuba afin de prendre les réfugiés à leur bord.

Dès le mois de mai, de petits bateaux aux équipages américano-cubains transportaient des réfugiés cubains en Floride au rythme de 3 000 par jour. Mais déjà surgissaient les premières difficultés. La traversée s'avérait dangereuse et il était de plus en plus difficile de trouver de quoi nourrir et abriter les émigrants cubains en Floride. L'arrivée d'autres réfugiés, haïtiens pour la plupart, n'était certes pas faite pour simplifier les choses. En effet, depuis plusieurs années déjà, des Haïtiens pénétraient aux États-Unis.

En mai, M. Jimmy Carter, président des États-Unis, décida de mettre un terme au va-et-vient désorganisé et dangereux des petits bateaux entre Cuba et les États-Unis. Les garde-côtes interdirent aux embarcations de prendre la mer à destination de Cuba et arraisonnèrent celles qui revenaient de l'île avec des réfugiés. De nombreux bateaux échappè-

Réfugiés cubains à bord d'embarcations américaines.

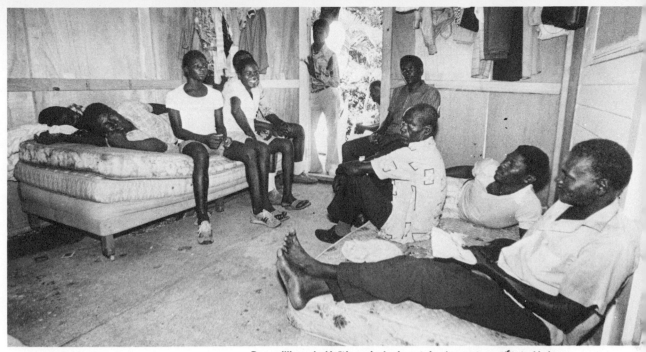

Des milliers de Haïtiens émigrèrent également aux États-Unis.

rent malgré tout à la surveillance des garde-côtes et, pendant tout l'été, des réfugiés cubains continuèrent à s'infiltrer en Floride.

Pourquoi tant de Cubains voulaient-ils quitter leur pays ? Le manque de liberté est une des raisons les plus souvent citées par les réfugiés. Des facteurs d'ordre économique — crise du logement, pénurie des denrées alimentaires et coût exorbitant des vêtements et autres articles indispensables — les ont également incités à partir.

Le cas des Cubains exilés aux États-Unis fut soigneusement étudié pour voir s'il était possible de les accueillir en vertu de la loi de 1980 sur les réfugiés. Promulguée en mars, cette loi simplifie les modalités d'entrée aux États-Unis pour ceux qui risqueraient d'être persécutés si on les refoulait vers leur pays d'origine. La plupart des Cubains répondaient aux conditions édictées par la loi et furent rapidement autorisés à s'installer aux États-Unis.

Toutefois, les formalités n'étaient pas aussi expéditives pour tous les réfugiés. Certains durent attendre des mois dans des camps en Arkansas, en Floride, en Pennsylvanie et au Wisconsin. Il s'agissait surtout de jeunes hommes célibataires qui, bien souvent, ne parlaient pas anglais et n'avaient ni amis ni parents aux États-Unis. D'autres faisaient face à des difficultés plus justifiées : c'étaient des criminels que les autorités cubaines avaient relâchés de prison ou des handicapés mentaux qu'on avait laissé partir des établissements où ils étaient soignés. Le gouvernement cubain refusa de reprendre les réfugiés dont les États-Unis ne voulaient pas. Les formalités d'admission traînant de plus en plus en longueur, des révoltes éclatèrent dans plusieurs centres de réfugiés.

De leur côté, les Haïtiens rencontraient également de sérieuses difficultés. Haïti n'étant pas sous régime communiste, les Haïtiens se virent tout d'abord refuser le droit d'asile en vertu de la loi sur les réfugiés. Ils plaidèrent toutefois leur cause en soulignant que le gouvernement était une dictature brutale et qu'en fait ils fuyaient leur pays pour les mêmes raisons que les Cubains. Les autorités américaines leur accordèrent finalement un droit de séjour conditionnel et surveillé de six mois.

Le nombre de réfugiés provenant de Cuba et d'Haïti devait rapidement dépasser les limites établies par le gouvernement des États-Unis au début de l'année. La dernière vague d'émigration cubaine que les États-Unis aient connue remonte à 1965. Elle devait durer huit ans et voir l'installation aux États-Unis de quelque 250 000 Cubains. Il est actuellement impossible de dire combien de temps durera le mouvement d'émigration amorcé en 1980 et combien de Cubains en profiteront.

De nombreux jeunes gens se prononcèrent contre la conscription car ils craignaient qu'un enrôlement effectif dans l'armée en découle.

LA CONSCRIPTION AMÉRICAINE

En juillet 1980, les Américains nés en 1960 et 1961 se firent inscrire sur les rôles de l'armée. Cette démarche correspondait à une proclamation que venait de signer le président Jimmy Carter. Le n° 1 américain, à la suite de l'invasion de l'Afghanistan par les troupes soviétiques en décembre 1979, voulait faire comprendre à Moscou que les États-Unis étaient prêts, si nécessaire, à intervenir militairement et à résister à toute agression armée.

▸ UNE VIVE POLÉMIQUE

Si la majorité des 4 000 000 de jeunes gens ayant atteint l'âge légal se firent inscrire, certains, cependant, se demandaient si un enrôlement de fait ne se produirait pas très vite. La conscription de jeunes Américains en temps de paix devint le centre d'une vive polémique dans laquelle ceux qui en étaient partisans, ainsi que ses détracteurs, avancèrent des arguments de poids.

À la question : « Les forces armées ont-elles besoin d'appeler sous les drapeaux les jeunes maintenant ? », les partisans répondaient que, l'armée s'étant considérablement affaiblie, la conscription la renforcerait et que cette dernière empêcherait certaines nations de se lancer dans la guerre. Les opposants affirmaient, au contraire, qu'en cas de conflit les États-Unis ne seraient pas en mesure de remporter une guerre qui durerait longtemps, surtout dans les « points chauds » du globe, comme le golfe Persique.

Les États-Unis peuvent-ils compter sur une armée de volontaires ? Non, répondaient ceux qui soutenaient la conscription car il n'y a pas assez d'engagés volontaires et que, parmi ces derniers, on compte beaucoup de ressortissants de couleur. La conscription obligatoire entraînerait la formation d'une armée où il y aurait plus de Blancs de classe moyenne. Les forces armées, ethniquement parlant, seraient plus équilibrées et la démocratie s'en porterait mieux.

Ceux qui s'opposaient à la conscription rétorquaient que les enrôlés obligatoires ne font pas de bons soldats en temps de paix. De plus, disaient-ils, l'enrôlement n'est pas juste à moins que tous les jeunes soient appelés à servir sous les drapeaux. Il n'y a pas deux poids et deux mesures. Les forces armées ne devraient pas opérer une sélection parmi les jeunes gens en âge de servir.

On ne sait pas avec certitude combien de jeunes gens ne se sont pas fait inscrire. Deux pour cent seulement comme l'affirment les partisans de la conscription ou 20 pour cent comme le disent ses opposants ? Le chiffre exact doit se situer entre les deux. M. Ronald Reagan, pendant la campagne électorale, se prononça contre la conscription. Reste à savoir ce qu'il fera une fois au pouvoir.

CHANGEMENT DE GOUVERNEMENT EN JAMAÏQUE

La Jamaïque vient de prendre un virage. M. Michael Manley et sa formation politique, le parti national populaire, ont essuyé un cinglant revers aux élections générales du 30 octobre 1980. Le retour en force du parti travailliste interrompt une expérience, souvent mal comprise à l'étranger parce qu'elle représentait une tentative, assez confuse par moments, de promouvoir l'indépendance économique d'un pays insulaire dépourvu de ressources énergétiques et hanté par le spectre du chômage et de la violence.

La situation, déjà difficile en 1972 lorsque M. Manley accéda au pouvoir après dix ans d'administration travailliste, n'a cessé de se détériorer au fil des hausses successives du prix du pétrole. Principale richesse de l'île, la bauxite, dont la Jamaïque était le deuxième producteur mondial, est aussi son problème n° 1 car son exploitation entraîne une grande consommation d'énergie. Pour sauver l'économie il fallait donc augmenter les impôts prélevés sur le minerai de façon tout aussi brutale que le prix du pétrole. Les compagnies étrangères ne l'entendirent pas sur ce ton. Non satisfaites de réduire leurs opérations, elles privèrent la Jamaïque de prêts internationaux dans un effort pour « mettre le gouvernement à genoux ». M. Manley se mit alors à parler de « socialisme démocratique », se rapprocha de Cuba et devint très actif au sein des organismes voués à la défense des intérêts du Tiers Monde. Sa popularité fut à son comble en 1976-1977 quand son parti rafla presque tous les postes aux élections générales et municipales.

Cette victoire ne régla en rien les problèmes financiers de l'île. La facture pétrolière enflait, les investissements ne venaient plus, même les touristes boudaient les plages. La Jamaïque n'obtint des crédits internationaux qu'à de lourdes conditions qui signifiaient, si elle les acceptait, des hausses de prix, le gel des salaires et des congédiements massifs. Ces pressions extérieures et l'incapacité du gouvernement d'élaborer des solutions de rechange en tirant parti de ressources locales eurent raison du programme de réformes. Les grèves et les manifestations se multiplièrent, le chômage atteignit un niveau record, la criminalité redoubla, le régime se fit plus autoritaire. Il n'est pas étonnant qu'avec l'aggravation de la crise la population se soit tournée vers l'opposition travailliste et lui ait accordé sa confiance. À vrai dire, le « socialisme démocratique », en dépit de certaines réalisations, n'eut pas l'occasion d'être beaucoup plus qu'un slogan.

Le gouvernement d'Edward Seaga fera-t-il mieux ? Il est certain que sa stratégie axée sur l'entreprise privée et l'investissement étranger plaira aux milieux d'affaires. Les réactions ont été enthousiastes. L'aide extérieure s'annonce généreuse. Elle ne saurait suffire, cependant, à ramener la paix dans un pays où les divisions sociales et politiques tournent souvent à la violence.

Ces élections confirment la remontée de l'influence des États-Unis dans les Caraïbes. En 1980, trois autres îles ont élu des gouvernements hostiles à Cuba. D'ailleurs, l'un des premiers gestes de M. Seaga fut d'expulser l'ambassadeur cubain. Washington devrait en profiter pour mettre en place une force de sécurité régionale et pour redonner vie au marché commun caraïbe. La Jamaïque devient une pièce essentielle sur un échiquier remis à neuf.

CLAUDE MORIN
Université de Montréal

M. Edward Seaga et sa femme font le signe de la victoire après l'annonce du résultat des élections.

L'EUROPE DE L'EST À L'HEURE DES CHANGEMENTS

D'importants événements se sont produits dans deux pays d'Europe de l'Est au cours de l'année 1980. En mai, le maréchal Tito, chef d'État yougoslave depuis presque 35 ans, mourait. Sa disparition marquait la fin d'une époque pour son pays. En Pologne, des milliers de travailleurs se mettaient en grève en août. L'avenir nous dira si les travailleurs polonais ont fait évoluer de manière décisive le système communiste de leur pays.

▶ YOUGOSLAVIE : LA FIN D'UNE ÉPOQUE

Pendant la Seconde Guerre mondiale, Tito (de son vrai nom Josip Broz) prit la tête d'un important mouvement de résistance contre les forces allemandes qui occupaient la Yougoslavie. Après la guerre, il instaura le régime communiste dans son pays et demeura à la tête du parti jusqu'à sa mort. Cependant, on se souviendra de Tito comme du premier dirigeant de l'Est à avoir rompu les amarres avec le Kremlin.

Après la guerre, Tito demanda aux Soviétiques une aide économique. Il empêcha cependant ces derniers de faire de la Yougoslavie un satellite de l'Union soviétique et suivit sa propre voie vers le socialisme. Comme dans la plupart des pays communistes, le secteur industriel fut nationalisé mais Tito n'interdit pas la libre entreprise. En outre, les libertés individuelles étaient bien plus garanties en Yougoslavie qu'elles ne l'étaient dans tout autre État communiste. La Yougoslavie prit la tête des pays non-alignés, pays qui suivent une politique ne se rattachant ni à celle des États-Unis ni à celle de l'Union soviétique.

Sous l'énergique commandement de Tito, la Yougoslavie, qui se compose de plusieurs ethnies parlant des langues différentes, ne se démantela pas. L'on craignait que, après sa mort, des conflits n'éclatent. Pour parer à cette éventualité, il fut décidé que le pouvoir serait assuré par une présidence collégiale de l'État. Cette présidence compte huit membres représentant les six Républiques et les deux régions autonomes qui constituent la Yougoslavie. De plus, un ordre annuel de rotation du président et du vice-président a été institué.

Il est encore trop tôt pour dire si cette forme de pouvoir collectif est positive. Certains se demandent si les libertés individuelles ne vont pas être remises en cause, ou si l'Union soviétique ne va pas tenter d'imposer un contrôle plus grand sur la Yougoslavie. Il semble que les nouveaux dirigeants continuent la politique générale d'indépendance du maréchal Tito. Cependant, privé de la forte personnalité de ce dernier, le pays ne continuera peut-être pas à jouer un rôle prépondérant à la tête des pays non-alignés.

▶ LES GRÈVES OUVRIÈRES EN POLOGNE

Les grèves qui eurent lieu en Pologne au cours de l'été 1980 sont d'autant plus significatives que le droit de grève est illégal en pays communiste. En effet, tout gouvernement communiste se dit être le vrai représentant des travailleurs. Il contrôle l'économie, gère les usines, les mines, les entreprises pour le bien-être des travailleurs. Selon cette théorie, se mettre en grève revient donc à agir contre son propre intérêt.

Le gouvernement polonais avait réussi à maintenir assez bas les prix des denrées de base, comme la viande, en prenant à sa charge une partie du coût. En 1980, cependant, les dettes de la Pologne envers ses fournisseurs étrangers étaient si élevées que le gouverne-

Tito dirigea la Yougoslavie pendant presque 35 ans.

En Pologne, des milliers de travailleurs se mirent en grève pour obtenir certains droits fondamentaux.

ment ne fut plus en mesure d'accorder les subventions habituelles. Certaines usines durent tourner à vide faute de pièces de rechange et les Polonais se mirent à faire la queue pour se procurer le minimum vital — du pain aux journaux. Lorsque, en juillet, le gouvernement augmenta le prix de la viande, certains travailleurs, à Varsovie, débrayèrent. L'agitation fit tache d'huile et, vers la mi-août, gagna les régions industrielles de la côte de la Baltique. À Gdansk, sur la Baltique, les ouvriers prirent possession du gigantesque chantier naval Lénine. Ce qui frappa le monde entier fut que les revendications des grévistes n'étaient pas uniquement d'ordre salarial mais semblaient remettre en cause le système communiste lui-même. Ils exigeaient le droit de former des syndicats libres et le droit de grève. Ils réclamaient la suppression de la censure et de la répression politique.

Les dix premiers jours de la crise furent extrêmement tendus : le gouvernement refusait de rencontrer les travailleurs de Gdansk. La tension était d'autant plus forte que nul ne savait comment les Soviétiques allaient réagir.

Puis, dans le courant du mois d'août, les concertations commencèrent entre les travailleurs et le gouvernement. Parallèlement, les mineurs de Silésie se mirent en grève, joignant leurs revendications à celles des travailleurs de Gdansk. Cela porta à 500 000 le nombre des grévistes.

Les premiers accords entre le gouvernement et les travailleurs de Gdansk furent conclus fin août, début septembre pour les mineurs. Ces accords reconnaissaient aux travailleurs le droit à des syndicats libres ainsi que le droit de grève et leur garantissaient le « respect de la liberté d'expression », en même temps que des avantages économiques. En échange, les travailleurs s'engageaient à ne pas remettre en question les fondements de la doctrine communiste.

À la suite des grèves de Gdansk, le chef du parti, M. Gierek, donna sa démission. Des grèves locales éclatèrent un peu partout dans le pays, les travailleurs d'autres secteurs réclamant les mêmes avantages que ceux de Gdansk. En octobre, les accords de Gdansk n'étant toujours pas enregistrés, la commission nationale des syndicats indépendants polonais Solidarité se demandait s'il était opportun d'appeler les travailleurs à une nouvelle grève. Par le passé, à l'agitation sociale le gouvernement répondait par des promesses de réformes mais ne les tenait jamais. Il semble, en fait, que les graves problèmes économiques qu'a connus la Pologne en 1980 et ses liens étroits avec l'Union soviétique aient empêché l'élaboration d'une solution rapide et simple. Il faut pourtant reconnaître que les statuts de Gdansk signifient la reconnaissance implicite par un parti communiste d'une organisation ouvrière, hors de son propre cadre.

LE PÉTROLE MEXICAIN

Le premier producteur de pétrole du monde est sans conteste l'Arabie saoudite. On évalue en effet ses réserves prouvées à quelque 150 milliards de barils — de quoi durer encore 30 ans au rythme actuel de la production. (Les réserves prouvées sont les nappes pétrolifères découvertes à la suite de forages d'exploration.)

Il se pourrait toutefois que l'Arabie saoudite ait à renoncer à son hégémonie pétrolière dans un avenir assez proche. En septembre 1980, le Mexique a annoncé la découverte de réserves prouvées en pétrole, évaluées à 60 milliards de barils, qui le placent au cinquième rang des pays producteurs de pétrole. En outre, ses réserves possibles s'élèvent à 200 milliards de barils : si ces estimations se concrétisaient, le Mexique deviendrait le plus riche pays producteur de pétrole du monde.

▶LE PÉTROLE ET L'AVENIR DU MEXIQUE

Le Mexique produit du pétrole depuis la fin du XIXe siècle mais c'est seulement au cours des cinq dernières années qu'il a pris place parmi les grands du pétrole.

Lorsque José López Portillo fut élu président en 1976, le Mexique était en proie à de graves problèmes socio-économiques. Pour résoudre certains de ces problèmes, Portillo décida de redoubler d'effort pour trouver de nouveaux gisements de pétrole. Il demanda donc à la Pemex, la compagnie pétrolière d'État, d'effectuer des forages intensifs dans les provinces de Tabasco et de Chiapas où des gisements avaient déjà été décelés. La Pemex entreprit aussitôt ses travaux d'exploration, lesquels devaient se révéler fructueux. De nouveaux gisements furent non seulement découverts dans ces provinces mais encore dans d'autres régions du Mexique.

Il est toutefois permis de se demander si cette nouvelle richesse pourra améliorer le niveau de vie du peuple mexicain qui, dans sa grande majorité, doit faire face à de sérieux problèmes de sous-alimentation et de logement. Le taux de chômage atteint les 20 pour cent et des millions de travailleurs ne disposent pas d'emplois à plein temps. La population mexicaine augmente de 2 000 000 d'habitants par an, ce qui ne fait qu'empirer la situation déjà très précaire du marché du travail. Par ailleurs, l'analphabétisme est très répandu et les efforts pour construire des édifices scolaires et former des enseignants ne peuvent suivre le rythme de la poussée démographique.

La nouvelle richesse pétrolière du Mexique pourra sans doute contribuer à résoudre certains de ces problèmes, mais l'argent ne saurait en être la panacée. Le gouvernement a peur, en injectant trop brusquement des fonds dans l'économie mexicaine, d'accroître le taux d'inflation qui est déjà une source de préoccupations. Par ailleurs, l'essor de l'industrie pétrolière est encore loin de résoudre le problème du chômage. En effet, une fois les forages terminés et la production commencée, l'exploitation des puits n'exige pratiquement plus de main-d'œuvre.

Le président López Portillo a mis le pays en garde contre l'exploitation trop précipitée des gisements de pétrole et conseille l'adoption de mesures de conservation. « Le Mexique vit une situation qui n'arrive qu'une fois dans l'histoire d'un pays », a-t-il déclaré. « Nous devons transformer une source de richesse limitée en source de richesse permanente. » C'est dans cet esprit d'économie que la production quotidienne de pétrole a été restreinte. Les gains résultant de son exploitation servent à financer l'expansion d'industries traditionnelles ainsi que la création de nouvelles industries. De cette façon le Mexique entend assurer un avenir plus stable à son peuple.

▶ LA SOIF DE PÉTROLE

Au début de 1980, les trois quarts des exportations de pétrole brut mexicain étaient destinés aux États-Unis alors que l'Espagne et Israël se partageaient à peu près le reste. Depuis lors d'autres pays grands consommateurs de pétrole font une cour empressée au Mexique. Le Canada et le Japon ont signé des accords concernant l'achat de pétrole mais le Mexique s'est montré intransigeant quant aux quantités consenties. Les autorités mexicaines ont informé ces deux pays que, s'ils voulaient plus de pétrole, il leur faudrait participer plus activement au développement économique du Mexique.

Le Mexique souhaiterait bien sûr diversifier sa clientèle, mais, à cause de sa situation géographique, c'est le marché américain qui est le plus normal. Toutefois, vu les rapports tendus qui existent depuis longtemps entre les deux pays, le Mexique n'est pas pressé d'augmenter ses exportations de pétrole vers les États-Unis.

« Nous voulons absolument utiliser la richesse pétrolière pour réduire la distance entre la misère et l'opulence », a déclaré le président mexicain en 1980.

Cette dissension remonte à la guerre de 1840, à l'issue de laquelle le Mexique perdit de vastes territoires au profit des États-Unis. En outre, les Mexicains reprochent aux États-Unis d'avoir profité de leur pétrole par le passé. Il est vrai que jusqu'en 1938, année où le gouvernement mexicain décida d'assumer sa production de pétrole, c'était des compagnies pétrolières américaines qui avaient la mainmise sur la plupart des gisements de pétrole du Mexique.

Toutefois, on note actuellement une certaine amélioration des relations. Les États-Unis ont accepté de payer le pétrole mexicain au prix fixé par l'OPEP et de grandes compagnies ont commencé à investir plus intensivement dans l'industrie mexicaine. De son côté, le Mexique a consenti à collaborer avec les États-Unis pour tenter de mettre un terme au trafic de la drogue. Si les liens d'amitié continuent de se resserrer, sans doute le Mexique se montrera-t-il plus enclin à aider les États-Unis à résoudre, du moins en partie, leurs problèmes d'approvisionnement en sources d'énergie. Il n'en demeure pas moins que cette décision ne peut être prise que par le Mexique.

ACTUALITÉ POLITIQUE

La reine Béatrix des Pays-Bas est montée sur le trône en avril 1980, à l'abdication de sa mère, la reine Juliana. Née en 1938, elle passe les premières années de son enfance en exil, en Angleterre et au Canada, à cause de la Seconde Guerre mondiale. De retour à Amsterdam après la guerre, elle vit simplement, allant au lycée de Baarm et faisant de la bicyclette dans les rues de la ville comme pratiquement n'importe quel enfant. Plus tard, elle entre à l'université de Leyde où elle étudie le droit public, la sociologie, l'histoire parlementaire de son pays et celle des relations internationales. En 1966, elle épouse un Allemand, Claus von Amsberg.

Le 14 avril 1980, sur la proposition du premier ministre canadien Pierre Elliott Trudeau, la Chambre des communes confirme à l'unanimité la nomination comme présidente de la Chambre de Mme Jeanne Sauvé. C'est la première femme de l'histoire du Canada à occuper ce poste. Née le 26 avril 1922 à Prud'homme dans la Saskatchewan, Jeanne Sauvé poursuit ses études à Ottawa, puis à Paris. De 1952 à 1972, elle fait carrière dans le journalisme, à la Société Radio-Canada. Elle collabore également au réseau national CTV et aux réseaux américains NBC et CBS. Le 30 octobre 1972, elle est élue député libéral dans le comté d'Ahuntsic à Montréal. Le mois suivant, elle est nommée ministre d'État chargé des Sciences et de la Technologie. Elle occupe d'autres postes ministériels en 1974 et 1975. En mai 1980, elle est élue député du comté de Laval-des-Rapides et est réélue aux élections de février 1980.

Au mois de janvier, Abolhassan Bani-Sadr (au centre, avec des lunettes) est devenu le premier président de la république islamique d'Iran, après une écrasante victoire électorale. Bani-Sadr est né en 1933, à Hamadan, dans l'ouest de l'Iran. Depuis longtemps un ardent partisan de l'ayatollah Ruhollah Khomeiny, chef religieux de l'Iran, Bani-Sadr rejoint les rangs de l'opposition au shah alors qu'il est étudiant à l'université de Téhéran. Arrêté à plusieurs reprises par la police, il quitte son pays en 1965 pour s'exiler à Paris. Il devient ministre des Affaires étrangères de l'Iran en 1979, quand le shah est renversé. Il est démis de ses fonctions pour avoir critiqué les militants qui s'étaient emparés de l'ambassade américaine. En tant que président, Bani-Sadr s'est souvent opposé aux partisans plus extrémistes de Khomeiny.

En octobre 1980, Nicolas Tikhonov, 75 ans, a succédé à Alexis Kossyguine au poste de premier ministre de l'Union soviétique. Tikhonov est un personnage peu connu, même dans son propre pays. Né à Kharkov, en Ukraine, il est parvenu par son travail à se hisser au poste de directeur d'une usine fabriquant des tubes. C'est justement en tant que directeur industriel qu'il rencontre, dans les années 40, Leonid Brejnev, maintenant chef du parti communiste. L'évolution de la carrière politique de Tikhonov correspond à l'accession au pouvoir de Brejnev. Nommé premier vice-président en 1976, Tikhonov remplace progressivement dans bien des fonctions Alexis Kossyguine, qui souffre d'une maladie cardiaque. Les discours et les textes de Tikhonov montrent qu'il est partisan d'une politique de détente avec l'étranger et d'un intense effort de production industrielle pour son pays.

Les hiboux sont des animaux mystérieux que peu de gens arrivent à voir. On les rencontre pourtant presque partout dans le monde. Avec un peu de chance, vous pourrez peut-être en observer plusieurs, comme ces bébés petits-ducs perchés sur une branche d'arbre.

ANIMAUX

MAIS QUI EST DONC CE CHASSEUR NOCTURNE ?

L'obscurité enveloppe la campagne. Rien ne bouge. Un chasseur est là, à l'affût, perché sur une branche — il observe, il écoute, il attend.

Sur le sol, une souris file dans le noir. Le chasseur a entendu le bruit de ses petits pas. En moins d'une seconde, toute son attention se concentre sur la souris. Il fond sur elle, l'attrape dans ses serres pointues et retourne à sa branche. Là, il l'avale d'un coup.

Le chasseur est une effraie. Quelques minutes après avoir avalé la souris, elle est déjà à l'affût d'une autre victime. Si elle a de la chance, son festin durera toute la nuit. On a même vu une effraie attraper seize souris, trois marmottes, un rat et un écureuil en l'espace de 25 minutes. Il faut dire qu'elle n'a pas tout gardé pour elle : elle a partagé avec son compagnon et leurs petits.

Le hibou le plus grand est le grand-duc (ci-dessus) et le plus petit est la chevêchette cabourée (ci-dessous).

▶DIFFÉRENTES SORTES À DIFFÉRENTS ENDROITS

Il existe plus de 130 sortes de hiboux. Les plus petits sont la chevêchette cabourée, qui vit en Amérique centrale et du Sud, et la chouette saguaro, qui vit dans le sud des États-Unis. Elles mesurent environ 12 centimètres, à peu près la taille d'un moineau. Le plus grand est le grand-duc d'Europe qui vit en Europe, en Asie et en Afrique du Nord. Il peut atteindre jusqu'à 75 centimètres de haut.

On trouve des hiboux partout sur tous les continents, sauf dans l'Antarctique. Ils s'adaptent à tout climat et à tout environnement. Le harfang des neiges hante les régions désolées et glacées de l'Arctique. Les chouettes épervières, aux longues queues et au vol de

faucon, habitent les bois. Les chouettes sa-guaro vivent dans les déserts. Les effraies peu-plent les forêts tropicales. Quant aux petits-ducs, ils résident en ville.

CARACTÉRISTIQUES

On peut facilement reconnaître les différen-tes sortes de hiboux car ils possèdent chacun des traits distinctifs. Ils ont de grosses têtes sans cou. Leurs yeux sont immenses et sont cerclés de plumes qui rayonnent vers l'exté-rieur. Les hiboux ont des yeux extrêmement sensibles et ont la faculté de voir à la lumière la plus faible. Certains peuvent voir aussi bien à la lumière des étoiles qu'un humain au clair de Lune. La vision du hibou n'est pas latérale. S'il veut changer son champ de vision, il doit tourner la tête. Certains hiboux peuvent ainsi tourner leur tête à plus de 270°.

Les hiboux sont les seuls oiseaux à pouvoir cligner des yeux comme les humains, en fer-mant leurs paupières supérieures. (Les autres

On trouve des hiboux dans le monde entier. Les harfangs des neiges vivent dans les régions glacées de l'Arctique.

oiseaux lèvent leurs paupières inférieures.) Cependant, pour dormir, les hiboux ferment leurs paupières inférieures.

Leur plumage est très doux. Ils hérissent leurs plumes, ce qui leur tient chaud. Cela les fait aussi paraître plus gros et, de cette façon, ils peuvent tenir leurs ennemis à distance. Les hiboux n'ont pas un plumage très coloré : leurs tons sont plutôt dans les bruns, gris, noirs et blancs. Cela leur permet de se fondre à leur environnement et d'être ainsi pratiquement invisibles, à la fois pour leurs proies et pour leurs adversaires. Le harfang des neiges est blanc, ou blanc et noir. Les hiboux des forêts tropicales sont marron foncé. Les hiboux du désert sont généralement assez pâles, de couleur jaunâtre.

Certains hiboux, tel le grand-duc de Virginie, ont sur la tête des « oreilles » ou des « cornes » de plumes : ce sont tout simplement des touffes de longues plumes, en quelque sorte décoratives. Les vraies oreilles du hibou, gran-

On rencontre parfois des petits-ducs dans les villes.

Les chouettes épervières habitent les bois.

Le hibou aux longues oreilles a des « oreilles » de plumes. Ce ne sont pas ses vraies oreilles mais plutôt des décorations.

La plupart des hiboux avalent leurs victimes d'un seul coup. Les sucs digestifs sécrétés par leur estomac séparent en morceaux le corps tendre de leur proie. Les morceaux qu'ils ne peuvent pas digérer sont régurgités sous forme de petits paquets bien faits appelés boulettes.

C'est en étudiant la composition de ces boulettes que l'on peut avoir des renseignements sur l'alimentation des hiboux. On a ainsi fait de nombreuses découvertes très intéressantes. Par exemple, les effraies géantes vivaient jadis dans les Antilles. Leurs boulettes fossilisées sont la seule indication que nous ayons concernant l'alimentation de cette espèce disparue.

Grâce à l'analyse de ces boulettes, la petite chouette d'Europe, contre qui pesaient de lourdes charges, a été lavée de tout soupçon. Au début du XXe siècle, les fermiers et les gardes-chasse britanniques accusaient la petite

des et sensibles, sont placées de chaque côté de la tête et sont cachées par des plumes.

Le hibou est pourvu de pattes courtes et puissantes aux serres pointues. Ces dernières sont des armes efficaces à la fois pour attraper une proie et pour combattre un adversaire. Le hibou peut bouger le doigt externe de sa patte d'avant en arrière. Il peut ainsi attraper et tenir sa victime plus facilement.

▶ UN RÉGIME ALIMENTAIRE À BASE DE VIANDE

Les hiboux sont carnivores et non herbivores. Généralement, la base de leur alimentation se compose de rongeurs. Cependant, ils mangent aussi des petits mammifères, des reptiles, des batraciens, des insectes et des vers de terre. La chouette épervière d'Orient mange des crabes. Le repas de certains grand-ducs se compose presque uniquement de grenouilles. En Afrique et en Asie, il existe sept espèces de hiboux qui ne mangent que du poisson. Ils se servent, pour pêcher, de leurs griffes acérées. Plus le hibou est grand, plus il doit manger, et plus ses proies sont grosses. La grande ninoxe puissante australienne s'attaque à des proies aussi grandes que le lapin ou l'opossum. Le harfang des neiges se nourrit principalement de petits rongeurs qu'on appelle lemmings. Il mange également des animaux plus grands, lièvres, rats musqués, canards et autres oiseaux.

ÉTUDIONS UNE BOULETTE DE HIBOU

Un hibou produit en moyenne deux boulettes par jour. On les trouve près de son perchoir. Si le hibou change souvent de perchoir, ses boulettes seront éparpillées. Si, au contraire, le hibou est toujours perché au même endroit, comme l'effraie, les boulettes s'accumuleront et formeront un tas au même endroit.

Si vous trouvez des boulettes, essayez d'en analyser le contenu. Trempez-les dans de l'eau chaude. Lorsqu'elles sont ramollies, servez-vous d'aiguilles et de pinces à épiler pour écarter le contenu de chaque boulette et l'examiner.

Voici ce que vous allez probablement trouver : des bouts de crânes, de becs, de mâchoires, d'os, de la fourrure, des plumes, des squelettes d'insectes et les minuscules soies des vers de terre. Pour identifier les dents, prenez un livre sur les mammifères et, pour les becs, un livre sur les oiseaux.

La plupart des hiboux ne font pas leurs nids. La petite chouette saguaro, par exemple, fait son nid dans les trous du cierge gigantesque (cactus géant) que creusent d'autres oiseaux.

chouette de voler de la volaille et de tuer du gibier et des oiseaux-chanteurs.

Un groupe de savants britanniques entreprit des recherches. Ils analysèrent environ 2 500 boulettes de petites chouettes. Deux seulement contenaient les restes de gibier, sept les restes de volaille. La plupart contenait des restes de rongeurs et d'insectes nuisibles. Une des boulettes, par exemple, contenait les restes de 343 perce-oreilles ! La publication de ces résultats fit taire la plupart des Anglais.

▶ NIDS ET CHANTS

La majorité des hiboux ne construisent pas de nids. Certains déposent leurs œufs dans des trous d'arbres. D'autres s'installent dans des nids que des aigles, des corneilles et d'autres oiseaux ont abandonnés. La petite chouette saguaro, par exemple, fait son nid dans les trous que les piverts ont creusés dans les cierges gigantesques (cactus géants).

La chouette de terrier fait son nid sous terre, généralement au sein d'une communauté de chiens de prairie. Elle s'approprie les tunnels que construisent les écureuils, les tatous et autres animaux.

Une femelle hibou pond de un à douze œufs. Elle les couve jusqu'à leur éclosion. C'est son compagnon qui, pendant ce temps-là, lui procure sa nourriture. Selon les différentes espèces, il faut aux œufs de 27 à 36 jours pour éclore. Les petits, appelés oisillons, naissent les yeux et les oreilles fermés. Ce n'est qu'au bout d'une semaine que leurs yeux et leurs oreilles s'ouvrent.

Les hiboux ne vivent généralement pas très longtemps en liberté. Une étude suisse sur les hiboux montre que certains atteignent 9 ans, mais la longévité moyenne d'une effraie est de 16 mois. Les hiboux vivent plus longtemps en captivité. Une chouette hulotte vécut 22 ans et un grand-duc atteignit l'âge vénérable de 68 ans !

Tous les hiboux ne font pas « hou, hou ». Le petit-duc, qui est le hibou le plus commun d'Amérique du Nord, siffle. La ninoxe aboyeuse d'Australie émet parfois le son d'un chien qui grogne. La gamme des cris de hibou passe par les éternuements, la toux et parfois de ravissants pépiements.

Le cri du hibou a le même rôle que les cris des autres oiseaux. Certains cris sont d'ordre territorial : « Attention, ceci est mon territoire, ne vous en approchez pas ! » D'autres indiquent la peur, la colère, la faim. Si la plupart de ces cris ne sont pas très forts, certains, en revanche, résonnent à des kilomètres à la ronde. Le grondement profond du harfang des neiges s'entend parfois sur une dizaine de kilomètres.

Ce soir, si vous allez vous promener dans la campagne, ouvrez vos yeux et vos oreilles. Vous entendrez ou vous verrez peut-être un hibou.

UN CHIEN EN GUISE D'OREILLES

Depuis déjà longtemps, les chiens prêtent leurs yeux aux aveugles. On vient de leur trouver une nouvelle vocation. On les entraîne à aider les sourds. On leur enseigne à reconnaître des sons majeurs et à les transmettre à leur maître.

Le réveil sonne et vous savez qu'il est l'heure de vous lever. Lorsqu'on frappe à la porte, vous allez ouvrir. Si le détecteur de fumée se déclenche, vous savez immédiatement qu'il y a risque d'incendie. Pourtant, avez-vous déjà pensé à l'importance de tous ces signaux sonores ? Vous rendez-vous compte des difficultés et des dangers auxquels les sourds doivent faire face quotidiennement ? Il existe maintenant des chiens qui servent de lien entre les gens privés d'ouïe et le monde sonore qui les entoure.

La Société protectrice des animaux de San Francisco (S.P.A.) a créé un programme visant à procurer aux sourds des chiens spécialement dressés. L'instigateur de ce projet, conçu en 1978, est Ralph Dennard. C'est le premier de ce genre en Amérique du Nord.

Les chiens sont soigneusement choisis parmi les centaines de chiens abandonnés, recueillis à la fourrière de la S.P.A. Quelle que soit sa race, un chien est capable d'apprendre et les dresseurs optent presque toujours pour des bâtards. Ils recherchent des chiens de 6 à 18 mois qui soient intelligents, vifs, en bonne santé et, bien sûr, affectueux. Le dressage d'un tel chien coûte environ 2 500 $ mais son nouveau maître n'aura pas à débourser un sou.

Le dresseur passe une première heure avec le chien pour déterminer son degré d'intelligence et sa faculté d'audition. Un chien sur 200 franchit l'épreuve avec succès.

Il faut ensuite quatre mois pour dresser le chien. Ce dernier doit d'abord apprendre à obéir et à répondre à la voix et au geste. Puis on lui apprend, dans un centre ressemblant en tous points à une maison, à reconnaître des sons importants, tels un réveil-matin, une sonnette, un détecteur de fumée ou les bruits inhabituels qui pourraient indiquer un maraudeur dans le voisinage. On enseigne aussi au chien à toujours réagir de la même façon dans une

John et Janet Henry sont très fiers de leur chienne Cookie. C'est elle qui, alors que leur bébé Elizabeth s'étouffait, les réveilla en pleine nuit.

Kim, le chien de Gary Lonien, a appris à avertir son maître à chaque bruit important : un détecteur de fumée, une sonnette, un réveil, et les bruits signalant un maraudeur. Kim a même appris à prévenir Gary lorsque sa bouilloire siffle.

situation particulière. Si, par exemple, on sonne à la porte, le chien sait qu'il doit se frotter contre son maître, puis courir vers la porte pour indiquer qu'il y a quelqu'un. À la sonnerie du réveil, le chien bondit sur le lit et lèche le visage de son maître. Le nouveau propriétaire du chien peut demander qu'on apprenne à ce dernier à réagir à des sons particuliers, comme la minuterie d'un four ou le sifflement d'une bouilloire.

Après cette période de dressage intensif, on amène le chien dans son nouveau foyer. Un des dresseurs restera avec le chien pendant une semaine pour s'assurer que chien et maître s'entendent bien. Si, pendant trois mois, le chien accomplit bien sa tâche, on lui remet un collier orange. Ce « diplôme » atteste que l'animal a obtenu le titre de chien officiel pour les sourds.

John et Janet Henry, de Pacifica en Californie, voulaient de leur chienne Cookie un service bien particulier. Ils venaient d'avoir un bébé et, comme ils étaient tous les deux sourds, ils voulaient que Cookie les prévienne si leur

Elizabeth avait besoin d'eux.

En quatre mois, les dresseurs de la S.P.A. apprirent à Cookie à avertir ses nouveaux maîtres dès qu'Elizabeth pleurait parce qu'elle avait faim ou qu'elle avait mouillé sa couche. Mais une nuit, alors qu'Elizabeth avait un mauvais rhume, la chienne devint une héroïne. Au milieu de la nuit, le bébé se mit à tousser et sa respiration se fit pénible. Cookie, se rendant compte que quelque chose n'allait pas, alla réveiller les parents. Quand ils se rendirent auprès d'Elizabeth, ils virent tout de suite qu'elle avait le visage cyanosé. Elle étouffait. Grâce à l'action rapide de Cookie, les Henry purent sauver leur bébé.

Tout comme Cookie, il est vraisemblable que d'autres chiens accompliront des actes héroïques. Pourtant, ce qui les rend encore plus précieux, ce sont les mille petits détails quotidiens, les mille services qu'ils rendent constamment à leurs maîtres. Il n'existe pas encore au Canada de centre de dressage de ce genre mais il est question d'en ouvrir un bientôt à Vancouver.

Au printemps, les écureuils se bâtissent des nids de feuilles en haut des arbres.

DES ANIMAUX ARCHITECTES

Sans répit, des animaux construisent leurs habitations. Ces petits architectes se donnent un mal fou : ils creusent, coupent, transportent, tissent, taillent, cimentent, collent et bouchent. Ils ont les mêmes raisons de construire que nous : ils veulent un logis dans lequel eux-mêmes et leurs petits seront à l'abri.

C'est son instinct qui permet à un animal de construire. Il hérite cette faculté de ses parents. Tout animal construit un nid parfait du premier coup, même s'il n'a jamais vu de nid auparavant.

Certains petits mammifères, comme des « chiens de prairie » ou cynomys, creusent des terriers.

▶ **LES REFUGES DES MAMMIFÈRES**

En hiver, l'écureuil gris se réfugie dans un trou d'arbre douillet. Son matelas se compose de bouts de feuilles et d'écorce. Au printemps, l'écureuil sort et se construit alors un nid de feuilles, bien au-dessus du sol.

Parfois il chipe à un oiseau son nid et y ajoute un toit de feuilles et de brindilles. S'il n'en trouve pas, il prépare lui-même son logis en enfonçant des petits bouts de bois et de brindilles dans la fourche d'un arbre. Il fixe ensuite aux « piliers de soutien » d'autres brindilles et recouvre le tout de larges feuilles, en guise de toit, pour se protéger de la pluie. Une fois terminé, le nid ressemble à un amas de feuilles déchiquetées de la taille d'un ballon de basket-ball. Sur le côté, se trouve un petit trou qui sert de porte d'entrée. À l'intérieur, la chambre est tapissée de mousse et d'herbe.

Les nids des écureuils, perchés dans les arbres des bois et des parcs, sont très visibles. Les nids des souris et d'autres petits rongeurs sont tout aussi nombreux, mais sont, par contre, bien dissimulés. Une espèce de souris aux pattes blanches construit un nid particulier. À l'aide de ses dents et de ses pattes, elle ébouriffe des brins d'herbe, les tisse et fabrique avec eux une boule creuse de la grosseur d'une pomme. L'intérieur du nid est meublé de la « literie » la plus douce, constituée de plantes soyeuses tels des quenouilles et des laiterons. La petite souris cache son nid entre des pierres ou dans un tronc creux, sous des broussailles ou dans le nœud d'un arbre.

D'autres espèces de souris vivent dans des terriers. Le terrier est en fait le type d'habitation le plus répandu chez les mammifères. Les loups, les renards et les coyotes creusent des terriers qui font fonction de nurserie. Ils mettent au monde leurs petits dans une sorte de chambre noire située au bout d'une longue galerie souterraine. Dès que les petits sont assez grands pour suivre leurs parents, le terrier est abandonné. Les écureuils fouisseurs, les tamias, les marmottes et d'autres petits mammifères vivent dans leurs terriers tout au long de l'année. La marmotte occupe parfois le même terrier pendant plusieurs années d'affilée. Elle agrandit et modifie constamment son domicile, creusant le sol à l'aide de ses grosses pattes, déblayant les racines en les coupant avec ses dents pointues. L'entrée du terrier est un trou entouré d'un petit monticule de terre; il existe aussi une ou deux sorties de secours. Sous terre, se trouve tout un réseau de galeries pouvant mesurer jusqu'à 15 mètres de long et reliant les pièces les unes aux autres.

Cependant, l'architecte le plus doué parmi les mammifères est bien le castor. Les castors se servent de leurs dents orange et acérées pour scier des arbres et tailler des branches et des brindilles. Ils construisent des barrages sur des marécages et des rivières en empilant le bois qu'ils ont coupé et en le cimentant avec de la boue et des pierres. Un barrage de castor bien construit peut tenir pendant des années et servir de pont à d'autres animaux.

L'eau que retient un barrage de castor forme un petit étang. Au milieu de cet étang, bien à l'abri de la terre ferme, les castors se bâtissent un gîte solide fait de bois et de boue. Les murs de cet abri sont enduits de boue, ce qui les rend étanches. Les castors laissent des trous de ventilation dans le toit pour permettre à l'air de circuler.

L'unique entrée est constituée par un étroit tunnel creusé sous l'eau. Il conduit à une « chambre » ronde à l'intérieur du gîte. Le sol de cette chambre est à quelques centimètres au-dessus du niveau de l'eau. Une sorte d'étagère, servant de lit, est érigée à mi-hauteur du mur et tapissée de petits copeaux de bois.

Pendant l'hiver, la neige recouvre le gîte et bloque à l'intérieur la chaleur fournie par le corps de l'animal. L'air chaud monte au plafond, s'échappe par les trous de ventilation et forme des petits filets de vapeur qui ressemblent, de l'extérieur, à de la fumée sortant d'une cheminée.

▶ LES OISEAUX ET LEURS NIDS

On pense généralement que les oiseaux retournent la nuit à leur nid pour y dormir, ou bien que leur nid leur sert de cachette. Il existe en fait très peu d'oiseaux, comme le hibou ou le pivert, qui habitent dans leurs nids. Les autres vivent dans la nature. Ils ne construisent des nids qu'à la saison de la ponte et les utilisent en guise de berceaux pour leurs œufs et leurs petits.

L'endroit où est bâti le nid révèle beaucoup de choses sur le comportement des oisillons. Les oiseaux dont les nids se trouvent à terre, tels les canards et les oies, ont généralement des petits qui, dès l'œuf éclos, courent dans tous les sens. Si un danger les menace, les oisillons se bousculent hors du nid et se sauvent. Les oiseaux, dont les petits naissent aveugles et faibles, évitent ce genre de nid. Ils tentent de bâtir le leur hors de portée et de vue.

Certaines hirondelles construisent leur nid avec de la boue qu'elles mélangent à leur salive. Elles enduisent de cette boue un pan vertical, celui d'une falaise ou d'un immeuble, lui donne la forme d'une petite cruche dont elle perfore le sommet d'un petit trou. L'intérieur est tapissé d'herbe, de mousse et de plumes de manière à protéger les œufs. Ces nids sont

Une espèce d'hirondelle construit des nids en boue qui ressemblent à de petites cruches.

Le tisserin africain suspend son nid à une branche d'arbre, alors que certains oiseaux choisissent parfois des endroits étranges pour construire le leur.

toujours placés sous une sorte de corniche pour que la pluie n'amollisse pas la boue et ne détruise pas le nid.

Un trou d'arbre est un refuge idéal pour un nid. Les piverts ont l'avantage de pouvoir creuser eux-mêmes leurs propres trous. Les trous de pivert abandonnés sont très recherchés. Certains oiseaux comme le roitelet, l'hirondelle, l'oiseau bleu et l'étourneau se battent parfois farouchement pour prendre possession d'un tel paradis.

Les corneilles, les hiboux et les aigles transportent des branches et des bouts de bois au sommet des arbres et des falaises, où ils se construisent de grands nids. Les aigles, particulièrement, peuvent soulever des morceaux de bois de la grosseur d'un bras humain. Ils tapissent parfois leurs nids de vieux objets, tels des balais usés ou des morceaux de chiffons. Les aigles utilisent le même nid tous les ans, y ajoutant des branches et des brindilles. Plus le nid est vieux, plus il est gros. Il y avait, près de Vermilion, dans l'Ohio, un arbre sur lequel un nid d'aigle fut constamment occupé pendant 36 ans. Cet arbre fut finalement abattu par une tempête : le nid faisait environ 3,5 sur 2,5 mètres et pesait très lourd.

Un nid d'oiseau-mouche, fait de mousse et de bouts de plantes liées par des toiles d'araignée, mesure à peine 2,5 centimètres. Il tien-drait dans une cuillère à café mais est suffisamment grand pour les deux œufs de la grosseur d'un pois que l'oiseau-mouche y pond.

Sous les tropiques, certains petits oiseaux construisent des nids suspendus qu'ils ferment complètement de manière à se protéger des ennemis habitant l'arbre. Ainsi, le tisserin africain suspend son nid à une branche par une sorte de boucle. Le nid peut contenir des masses de brins d'herbe tissés en une balle. Le tisserin creuse dans le nid un espace destiné à recevoir les œufs. L'entrée consiste en un long tube étroit qui permet au tisserin de se faufiler à l'intérieur mais qui est trop petit pour laisser passer les serpents.

Lorsqu'un oiseau ne trouve pas les matériaux dont il se sert habituellement, il ramasse tout ce qui lui semble être adéquat. À New York, un pigeon des rues se fabriqua un nid à l'aide de morceaux de fil électrique, de clous et de trombones. En Suisse, une hirondelle se fit un nid entièrement en ressorts de montres. À Bombay, en Inde, un couple de corneilles bâtit son nid avec des montures de lunettes en or qu'il volait à l'étal d'un bijoutier ambulant.

▶ L'ARCHITECTURE SOUS-MARINE

Il existe un nombre incroyable de poissons d'eau douce qui se construisent des gîtes au fond des lacs et des rivières. C'est très souvent le mâle qui se charge de la construction, qui surveille les œufs ainsi que les nouveau-nés. L'achigan à petite bouche est grand constructeur de nids aquatiques. Il se sert de sa bouche pour déterrer le gravier et les débris qui se trouvent au fond d'un lac, et pour transporter des cailloux plus gros. Puis, se retournant, il utilise sa queue pour creuser la petite cuvette qui lui servira de nid.

Les meilleurs architectes aquatiques sont les épinoches que l'on trouve dans presque tous les étangs et les ruisseaux d'Amérique du Nord. Certaines épinoches sont à peu près de la taille d'un petit doigt. Le mâle rassemble des petits bouts de plantes aquatiques, les asperge d'un liquide gluant provenant de ses reins et les colle ensemble. Avec son corps et son museau il forme un nid aux contours bien précis en forme de tunnel, qui possède une entrée et une sortie sur l'arrière permettant la circulation de l'eau.

Lorsque le nid est prêt, l'épinoche conduit plusieurs femelles jusqu'au tunnel. Lorsqu'elles ont déposé leurs œufs, il les chasse et reste garder les œufs. Il veille à faire circuler l'eau fraîche de manière que les œufs aient toujours suffisamment d'oxygène. Il répare les morceaux de nid qui se détachent et flottent.

Parmi les gîtes sous-marins les plus intéressants se trouvent ceux bâtis par les vers de certains insectes aquatiques. Ils proviennent d'œufs qui reposent au fond des ruisseaux et lacs de montagne. Les œufs à peine éclos, les vers construisent des gîtes solides, sortes de

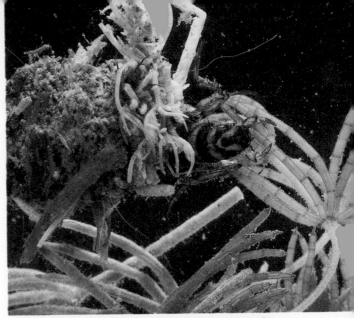

Certains vers d'eau bâtissent des gîtes en forme de sacs dans lesquels ils vivent jusqu'au moment où ils se métamorphosent en mouches phryganes.

sacs où ils vivent jusqu'à ce qu'ils sortent de l'eau sous forme de mouches phryganes.

Il existe plusieurs sortes de vers d'eau et chaque espèce utilise ses propres matériaux de construction. Les vers d'eau qui pondent dans les eaux tranquilles des étangs et des lacs construisent généralement des cases en bois, en écorce d'arbre, en aiguilles de pin, et autres matières légères du même genre. Dans les torrents de montagnes, ils construisent des cases en pierres lourdes que le courant n'emportera pas. Selon le genre du vers, l'abri aura une forme de tube, de trompette, de coquille d'escargot ou de carapace de tortue.

Les insectes comptent parmi les meilleurs architectes du monde animal. Ce nid d'abeilles est suspendu à la cime d'un arbre. Quant à ce « gratte-ciel », édifié par des termites africains, il s'élève au-dessus du sol.

Le vers ramasse au fond du ruisseau des petits cailloux et des grains de sable avec ses mâchoires. Il cimente le tout à l'aide d'une soie gluante qu'il sécrète par la bouche et qui durcit dans l'eau. Il commence par élever un rang de cailloux tout autour de lui. Il en ajoute de plus en plus jusqu'à former un tube creux. L'arrière du tube est scellé par ses sécrétions mais le devant reste ouvert de manière à pouvoir sortir la moitié de son corps. Lorsque le ver, à la recherche de nourriture, rampe au fond du cours d'eau, il traîne son gîte de pierres derrière lui et, dès qu'un danger le menace, il se réfugie à l'intérieur.

▶ DES VILLES D'INSECTES

Seul, un petit pourcentage d'insectes terrestres construit des nids. Cependant, ces derniers sont des merveilles architecturales du monde animal. Les abeilles, les fourmis et les termites ont des gîtes qui sont de véritables cités ouvrières et qui durent pendant des générations.

Les abeilles construisent leurs nids dans des troncs creux ou dans des boîtes en bois installées par les apiculteurs. La ruche contient des rangées de cellules parfaites à six côtés, faites en cire sécrétée par l'abdomen des ouvrières. Les cellules qui se trouvent au centre de la ruche sont les nurseries, là où les œufs et les petits se développent. Autour de ces cellules se trouvent les garde-manger contenant le miel et le pollen.

Une ruche prospère abrite environ 50 000 abeilles. À l'entrée de la ruche, les gardes attaquent et piquent tous les étrangers. À l'intérieur, les ouvrières construisent sans arrêt de nouvelles cellules de cire, réparent les anciennes et les débarrassent des déchets.

Les cellules des petits doivent être maintenues très chaudes pour que les œufs et les larves se développent normalement. Lorsqu'il fait froid, les abeilles s'amassent par milliers au sommet des cellules, répandant ainsi la chaleur de leur corps. Lorsqu'il fait chaud, les abeilles rafraîchissent la ruche en agitant leurs ailes comme les ailes d'un ventilateur.

La plupart des fourmis vivent sous terre. Une fourmilière est faite du monticule de terre que les fourmis ont déblayé et qui est, en fait, une prolongation du nid. Sous la fourmilière se trouve un labyrinthe de galeries et de nurseries. Certaines fourmilières peuvent avoir 4,5 mètres de profondeur, avoir la même superficie qu'un terrain de football et contenir plusieurs millions de fourmis. Les ouvrières se rendent d'une nurserie à l'autre en transportant les œufs et les larves dans leur mâchoire. Pendant la journée, elles installent les larves dans les cellules que chauffe le soleil, c'est-à-dire celles situées en haut du nid. Le soir, elles font le contraire : elles ramènent les larves en bas, là où la chaleur de la journée s'est accumulée. Toutes les entrées des nurseries sont scellées de manière à ne pas laisser entrer l'air frais de la nuit.

Les tertres à air climatisé en forme de tour que bâtissent certains termites d'Afrique sont parmi les plus étranges nids qui soient. Ces gratte-ciel d'insectes, construits en terre que les termites mâchent et mélangent à leur salive, peuvent atteindre une hauteur de 6 mètres. Leurs murs épais sont cuits par le soleil et deviennent aussi durs que du ciment. Les termites ne supportent pas le soleil. Leurs corps pâles et mous se dessèchent au grand air : ils se ratatinent et meurent. Par contre, si la température descend trop, ils sont paralysés. Pour survivre, ils ont donc besoin d'obscurité, d'humidité et de chaleur. C'est pour cette raison qu'en Afrique, ils créent les conditions qui leur sont nécessaires en construisant ces tertres à air climatisé.

À la base de ce tertre se trouve une sorte de « cave », grand espace creux sous le niveau de la terre. Cette « cave » est reliée par divers tunnels à des celliers où sont entreposées la nourriture et l'eau. Au sommet du tertre se trouve un autre grand espace creux, le « grenier ». C'est entre la cave et le grenier que se trouve le nid proprement dit, où les termites vivent en permanence dans l'obscurité.

La cave et le grenier sont reliés par tout un réseau de canaux où circule l'air et qui est bâti dans les murs mêmes du tertre. Les canaux absorbent l'air frais de l'extérieur. L'air aspiré monte jusqu'au grenier puis redescend jusqu'à la cave. Le nid central est ainsi aéré de toutes parts par ces courants d'air incessants.

Les termites, eux, sont constamment à l'œuvre : ils ouvrent ou ferment les canaux de manière à bien régler le flot de l'air. Dès que le nid central est trop chaud, ils creusent de nouveaux canaux et font pénétrer de l'air frais.

Par contre, lorsqu'il ne fait pas assez chaud, certains canaux sont immédiatement fermés jusqu'à ce que la température s'élève.

LA VIE SOUS-MARINE AUTOUR
D'UN RÉCIF CORALLIEN

Un petit groupe de plongeurs à son bord, un bateau longe la côte dentelée, aux multiples formations coralliennes. L'embarcation file dans les eaux turquoise des Antilles en direction de l'île mexicaine de Cozumel. De petites taches d'un vert brunâtre apparaissent bientôt, indiquant la présence de corail dans l'eau. Un banc de dauphins, venu d'on ne sait où, fait surface à la proue du bateau. Les grands cétacés folâtrent, s'éclaboussent les uns les autres, essaient de se laisser pousser par la vague créée à l'avant du bateau. Une tortue marine qui se dorait au soleil s'enfuit, effrayée par les moteurs. Ses puissantes pattes antérieures battent vigoureusement l'eau. Une nuée de poissons volants jaillit hors de l'eau. Pendant plusieurs secondes, on peut les voir étinceler au soleil, puis ils perdent de la vitesse et replongent dans l'océan.

Près de la pointe méridionale de l'île, le bateau s'éloigne du rivage. Il s'arrête finalement et l'équipage mouille l'ancre. Les plongeurs sont parvenus à destination. Ils distinguent le récif de Palancar, l'un des plus spectaculaires récifs de corail des Antilles, bien visible dans les eaux limpides de l'océan. Les plongeurs vont bientôt pénétrer dans un monde sous-marin féérique, un royaume à la fois superbe et mystérieux.

Que sont exactement les coraux ? Quel rôle jouent-ils dans la formation d'un récif de corail ?

Corail rappelant le cerveau humain

Corail en forme d'étoiles

Corail en forme de bois de cerf

▶ LES BÂTISSEURS DE RÉCIFS

Les coraux, bien qu'ils aient l'air d'appartenir au règne végétal, sont en réalité de tout petits animaux de la même famille que les anémones de mer et les méduses. C'est l'enveloppe extérieure et dure de milliards de coraux de certaines espèces qui contribue à l'édification d'un récif de corail.

Le corps du corail, appelé polype à cause de ses nombreux pieds, est gélatineux et muni de tentacules qui se dressent vers le haut. Contrairement à la méduse qui se déplace librement dans l'océan et dont les tentacules sont placés sous l'ombrelle, la plupart des polypes de corail se fixent à d'autres coraux et vivent ainsi en colonies.

Lorsqu'un polype se joint à une colonie, ses feuillets cellulaires secrètent une substance calcaire dure, sorte de squelette extérieur, qui prend plus ou moins une forme de vase. La nuit, le polype déroule ses tentacules, qui ont été au repos pendant la journée, et happe sa nourriture. Les petites proies qu'il attrape sont alors poussées dans l'orifice central du corps du polype, qui lui sert de bouche.

Chaque espèce de corail constitue une colonie qui a une couleur, une forme et une taille différentes. Les couleurs du corail vivant vont du rouge vif au bleu, en passant par le vert et l'orange. Le corail présente souvent l'aspect de branches d'arbrisseaux, de fleurs et de champignons. De nombreux coraux doivent leur nom à leurs formes fascinantes, telles, par exemple, une étoile, un chapeau ou des bois de cerf.

Lorsqu'un corail meurt, son squelette reste avec la colonie. Au fur et à mesure qu'ils s'accumulent, les squelettes peuvent former la base d'un récif de corail. Ce dernier continuera de grandir très lentement de quelques centimètres par an. Au cours des siècles, il peut atteindre des proportions gigantesques.

▶ LES DIFFÉRENTES SORTES DE RÉCIFS CORALLIENS

Tous les océans du monde abritent du corail, mais c'est seulement dans les eaux claires et chaudes des tropiques qu'on trouve des récifs de coraux.

Il y a trois sortes principales de récifs coralliens : les récifs frangeants, les récifs-barrières et les atolls. On retrouve le premier type de récif dans les eaux peu profondes, en bordure de la côte. Plus au large, c'est le récif-barrière,

Tous les coraux ne sont pas des bâtisseurs de récifs. Beaucoup, comme ces coraux illustrés sur cette page, vivent cependant dans les récifs coralliens et capturent leur nourriture grâce à leurs tentacules.

séparé de la côte par une vaste étendue d'eau. Le plus connu des récifs de ce type est la Grande Barrière, située au large de la côte nord-est de l'Australie. Elle s'étend sur plus de 2 000 kilomètres. Palancar, du même type, ne fait que 10 kilomètres.

En pleine mer, coupé complètement de la Terre, c'est l'atoll. Le Pacifique Sud en est parsemé. L'atoll est un anneau d'îlots coralliens encerclant une étendue d'eau appelée lagune.

Une colonie sous-marine bien particulière habite le récif de corail. Les courants poussent de minuscules plantes vers le récif, dont la structure est formée de squelettes de coraux. Ces plantes prennent racine et finissent par couvrir le récif de végétation. La vie végétale ainsi créée assure la subsistance de différentes créatures, y compris les poissons. Ces mêmes créatures trouvent refuge dans le labyrinthe du récif. Celui-ci devient une communauté active où plantes et animaux dépendent les uns des autres.

Le récif ressemble à un magnifique jardin sous-marin aux formations bizarres, éclatant des couleurs du corail vivant et des étranges créatures qui s'y trouvent.

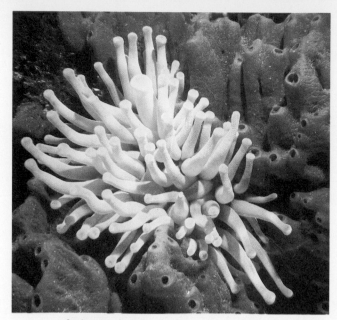

Anémone de mer.

Éponge.

▶ LA VIE SUR LE RÉCIF DE PALANCAR

Semblables à des gratte-ciel sous-marins, les formations coralliennes du récif de Palancar s'élèvent du fond de l'océan. D'étroites gorges sablonneuses se fraient un chemin entre les tours de corail. Des cavernes s'ouvrent à l'intérieur du récif, menant aux profondeurs du corail. D'étranges créatures colorées nagent paresseusement dans ce monde silencieux.

Les habitants de Palancar doivent s'accommoder de peu d'espace. Il est fréquent de voir des créatures marines loger les unes au-dessus des autres. Des éponges, des hydroïdes, des anémones plumeuses, des tubicoles, des anémones de mer, des poissons-fouet, encore appelés poissons-ruban, et des éventails de mer font bon ménage avec les polypes de corail. Les éventails de mer et les lacets de mer, comme les coraux, appartiennent au groupe des cœlentérés. Par contre, ils produisent des structures cornées flexibles.

Enroulée sur elle-même, une ophiure, encore appelée « fausse étoile de mer », se repose entre les branches d'un lacet de mer. Un grand crabe moucheté se niche dans le corail. On entrevoit dans une fissure une petite murène guettant sa proie. Les fins tentacules de quelques anémones plumeuses s'extirpent d'autres crevasses. Le petit crabe est un habitué du récif. Alors que les crabes de grande taille se cachent pendant le jour, lui se promène vaillamment sur le récif, ou se repose sur une éponge accueillante.

Tubicoles.

Des poissons tropicaux aux couleurs chatoyantes peuplent le récif. Des bancs de chromis, à la livrée bleue, sillonnent les eaux entre les branches de corail. Quelques grondins se rassemblent en groupe près du récif, à l'endroit où les eaux sont peu profondes. Un poisson-papillon zébré nage sans se presser, suivi d'un incroyable ange de mer commun. À deux pas, un perroquet de mer mâle, tout aussi étonnant, s'arrête près de la tête d'un corail, y picore un peu (à l'aide de sa dent de devant qui ressemble à un bec), puis continue son chemin. Un holocentride et un poisson-archer se dissimulent dans les crevasses sombres du récif. Ils se reposent durant le jour et ne sortent que la nuit pour chasser. Un minuscule tambour rayé de noir et blanc va et vient dans une petite crevasse. Un macro-rhamphoside allongé, bien caché parmi les branches d'une gorgone, sort d'un bond et attrape une petite crevette qui ne se doutait de rien.

Au coucher du Soleil le monde du récif subit une transformation. Toutes les créatures qui s'activaient pendant la journée trouvent un abri dans le corail et s'installent pour la nuit. À leur tour l'holocentride et le poisson-archer sortent de leur retraite et commencent leur chasse nocturne. Les murènes, les crabes et les pieuvres en font autant. Les ophiures émergent des branches des gorgones en déroulant leurs longs bras en forme de filet. Ils les font tourner pour attraper les animaux microscopiques qui dérivent continuellement au fil du courant. Le récif tout entier est hérissé de milliards de tentacules coralliens à la recherche de nourriture.

Anémone plumeuse.

Crabe moucheté.

Corail.

ANIMAUX EN VUE

Question : Qu'ont donc en commun une abeille et cette souris ? Réponse : elles transportent toutes deux du pollen d'une fleur à l'autre, permettant ainsi la reproduction de la plante. Il s'agit ici de plantes qui poussent sur les arbres de certaines forêts du Costa Rica. Leurs fleurs ne s'ouvrent que la nuit. Les souris grimpent alors le long des arbres et enfouissent leur museau dans la fleur pour en boire le nectar. Leur museau se couvre de pollen qu'elles transportent jusqu'à la fleur suivante. Le botaniste américain qui, en 1980, fit cette découverte, déclara que c'était la première fois que l'on voyait un rongeur féconder une plante.

Dima, un bébé mammouth qui, en 1977, fut trouvé en Sibérie, parfaitement conservé, est en train de fournir des réponses aux questions souvent embarrassantes des chercheurs. Ces derniers pensent que le mammouth mourut de faim il y a environ 40 000 ans. Son corps gela puis fut recouvert de terre au cours d'un éboulement. En 1980, les chercheurs examinèrent des protéines extraites des tissus du mammouth. Ils découvrirent qu'elles ressemblaient beaucoup à celles d'éléphants vivants, ce qui confirmerait la thèse qui veut que les éléphants soient les descendants des mammouths.

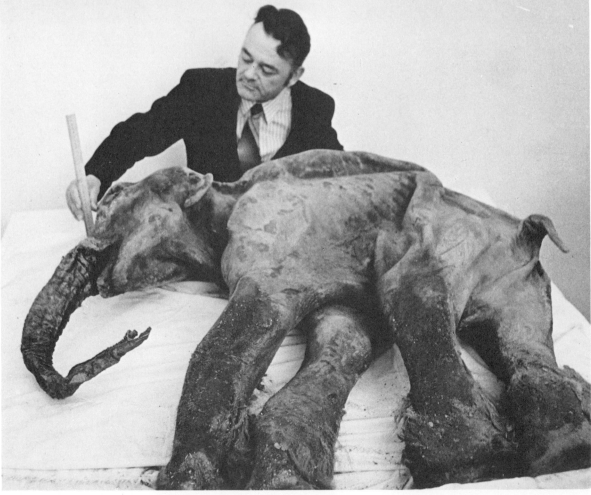

AIGLE CHAUVE
2,5 MÈTRES

TERATORN
7,5 MÈTRES

Les chiens de traîneau sont connus pour tirer justement les traîneaux à travers les terres glacées de
l'Arctique. Mais, depuis quelques années, il sont aussi
devenus des chiens de salon. C'est ainsi qu'en 1980,
un chien de traîneau, ou chien de Sibérie, le champion
Innisfree's Sierra Cinnar, du Maryland, remporta le
premier prix lors du célèbre concours du Westminster
Kennel-Club, à New York. De couleur rouille, Cinnar
est le premier de sa race à remporter un tel honneur.

Des chercheurs ont découvert en Argentine les fossiles de ce qui pourrait être le plus gros oiseau qui ait
jamais volé. Cet oiseau s'appelle « teratorn », du
grec : oiseau miraculeux. (Les restes de créatures
volantes encore plus grandes — les ptérosauriens
— ont été retrouvés. Mais il s'agit de reptiles et non
d'oiseaux.) Les ailes du teratorn avaient une envergure d'environ 7,5 mètres — trois fois plus que celles
de l'aigle chauve et deux fois et demi plus que celle
du plus grand oiseau vivant, le condor des Andes.
Le teratorn aurait eu la taille et probablement le poids
d'un homme. C'est une hypothèse assez effrayante
lorsqu'on sait que le teratorn était un oiseau de proie :
il hanta l'Amérique du Sud et le sud des États-Unis.
Cependant, le dernier s'éteignit il y a environ 10 000
ans et les fossiles trouvés en 1980 ont au moins 5
millions d'années d'existence.

DES ANIMAUX EN VOIE DE DISPARITION

Le panda, la tortue de mer, le condor et le lamantin, bien que très différents les uns des autres, ont un problème commun : ils sont menacés de disparition. Leur population décroît sans cesse et, à moins que des mesures radicales ne soient prises, ils s'éteindront peut-être tous bientôt.

L'homme est le grand responsable de leurs maux. Il a rasé les forêts qui abritaient le panda. Il a tué le condor pour s'emparer de ses plumes, la tortue de mer pour sa chair et sa carapace et le lamantin pour sa chair, sa graisse et son cuir. Les condors ont mangé les produits empoisonnés destinés aux prédateurs. Les lamantins se sont fait tuer par les hélices des bateaux à moteur. Les tortues de mer, elles, se sont prises dans les filets à crevettes et se sont noyées.

▶ LE PANDA GÉANT

Tout le monde connaît le panda. Cet animal à fourrure noire et blanche charme du plus petit au plus grand. Il ressemble un peu à un ours, mais les zoologistes l'ont classé dans la même famille que le raton laveur. Il est évidemment plus gros que ce dernier, puisque un panda adulte pèse jusqu'à 135 kilogrammes. Debout sur ses pattes postérieures, il mesure environ 1,50 mètre.

Timide de nature, le panda vit seul, sauf à la saison des amours. Il vit en Chine dans les forêts denses qui couvrent les montagnes. Il se nourrit surtout de bambou, dont il peut consommer jusqu'à 9 kilogrammes par jour. Il mange aussi des fruits, des baies, des bulbes de végétaux et même des petits animaux.

Le panda est un animal nocturne. Le jour, il dort sur une branche, abrité par les feuilles, ou à l'intérieur d'un arbre creux. Il utilise alors sa queue en guise d'oreiller ou bien s'en couvre la tête.

À sa naissance, le panda pèse à peine 150 grammes et ressemble à une souris chauve. Il mange presque constamment et en une dizaine de semaines il atteint quatre kilogrammes.

La femelle panda a un instinct maternel très développé. Quand son petit a deux mois, elle commence à jouer avec lui. Elle le berce, le chatouille ou même joue à cache-cache avec lui. Si le bébé panda est malheureux, sa mère le caresse comme le ferait une femme avec son enfant.

Le panda géant est l'emblème national de

Ces pandas se délectent avec des bambous, plante essentielle à leur alimentation. Beaucoup de pandas sont morts de faim à cause de la rareté de certaines espèces de bambous.

la Chine. Personne ne sait exactement combien il en reste, mais les chercheurs pensent qu'il y a à l'heure actuelle moins de 1 000 pandas géants. La Chine a récemment créé une réserve naturelle dans la partie occidentale du pays afin de protéger les pandas qui y vivent. En outre, les Chinois ont réussi à faire se reproduire des pandas en captivité. En 1980, un panda est né au jardin zoologique de Mexico mais il mourut au bout d'une semaine. Les zoologistes espèrent obtenir de meilleurs résultats dans les années à venir.

▶ LA TORTUE DE MER

Les premiers explorateurs espagnols qui vinrent en Amérique avaient une façon assez originale de naviguer dans le brouillard, au large de la Grande Caïman. Ils se laissaient guider par le bruit que faisaient les immenses troupeaux de tortues de mer.

On compte sept espèces de tortues de mer, dont six sont en voie de disparition. La tortue bâtarde de l'Atlantique (de l'espèce des lépidochélys) est l'espèce la plus menacée. Il y a quarante ans, les tortues bâtardes étaient encore très nombreuses. On en comptait jusqu'à 40 000 pondant leurs œufs sur une plage du Mexique. Il ne reste aujourd'hui qu'environ 1 000 femelles dans le monde.

Les tortues de mer sont grandes et certaines peuvent peser plus de 225 kilogrammes. Contrairement à leurs cousines terrestres, les tortues de mer ne peuvent pas rétracter leur tête ou leurs pattes à l'intérieur de leur carapace. Les pattes antérieures sont larges et plates et l'animal s'en sert pour se mouvoir dans l'eau. Les pattes postérieures sont courtes et servent de gouvernail.

Dans le monde entier, on s'efforce, à l'heure actuelle, de sauvegarder les tortues de mer. De nombreux pays ont promulgué des lois interdisant leur capture. Mais il est difficile d'appliquer ces lois, d'autant que les tortues de mer parcourent de très grandes distances. Elles retournent pondre leurs œufs sur la plage où elles sont nées. Les chercheurs n'ont pas encore réussi à expliquer comment elles s'orientent ni la raison de leur migration. Pourquoi parcourir jusqu'à 3 000 kilomètres pour retourner à leur plage natale alors qu'il se trouve des plages tout près, où pondent des tortues de la même espèce ?

Le mâle reste en général le long de la côte, en eaux peu profondes, pendant que la femelle va sur la plage. Elle choisit une dune de sable assez élevée pour que la marée haute ne puisse l'atteindre. Elle creuse un trou, pond ses œufs, puis les recouvre de sable.

À peine sortis de leurs coquilles, les bébés tortues se dirigent immédiatement vers l'eau.

Les pattes antérieures des tortues de mer sont larges et l'animal s'en sert pour se mouvoir dans l'eau. Les hommes ont chassé les tortues de mer pour leur chair et leur carapace.

Le condor est le plus grand vautour d'Amérique du Nord. Il n'en reste qu'une trentaine dans le monde.

C'est à ce moment-là qu'ils sont le plus vulnérables. Nombreux sont ceux qui sont dévorés par des prédateurs tels les goélands et les chiens sauvages.

Les chercheurs élèvent des bébés tortues en laboratoire et étudient leur comportement. Quand ils ont un an et qu'ils peuvent se défendre tout seuls, on les relâche dans l'océan.

On essaie même d'élever les tortues dans des « fermes ». Les partisans de cette méthode allèguent que c'est une façon de sauver les tortues de mer tout en répondant aux besoins des consommateurs de soupe et de côtelettes de tortues. Les détracteurs arguent que l'élevage industriel ne fera qu'accroître la demande, et par conséquent la chasse illégale de cet animal rare.

▶ LE CONDOR DE CALIFORNIE

Le plus grand vautour d'Amérique du Nord, le condor de Californie, peut peser jusqu'à 15 kilogrammes et ses ailes peuvent atteindre une envergure de 3 mètres. Au sol, le condor est plutôt gauche. Par contre, en vol, peu d'oiseaux égalent sa beauté. Une fois haut dans le ciel, le condor se laisse porter par des courants ascendants d'air chaud. Il peut ainsi planer pendant plus d'une heure sans battre une seule fois des ailes. Le condor est un charognard. Il ne se nourrit que d'animaux morts, notamment de bétail, de moutons et de cerfs. Il ne dédaigne pas non plus les petits mammifères comme les rongeurs et les lapins.

Le condor vit dans les régions rocheuses et montagneuses de la partie méridionale de la vallée de San Joaquin en Californie. Il se juche sur un escarpement ou sur un arbre. Il préfère surtout les grands conifères morts. Ces derniers n'ont pas de feuilles qui lui bloqueraient la vue ou obstrueraient son vol. Ces arbres ont aussi un autre avantage; ils ne se balancent pas beaucoup dans le vent, ce qui est important car ses griffes serres ne lui permettent pas de s'agripper fermement.

Le condor aime se dorer au soleil. Il étend ses ailes et se tourne de temps à autre pour se dorer partout. Au crépuscule, après avoir passé la journée à se dorer, à manger et à planer, le condor enfouit sa tête sous ses plumes dorsales et s'endort.

Il fut un temps où l'on trouvait des condors dans toute la Californie, en Oregon, au Nevada, en Utah et en Arizona. Avec l'essor de l'agriculture et la construction de maisons, cependant, les proies naturelles des condors se firent rares. De plus, de nombreux condors furent abattus par des chasseurs. Plus récemment, nombre de condors sont morts empoisonnés par les produits destinés aux coyotes. Il ne reste à l'heure actuelle qu'une trentaine de condors dans le monde. Les prédictions les plus optimistes ne leur accordent que peu de chances de survie.

▶LES LAMANTINS

Lors de son voyage vers le Nouveau Monde, Christophe Colomb écrivit dans son carnet de bord : « J'ai vu trois sirènes, mais elles n'étaient pas aussi belles qu'on les peint. » Il avait en réalité vu des lamantins, grands mammifères gris à moustache et à peau ridée. Le lamantin, qui n'est pas très beau, est un animal très doux et très confiant.

On compte trois espèces de lamantins : le lamantin américain, qui vit en bordure des côtes des Antilles, son cousin du bassin de l'Amazone et le lamantin africain qui vit sur la côte ouest et dans les fleuves du Sénégal, du Niger et du Congo.

Végétarien, le lamantin se nourrit d'environ 30 kilogrammes d'algues marines et autres plantes aquatiques par jour. Il se sert de ses nageoires comme de mains pour introduire la nourriture dans sa bouche. Grâce à son grand appétit, le lamantin rend des services à l'homme. Il débarrasse ainsi les cours d'eau des mauvaises herbes.

Quand il ne mange pas, le lamantin aime se reposer sous la surface de l'eau. Toutes les quelques minutes, il sort son museau de l'eau pour respirer.

Un lamantin adulte peut peser jusqu'à 550 kilogrammes et mesurer 1,50 mètre. Tout comme la baleine, le lamantin a été la proie des chasseurs, avides de sa viande, de sa graisse et de sa peau. Certains l'ont même chassé par amour du sport.

Personne ne sait exactement le nombre de lamantins en vie à l'heure actuelle. On pense qu'il y en a un millier en Floride, où se trouvent plusieurs réserves. Les pilotes de bateaux sont tenus de réduire leur vitesse dans ces zones : ils peuvent ainsi voir les lamantins et les éviter. De plus, quiconque est surpris en train de tourmenter ces animaux paisibles est passible d'une amende et même d'une peine de prison.

Les lamantins se classent parmi les animaux les plus doux. Ils ont été décimés ou blessés par les bateaux à moteur.

LES ANIMAUX ASSOCIÉS

L'existence d'un petit poisson dans le grand océan n'est pas sans dangers car il côtoie tout le temps de gros poissons qui sont friands de lui. L'un de ces petits poissons a résolu le problème : il s'agit du poisson pilote. Sa solution : vivre en compagnie des requins. Il est, en effet, assez courant de voir un requin accompagné d'une demi-douzaine de poissons pilotes. Un gros poisson, assez fou pour poursuivre l'un d'eux, risquerait fort de se faire croquer par le requin.

Mais les requins ne mangent-ils pas de poisson pilote ? Non car ils bénéficient aussi de cette association. Les poissons pilotes mangent certains parasites qui vivent sur le corps du requin.

Le même genre d'échange existe entre les requins et les rémoras. La rémora est un poisson qui vit dans les eaux chaudes et qui possède un disque ovale adhésif sur le dessus de sa tête. Elle s'en sert pour se fixer aux requins, aux espadons, aux marsouins et à tout autre gros poisson. Il existe une espèce de rémora qui se colle aux baleines.

La rémora bénéficie de cette situation de plusieurs façons. Elle est protégée. Elle est nourrie. Et elle a droit à des voyages gratuits qui la mènent dans des eaux poissonneuses. Quant au gros poisson, il profite de l'entreprise de nettoyage de la rémora.

Les associations entre deux espèces d'animaux sont courantes dans la nature. Les meilleures sont celles où se crée un échange. Mais il y a également des associations qui ne profitent qu'à un seul des animaux. Les stromatées passent souvent la première année de leur vie sous le parapluie que forme la méduse. Ils sont ainsi protégés et se nourrissent des petits animaux qui se prennent au piège des tentacules de la méduse. Celle-ci ne semble tirer aucun bénéfice de cet arrangement. Il arrive parfois qu'une méduse avale un stromatée mais, en général, le mucus épais qui couvre ce dernier semble le protéger de la voracité de la méduse.

Nombreux sont les crabes qui s'associent à d'autres animaux. L'une de ces associations est formée par la dromie et l'éponge. La dromie se met à la recherche de l'éponge qui lui convient. Lorsqu'elle la trouve, elle la détache de l'endroit où elle est fixée et la place sur son dos. Les sortes de petits poils qui recouvrent sa carapace servent à retenir l'éponge. Pour ce faire, le crabe se sert aussi de ses pattes postérieures.

Les rémoras sont de petits poissons qui se fixent aux requins. Elles sont ainsi protégées et bénéficient de voyages gratuits. Quant au requin, il profite de l'entreprise de nettoyage de la rémora.

Une dromie transporte une éponge sur son dos. L'éponge cache ainsi le crabe de ses ennemis. Et lorsque le crabe se déplace sur les fonds marins, l'éponge se nourrit des particules alimentaires contenues dans l'eau.

Le crabe grandit; l'éponge aussi. Elle arrive même quelquefois à recouvrir complètement la carapace de la dromie, la dissimulant ainsi de ses ennemis (presque aucun poisson n'aime manger une éponge). Et tandis que le crabe se déplace sur les fonds marins, l'éponge se nourrit des particules alimentaires que contient l'eau qui la traverse et l'encercle.

Les pagures transportent des anémones de mer ou actinies dans leurs pinces. À l'approche d'un ennemi, le crabe brandit sa pince face à son adversaire. Celui-ci, croyant faire un bon repas, doit alors se débattre avec les tentacules urticants des anémones de mer.

Outre une protection certaine, les anémones de mer procurent parfois au crabe de la nourriture. Cependant, elles ne le font pas volontiers : l'anémone de mer qui attrape un petit poisson doit immédiatement le mettre dans sa bouche si elle ne veut pas que le crabe le lui vole !

Mais le pagure est un ingrat : qu'il aperçoive une anémone plus grande que celle qu'il transporte, il s'en saisit immédiatement avec sa pince, abandonnant celle qui a le malheur d'être plus petite.

▶DES PETITS AMIS À PLUME

Certains grands mammifères ont pour associés des oiseaux. Les rhinocéros, les buffles cafres et d'autres mammifères terriens vivant en Afrique sont souvent accompagnés d'aigrettes : ce sont des oiseaux recouverts de plumes blanches, aux longs cous et aux longues pattes. Au cours de leurs pérégrinations dans les plaines, les mammifères dérangent les insectes se trouvant dans l'herbe. Ceux-ci s'envolent alors directement dans le bec des aigrettes aux aguets.

Lorsque les rhinocéros et les buffles cafres se reposent, les aigrettes sautillent sur leur dos et mangent tous les insectes nuisibles qui irritent le mammifère. Les aigrettes jouent aussi le rôle de sentinelles. À l'approche d'ennemis, elles s'envolent et préviennent ainsi le mammifère du danger.

Ces aigrettes sont originaires d'Afrique. Mais au début du XXᵉ siècle, certaines traversèrent l'océan Atlantique et atteignirent l'Amérique du Sud. On les trouve de nos jours sur tout le continent américain. Au lieu de vivre avec les rhinocéros et les buffles, elles s'associent au bétail.

Les zèbres et les autruches vivent souvent ensemble. Ils s'avertissent mutuellement de l'approche d'un ennemi. L'autruche a une excellente vue et un long cou : elle peut donc détecter un danger avant le zèbre. Ce dernier a un odorat très fin. Il sent par conséquent ses ennemis avant l'autruche.

Il existe un autre animal vivant en coopération avec un oiseau : c'est le crocodile du Nil. Son associé est le pluvier d'Égypte. Le crocodile a souvent des problèmes avec les sangsues, qui sont des suceuses de sang et qui se collent sur les gencives du crocodile. Dès que le crocodile repère un pluvier, il ouvre une large bouche; le pluvier y bondit alors et avale les sangsues.

▶ VIVRE AVEC LES PLANTES

Certains animaux vivent en compagnie de plantes. Les plus connus, bien sûr, sont les abeilles qui butinent certaines fleurs pour en retirer le nectar et·le pollen. En retour, elles déposent du pollen sur la fleur, assurant ainsi la formation de graines. Sans ces plantes à fleurs, les abeilles mourraient de faim. Quant aux plantes, sans les abeilles, elles ne pour-

Les pagures transportent des anémones de mer dans leurs pinces. À l'approche d'un ennemi, le crabe brandit l'anémone de mer face à son adversaire qui a alors affaire aux tentacules urticants de l'anémone.

Les buffles ont pour associées les aigrettes qui sautillent sur leur dos et avalent les insectes et les parasites qui irritent le dos du mammifère.

« Que faites-vous de votre oiseau lorsque vous allez vous baigner ? »

raient pas reproduire de graines et disparaîtraient de la surface de la Terre.

Certaines hydres (petits animaux apparentés à la famille des méduses) contiennent des algues. Ces dernières sont protégées contre les animaux qui pourraient les dévorer. On ne connaît pas l'intérêt qu'en tire l'hydre. Pourtant, certains savants ont découvert qu'une hydre possédant une algue fonctionne mieux qu'une qui en est dépourvue : peut-être a-t-elle besoin de l'oxygène produit au moment où l'algue fabrique sa nourriture.

Il arrive qu'un étranger bénéficie d'une telle association. Certaines fourmis d'Amérique du Sud vivent avec le cecropia. Le pied de cet arbre est piqueté de petites cavités dans lesquelles vivent des colonies de fourmis que l'on peut voir grouiller parmi les feuilles. Le paresseux est un grand amateur de feuilles de cecropia. En mangeant les feuilles, il avale aussi les fourmis qui s'y trouvent. Celles-ci lui fournissent les éléments nutritifs qui lui sont nécessaires : sans cette association fourmis-cecropia, le paresseux ne survivrait pas.

Celui-ci, de son côté, établit d'autres relations. Certaines algues vertes (spyrogyres) élisent domicile dans la fourrure du paresseux et lui donne une couleur verdâtre. Il se fond mieux ainsi à son environnement. En effet, ses ennemis ont beaucoup plus de mal à repérer un paresseux vert au milieu de feuilles vertes qu'un paresseux marron. Mais trop d'algues peuvent lui être nuisibles. C'est alors qu'entre en jeu un petit insecte qui ne vit que dans la fourrure du paresseux et qui mange les algues. Il a ainsi tout son content de nourriture et le paresseux bénéficie d'une femme de ménage efficace !

Comme vous pouvez le constater, se mettent en association toutes sortes d'animaux et de plantes. Chacun en tire profit à sa façon : nourriture, protection, camouflage, destruction de parasites et même transport.

Existe-t-il ce genre d'association entre humains et animaux ? Quelles relations ont un homme et son chien ? Un jardinier et les oiseaux-chanteurs ? Une famille de fermiers et leurs poules-pondeuses ? Ne croyez-vous pas que les rapports existants sont bénéfiques à la fois aux hommes et aux animaux ?

SCIENCES

Le mont St. Helens, un volcan au sud-ouest de l'État de Washington, entra en éruption le 18 mai 1980. Le volcan devait se manifester à plusieurs reprises tout au long de l'année.

LE RÉVEIL DU MONT ST. HELENS

Cela faisait 123 ans que le mont St. Helens, magnifique et serein, était éteint. Soudain, en mars 1980, le volcan se réveilla. Ce furent des tremblements de terre qui signalèrent son retour à la vie. Puis, pendant six semaines, le volcan émit des matières en fusion.

Pourtant, peu de gens s'attendaient à ce qui advint le 18 mai.

Très tôt, ce dimanche-là, le sommet du mont St. Helens explosa. La violence de cette explosion volcanique égala celle de 500 bombes atomiques. Des cendres brûlantes, des gaz et des blocs furent projetés à plus de 20 kilomètres de hauteur. Les cendres, les blocs et la neige fondue provoquèrent des coulées de boue qui obstruèrent tous les cours d'eau. L'une des secousses sismiques détruisit des centaines d'hectares de sapins Douglas, arbres sur lesquels reposait la riche industrie forestière de la région.

L'éruption fit 34 morts et 28 disparus. L'hécatombe provoquée parmi la faune fut absolument inimaginable. Les chercheurs estiment qu'environ 1,5 million d'oiseaux et de mammifères furent exterminés, que 11 millions de poissons périrent et que des millions (le chiffre exact est inconnu) de reptiles, amphibiens et insectes disparurent.

L'immense nuage de particules, en forme de champignon, fut poussé par les vents vers l'est. Il y eut, bien sûr, d'importantes retombées de cendres et de poussières qui causèrent de graves problèmes à plus de 800 kilomètres à l'est du volcan. Les terres cultivées de l'est de l'État de Washington furent recouvertes de fines particules et la plupart des récoltes furent anéanties. Dans l'Idaho et dans le Montana, les pluies de cendre furent si denses que la lumière du jour devint crépusculaire. En moins d'une semaine, le gigantesque nuage de particules avait survolé l'est des États-Unis et du Canada. Il traversa l'Atlantique et fait, maintenant, le tour du monde. Les retombées diminuent petit à petit mais dureront encore pendant plusieurs années.

▶ UNE CHAÎNE DE MONTAGNES VOLCANIQUE

Le mont St. Helens est situé dans le sud-ouest de l'État de Washington, à environ 80 kilomètres au nord-est de Portland (Oregon). Il fait partie des Cascades, chaîne volcanique qui s'étend du nord de la Californie jusqu'en Colombie britannique. Cette chaîne comprend 15 importants volcans dont les plus connus sont le pic Lassen, le mont Hood, le mont Rainier, le pic du Glacier et le mont Garibaldi. Tous ces volcans ont eu, au cours de leur existence, une période active.

La dernière éruption du mont St. Helens remonte à 1857. Mais les volcanologues avaient prédit une autre éruption. En 1975, le Service de relevés géologiques américain annonça que ce serait probablement le mont St. Helens qui, de toute la chaîne des Cascades, se réveillerait. Ils déclarèrent qu'il entrerait en activité « avant la fin du siècle ».

L'éruption du 18 mai ne fut que la première d'une longue série. Le 25 mai, une éruption déversa des cendres sur les villes de la côte de l'État de Washington et de l'Oregon. L'aéroport international de Portland dut être temporairement fermé et les lignes téléphoniques et électriques furent coupées. Il y eut d'autres éruptions en juin, juillet, août et octobre. Nul ne sait ce que réserve l'avenir. Il se peut que le mont St. Helens s'éteigne mais il peut aussi continuer à cracher des cendres pendant des années.

▶ LES AVANTAGES DE L'ÉRUPTION

Les volcanologues s'intéressent vivement à l'éruption du mont St. Helens. Ils ont entrepris des recherches sur le volcan lui-même pour essayer de trouver les causes des éruptions volcaniques. Ils recherchent également des signes annonciateurs d'une éruption. De tels signes leur permettraient de prévoir une éventuelle éruption. D'autres chercheurs veulent déterminer les effets à long terme des éruptions du mont St. Helens sur la population et ses activités. On a donc discuté de l'influence des érup-

tions sur le climat. Certains chercheurs pensent que les particules volcaniques en suspens dans l'atmosphère peuvent provoquer un léger refroidissement de la température de la Terre.

Par contre, les retombées de cendres sont excellentes pour les terres arables car elles contiennent des minéraux bénéfiques aux plantes. En fait, les régions volcaniques sont en général très fertiles.

Les millions d'arbres qui ont été déracinés par l'explosion ont été en partie récupérés. Ils serviront à la construction. La région sera entièrement reboisée dès que tous les troncs d'arbres auront été enlevés.

Il se passera toutefois des années avant que les forêts ne recouvrent les pentes du mont St. Helens, si tant est que ces pentes restent à la même place : des morceaux entiers du volcan ont en effet été soufflés par l'explosion. Il est fort possible que de prochaines éruptions détruisent une grande partie de la montagne. Il se peut même que le mont St. Helens disparaisse, comme cela arriva à un autre volcan de la chaîne des Cascades. Il y a environ 6 600 ans, un volcan du nom de Mazama explosa. Il disparut complètement. Son emplacement est marqué par un magnifique lac qui s'appelle, à juste titre, Crater Lake (le lac du Cratère). Le mont St. Helens subira-t-il le même sort que le Mazama ?

Ci-dessous : une quantité incroyable de cendres retomba sur le sol après l'éruption du volcan. À droite : l'explosion détruisit aussi des milliers de sapins — arbres qui alimentent l'industrie forestière de la région.

COMMENT CONSOMMER MOINS D'ESSENCE

Il y a dix ans en Amérique du Nord, le litre d'essence coûtait un peu moins de 10 cents. Aujourd'hui, ce même litre coûte trois fois plus. Et ce n'est pas près de diminuer. Les experts prévoient plutôt une hausse constante.

L'augmentation du prix de l'essence a eu un impact considérable sur les Américains. Leurs habitudes de conducteurs ont changé et cela a influencé les ventes de voitures. Les constructeurs automobiles américains essaient de mettre au point des voitures à faible consommation d'essence. De leur côté, chercheurs et ingénieurs tentent de trouver d'autres formes d'énergie capables de remplacer l'essence et donc les moteurs à essence.

Voyons les moyens qui peuvent nous aider à consommer moins d'énergie sur la route.

▶ UNE VOITURE RÉTRÉCIE

Jusqu'aux années 75, les Américains manifestèrent une nette préférence pour les grosses voitures. Le fait de consommer beaucoup d'essence ne les gênait pas beaucoup. Le pays regorgeait de carburant bon marché. Les acheteurs voulaient des voitures puissantes, rapides et spacieuses. Cette attitude était encouragée par les constructeurs automobiles qui pouvaient ainsi réaliser de plus gros bénéfices sur de plus grosses voitures.

Bien entendu, il se trouvait des gens pour préférer les petites voitures moins chères et consommant beaucoup moins. Ils achetaient généralement des voitures étrangères. En 1970, les ventes de voitures étrangères représentaient 15 pour cent du marché.

C'est alors que se produisirent certains événements qui firent réfléchir les Américains. En 1973, au Moyen-Orient, les pays producteurs de pétrole mirent un embargo sur le carburant. Ceci réduisit de façon importante le ravitaillement en carburant brut pour tous les États-Unis. Il en résulta une pénurie générale de pétrole.

Le second événement fut une loi passée par le gouvernement fédéral. Cette dernière limitait la vitesse sur autoroute à 90 kilomètres à l'heure. Les moteurs puissants n'avaient plus tellement de raison d'être.

Le troisième facteur fut l'inflation. Les prix n'arrêtaient pas de monter. Le prix des petites voitures était comparable au prix des grosses quelques années auparavant. Ces dernières représentaient un luxe inabordable pour bien des gens.

Un quatrième événement survint : une seconde restriction de pétrole en 1979. Le prix de l'essence fit alors un bond en avant et continua de grimper même après le retour à la normale.

C'est ainsi que de plus en plus de gens se

Chevette et Escort : deux voitures américaines consommant aussi peu d'essence que les voitures étrangères.

Elle est plus petite, plus légère, plus rentable . . . Encore une réussite du service de recherche.

mirent à acheter des petites voitures. La fabrication américaine ne suffisait plus à la demande; aussi le marché s'orienta-t-il vers les voitures européennes et japonaises. Ces dernières représentaient en 1980 25 pour cent des ventes aux États-Unis.

Ils se rendirent alors compte que l'ère des grosses voitures était passée et investirent des milliards de dollars dans la fabrication de voitures moins « gourmandes ». Vers les années 85, les voitures américaines consommeront environ 9 litres au cent, ce qui représente la moitié de la consommation des années 75. Dès l'automne 80, on a vu apparaître sur le marché américain des voitures de petite taille, comparables à n'importe quelle petite voiture importée.

▶ DES ÉCONOMIES PAR L'ÉLECTRONIQUE

Le bon fonctionnement d'un moteur est aussi facteur d'économie. En introduisant un minuscule ordinateur dans une voiture, on peut réduire sa consommation d'essence de 25 pour cent.

Il est probable que, d'ici la fin des années 80, chaque voiture sera munie d'un ordinateur contrôlant diverses fonctions du moteur.
● Il réglera l'arrivée d'air et d'essence de manière que le moteur reçoive le mélange combustible le plus adéquat.

● Il contrôlera la remise en circulation des gaz émis par le moteur. Ceci permettra d'économiser l'essence et de diminuer la pollution.
● Il vérifiera le fonctionnement des pièces du moteur et diagnostiquera leurs déficiences.

L'ordinateur aura une console terminale, sur le tableau de bord de la voiture, qui signalera immédiatement au conducteur le moindre problème. Il déterminera le bon fonctionnement du système d'échappement anti-pollution et indiquera la pression d'air dans les pneus.

Les ordinateurs placés dans les voitures auront également un autre but : ils permettront aux passagers de jouer, par exemple, aux échecs, au baseball, aux batailles spatiales.

En Allemagne de l'Ouest, certains ingénieurs ont mis au point un système d'ordinateur qui fournit au conducteur tous les renseignements concernant la route et le climat. Si on a l'intention de partir en voyage, on indique à l'ordinateur sa destination. Il envoie alors ce renseignement aux ordinateurs installés le long des routes et ceux-ci lui indiquent le meilleur itinéraire à suivre. Ce renseignement apparaît sur un écran installé sur le tableau de bord de la voiture. Au cours du voyage, les ordinateurs de la route indiqueront tout changement survenu sur le parcours, tels les conditions atmosphériques, un éventuel accident ou une inondation imprévue. Ces ordinateurs conseilleront alors un autre itinéraire.

METTEZ DU MAÏS DANS VOTRE MOTEUR

L'essence devenant un carburant de plus en plus cher, les chercheurs tentent de mettre au point des carburants de remplacement. L'un de ces succédanés contient 90 pour cent d'essence et 10 pour cent d'alcool. On fabrique l'alcool à partir de différentes plantes telles que le maïs, la canne à sucre et le sorgho. Ce succédané est en vente dans plus de 1 000 stations-service aux États-Unis, particulièrement dans les États des Grandes Plaines, riches en maïs. Il est plus cher que l'essence mais certains consommateurs le trouvent meilleur marché à l'usage. D'autres disent le contraire : ils font moins de kilomètres avec le succédané qu'avec la même quantité d'essence. Il fallait s'en douter, disent-ils, car l'alcool fournit moins d'énergie.

Cette polémique au sujet du kilométrage n'est pas encore réglée. De plus, l'usage du succédané pose des problèmes au niveau de la pollution. La combustion entraîne davantage d'émission d'hydrocarbures. Il paraîtrait, en outre, que ce succédané abîme les pièces en caoutchouc et en plastique, notamment les tubes.

Faites le plein avec de l'alcool, un succédané d'essence fabriqué à partir de plantes.

Il y a également un autre problème. La quantité d'énergie consommée pour faire pousser le maïs et fabriquer le produit de remplacement est plus importante que la quantité de succédané fournie par le maïs. Il faut de l'énergie pour fabriquer des fertilisants et pour faire marcher les tracteurs et les moissonneuses. Transformer le maïs en produit de remplacement est une opération qui nécessite aussi une dépense d'énergie.

Il est sans doute possible de résoudre certains de ces problèmes. Si l'on remplaçait le maïs par des ordures et si on améliorait les procédés de fabrication, le coût de l'énergie baisserait. Le gouvernement américain dépense des millions de dollars pour la recherche et la fabrication de ce succédané. Il espère ainsi diminuer la dépendance du pays à l'égard des pays producteurs de pétrole.

NE LE REMPLISSEZ PAS, RECHARGEZ-LE

L'essence n'est pas la seule source d'énergie capable d'alimenter un moteur. Une autre solution — extrêmement réaliste d'ailleurs — est l'électricité. Au lieu d'un moteur, on équipe la voiture d'une grosse batterie. Cette batterie transforme l'énergie chimique en énergie électrique. L'avantage est que cette batterie est rechargeable. C'est tout simple : on la branche sur une prise électrique. Durant cette opération, l'électricité est transformée en énergie chimique. On peut ainsi utiliser sans fin la batterie.

L'idée de voitures électriques n'est pas nouvelle. En fait, au début du XXe siècle, il y avait plus de voitures électriques sur les routes américaines que de voitures à essence. Puis le pétrole se mit à couler à flots et les moteurs à essence furent nettement perfectionnés. Pendant les années 20, les voitures électriques disparurent complètement.

C'est aux alentours de 1960 que l'on se sentit de plus en plus concerné par la pollution causée par l'essence. Cela raviva l'intérêt pour les moteurs électriques et plusieurs compagnies mirent en vente des voitures électriques. Mais les possibilités de ces voitures étaient limitées : elles ne pouvaient aller bien loin car elles devaient être rechargées, et elles n'allaient pas très vite.

Les chercheurs et les ingénieurs s'évertuent à mettre au point des batteries perfectionnées. En 1980, la compagnie Gulf and Western Industries (G&W) annonça la mise en service

Une autre façon d'économiser de l'énergie consiste à faire marcher un véhicule à l'électricité. Cette fourgonnette G&W est équipée d'une batterie électrique, qui pourrait être en vente d'ici 1984.

d'une nouvelle batterie. Cette dernière fut installée sur une Volkswagen. Le véhicule parcourut 240 kilomètres sans être rechargé. G&W déclara que cette batterie pourrait être sur le marché dès 1984. Elle contient du zinc et est reliée à un réservoir qui, lui, contient de l'hydrate de chlore. L'hydrate de chlore est aspiré par la batterie et la réaction zinc-hydrate de chlore donne du chlorure de zinc. Il y a alors production de courant électrique. C'est le contraire qui se produit lorsqu'on charge la batterie : il y a formation d'hydrate de chlore et de zinc. La batterie, branchée sur une prise électrique normale, se recharge en 6 heures, voire 8 heures. Cela peut donc se faire de nuit, lorsque le conducteur dort.

Selon la G&W, recharger la Volkswagen revient au tiers du prix de l'essence qu'il aurait fallu employer.

En plus de l'économie réalisée, les voitures électriques offrent d'autres avantages : elles ne polluent pas l'atmosphère et sont beaucoup moins bruyantes que les voitures à essence.

Les gens s'en servent pour de courts trajets, comme aller faire des courses, au travail, à l'école. L'idéal pour ce genre d'usage est donc un véhicule électrique pouvant parcourir environ 250 kilomètres. On pense que, d'ici la fin du XXe siècle, les voitures électriques représenteront 40 pour cent du marché américain.

CONDUIRE INTELLIGEMMENT = ÉCONOMIE

Voici six trucs qui vous aideront à économiser l'énergie :

1. Pour réaliser un meilleur kilométrage ne roulez pas à plus de 90 kilomètres à l'heure. À cette allure, une voiture consomme environ 20 pour cent de moins d'essence que si elle roule à 110 kilomètres à l'heure. Cela revient à économiser 6 à 7 cents par litre.

2. Évitez les démarrages en trombe; ils vous coûtent plus d'essence que des départs énergiques mais en douceur.

3. Si vous êtes à l'arrêt, ne laissez pas tourner votre moteur : même pendant une minute, vous gaspillez deux fois plus d'essence qu'en l'arrêtant et en redémarrant.

4. Faites vérifier votre voiture très souvent : des pièces en bon état en garantissent la bonne marche.

5. Veillez à ce que vos pneus soient toujours bien gonflés.

6. Enlevez de votre voiture tout poids superflu. Plus elle est légère, moins elle consomme d'essence sur une longue distance.

LA SCIENCE AU SERVICE DES NON-VOYANTS

Helen Keller aurait sûrement apprécié la manifestation qui eut lieu en son honneur en juin 1980. Helen Keller, qui surmonta son état de sourde-muette et aveugle et dont la volonté inspira des millions de personnes, aurait eu 100 ans le 27 juin. Pour marquer l'anniversaire de sa naissance un congrès fut organisé à Boston.

Helen Keller, qui mourut en 1968, aurait été ahurie par les nouveaux appareils électroniques exposés au congrès. Ces derniers, conçus à partir de certaines découvertes scientifiques, aident à résoudre quelques problèmes que rencontrent exclusivement les aveugles.

▶ HELEN KELLER — SOURDE-MUETTE ET AVEUGLE

Helen Keller naquit en 1880 dans une ferme

Helen Keller et Anne Sullivan. 1980 marquait le centième anniversaire de la naissance de Helen Keller.

de l'Alabama. Elle fut un bébé normal jusqu'à ce que, à 18 mois, une terrible maladie la rendit aveugle et sourde, ce qui l'empêcha, bien entendu, d'apprendre à parler. Si son éducatrice Anne Sullivan n'avait pas été sans égal, elle n'aurait jamais appris grand-chose. C'est par un système de signaux tactiles tracés dans la paume de la main qu'Anne Sullivan lui apprit des mots. Grâce à ce système, Helen fit de très rapides progrès et, en 1904, elle fut diplômée de Radcliff College avec la mention bien.

Helen consacra le reste de sa vie à aider les aveugles et à essayer de prévenir la cécité. Elle eut de nombreux amis et devint célèbre dans le monde entier.

▶ LES BIENFAITS DE L'ÉLECTRONIQUE

Selon l'Organisation mondiale de la santé, il y a aujourd'hui dans le monde environ 42 millions d'aveugles. L'O.M.S. a fait savoir que, si rien n'était entrepris pour remédier aux différentes causes de la cécité, ce chiffre doublerait d'ici l'an 2000. C'est la malnutrition qui est la raison la plus courante de cécité chez les enfants. Une bonne alimentation et l'emploi de médicaments adéquats pourraient réduire de presque 80 pour cent le nombre des aveugles.

La cécité n'est cependant pas toujours prévisible. C'est pourquoi le problème de beaucoup d'aveugles est semblable à celui d'Helen Keller : ils doivent trouver un moyen d'apprendre sans voir ce que les autres apprennent en voyant. C'est à cela que vont servir les appareils électroniques exposés au congrès de 1980.

À longueur de journée, les hommes doivent être conscients de ce qui se passe autour d'eux et de ce qu'ils font. Un travailleur est censé, par exemple, savoir l'heure à laquelle il doit attraper son autobus. Ceci n'est pas facile si vous ne pouvez pas voir l'heure. Ce problème a été résolu par l'invention d'une « montre de poche » sur laquelle il n'y a qu'à appuyer sur un bouton : l'heure est alors annoncée par une voix électronique.

Les gens se servent de leurs yeux pour éviter de buter contre des obstacles. Il existe maintenant une canne-laser qui peut rendre de grands services aux aveugles. Cette canne émet des rayons lumineux. Lorsqu'ils rencontrent un objet, leur réflexion est captée sur la canne par des récepteurs sensoriels et un signal sonore retentit alors. La canne envoie des rayons dans trois directions : vers le haut, vers le bas et droit devant elle. Les trois signaux ont des sons différents, ce qui permet au porteur de la canne de savoir où se trouve l'obstacle.

Nous sommes fréquemment amenés, au cours de nos activités quotidiennes, à rechercher des renseignements, numéros de téléphone, adresses, recettes, etc. Ne pas voir implique ne pas pouvoir faire ces petites choses. Il existe maintenant des dispositifs électroniques qui emmagasinent des informations et qui fonctionnent plus ou moins comme un magnétophone. Ces appareils enregistrent et diffusent à haute voix des mots; on peut également y entreposer des messages en braille et les utiliser quand nécessaire. (Le braille est l'alphabet qui utilise des points saillants en guise de lettres et de chiffres.) Au fur et à mesure que la bande magnétique se déroule, des lignes de texte en braille apparaissent l'une après l'autre sur un panneau de lecture. L'utilisateur n'a plus qu'à déchiffrer le texte avec ses doigts.

La plupart des gens apprennent en lisant. Helen Keller eut la chance d'avoir à ses côtés Anne Sullivan qui pouvait lire pour elle. Très peu de livres étaient, à l'époque, disponibles en braille et, malheureusement, cette situation ne s'est guère améliorée. De nos jours, pourtant, on peut lire en braille ailleurs que dans des livres. Par exemple, en utilisant ce dispositif qui fonctionne de façon presque identique à celui décrit précédemment. Des points en saillie s'abaissent et s'élèvent sur un tableau de la taille d'une page, et forment des lettres en braille. Au fur et à mesure que la bande magnétique se déroule, les points s'agencent pour former des lettres brailles, semblables à celles que l'on trouve dans un livre en braille. Une bande peut contenir des centaines de pages et coûte beaucoup moins cher qu'un livre en braille.

Outre les livres, il existe de nombreuses autres choses à lire : des rapports dactylographiés, des lettres, des magazines. D'autres inventions permettent aux aveugles de prendre connaissance de tout texte imprimé. L'une d'elles consiste à placer un texte écrit contre une plaque de verre. Un décodeur passe sous la plaque de verre et traduit les lettres en des

Cette « montre de poche » annonce l'heure à l'aide d'une voix électronique.

blocs de points noirs sur une page blanche. Un ordinateur installé dans le dispositif transforme ces blocs en lettres. Puis il groupe les lettres en mots et une voix électronique les énonce. Et la machine fait la lecture à la personne qui s'en sert.

Tous ces appareils à la pointe de la recherche électronique vont permettre aux aveugles de s'instruire, de travailler et d'être indépendants. Helen Keller serait enthousiasmée si elle était encore parmi nous.

Ce dispositif utilise des bandes magnétiques pour former des lettres braille.

UN NOUVEAU-NÉ DANS LE MONDE DES TÉLÉCOMMUNICATIONS: LE TÉLIDON

Que vous vouliez faire une partie d'échecs avec un ami qui se trouve à des centaines de kilomètres de chez vous, lui envoyer une lettre électronique et recevoir une réponse le jour même, ou encore utiliser votre téléviseur pour trouver des renseignements sur une multitude de sujets, une nouvelle invention, appelée vidéotex (ou télévision bidirectionnelle), vous le permet.

▶ LE FONCTIONNEMENT

Né du mariage de la télévision et de l'ordinateur, le système vidéotex transforme un téléviseur en un merveilleux appareil de communications à usages multiples.

Voici comment le vidéotex fonctionne : l'usager possède un petit appareil qui ressemble à une calculatrice de poche. Grâce à cet appareil, l'usager peut, en appuyant sur les touches du clavier, faire apparaître sur l'écran de son téléviseur domestique des renseignements emmagasinés dans un ordinateur.

Des milliers de pages de renseignements sont stockées dans la banque de données de l'ordinateur. Il peut s'agir de nouvelles, de bulletins sportifs et météorologiques, d'horaires d'autobus, de catalogues de grands magasins, de programmes de cinéma ou de tout autre sujet d'intérêt.

Une ligne téléphonique relie le téléviseur à l'ordinateur. Un appareil spécial, appelé décodeur, déchiffre les signaux reçus de l'ordinateur et les transmet à l'écran.

Le système vidéotex peut reproduire des images, des cartes, des diagrammes, des tableaux et des photos, en plus de textes écrits.

L'usager peut aussi « communiquer », c'est-à-dire qu'il peut introduire des renseignements dans l'ordinateur. Pour ce faire, il utilise un clavier semblable à celui d'une machine à écrire. Les renseignements sont transmis à la banque de données de l'ordinateur ou à un autre usager qui possède un dispositif vidéotex.

▶ L'UTILISATION

C'est en Grande-Bretagne, vers 1975, qu'on a conçu les premiers systèmes vidéotex. Tous les grands pays industrialisés ont maintenant un programme de mise en service du vidéotex. Quant au Canada, il a mis au point son propre système, appelé Télidon. Parce qu'il est d'une utilisation plus souple et qu'il permet la reproduction de diagrammes, de tableaux, de dessins et d'images beaucoup plus claire et précise que les autres systèmes, on admet généralement que le Télidon leur est supérieur.

Les savants envisagent d'utiliser le vidéotex de centaines de façons, aussi bien dans le monde des loisirs que des affaires. Grâce à la télévision bidirectionnelle, on pourra bientôt acquitter ses factures, faire des réservations de voyage, des achats et des transac-

106

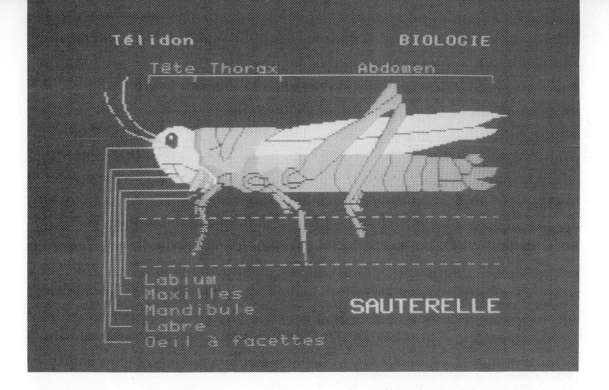

tions bancaires, envoyer des lettres et jouer aux échecs.

Vous pourrez sans doute d'ici peu faire vos courses à partir de votre domicile. Après avoir appuyé sur quelques boutons, l'écran du téléviseur relié au vidéotex fera apparaître le catalogue d'un magasin. Quand vous aurez trouvé l'article que vous cherchez, il ne vous restera qu'à composer sur le clavier son code, le numéro de votre carte de crédit et le magasin s'occupera du reste.

Le système vidéotex présente un intérêt particulier pour les enseignants. On pourrait, par exemple, faire travailler un groupe d'étudiants sur les mêmes projets ou exercices. Le vidéotex deviendrait alors un « professeur électronique » qui pose des questions et qui corrige les réponses données par les étudiants.

Le réseau de télévision éducative TVOntario à Toronto utilise déjà le Télidon à cette fin. Le système a une banque de données sur différents sujets, tels la géographie, l'histoire et les sciences. De son poste vidéotex, l'étudiant a accès à tous les renseignements qui lui sont nécessaires.

Grâce à la télévision bidirectionnelle, un professeur pourrait donner des cours à des étudiants résidant dans des villages isolés. Le système deviendrait alors une sorte de tableau électronique.

Le vidéotex pourrait être un atout de travail précieux pour les médecins, les chercheurs et les hommes d'affaires résidant dans des villes différentes. Ils pourraient ainsi échanger des tableaux et des diagrammes tout en discutant au téléphone.

Technologiquement parlant, le système vidéotex est déjà au point. Il s'agit donc maintenant de déterminer quelles sont les meilleures méthodes à employer pour qu'il devienne d'usage courant. Maints organismes et entreprises, dans beaucoup de pays, ont mis sur pied des projets pilotes. La télévision bidirectionnelle contribuera probablement bientôt au développement de divers secteurs de l'économie.

Grâce au vidéotex, les banques, les magasins, les journaux et les établissements scolaires seront un jour en mesure de servir plus rapidement les consommateurs.

D'ici quelques années, il est fort probable que la télévision bidirectionnelle facilitera notre vie et stimulera l'économie. L'invention, il y a quelques siècles, de la presse à imprimerie permit la divulgation des connaissances. Les sociétés de l'époque en furent profondément modifiées. Et comme l'imprimerie, il y a quelque cinq cents ans, le vidéotex révolutionnera probablement notre mode de vie dans un avenir proche.

DE VOTRE RÉGIME ALIMENTAIRE DÉPEND VOTRE SANTÉ

Carole ne saute jamais un repas. Or, elle souffre d'embonpoint. Son médecin dit pourtant qu'elle est sous-alimentée.

Bernard mange toutes sortes de friandises après l'école et il a de nombreuses caries. Marie fait la même chose mais elle n'a aucune carie.

Le père de Jacques adore les fritures. Son médecin lui conseille cependant de les éliminer s'il ne veut pas avoir de crise cardiaque.

La mère de Colette sale abondamment sa nourriture. C'est la raison pour laquelle elle souffre d'hypertension artérielle.

La majorité des Nord-Américains se nourrissent suffisamment. Or, ceci n'implique pas que leur alimentation est saine. Toutes les recherches indiquent à l'heure actuelle que nos habitudes alimentaires jouent un rôle important sur notre santé. Il en est beaucoup parmi nous qui consomment trop de viande, trop de produits laitiers et trop d'aliments traités. Ils absorbent ainsi trop de gras, de cholestérol, de sucre et de sel. Et bien sûr, trop de calories. Le risque d'être frappé de maladies graves et même mortelles, crise cardiaque, attaque, hypertension, diabète et certaines formes de cancer, se multiplie alors.

▶ QUE DOIS-JE MANGER ?

Pour se développer et pour être sain, le corps humain a besoin de plus d'une cinquantaine d'éléments chimiques, appelés aussi éléments nutritifs. On peut les classer en six groupes principaux : les protéines, les hydrates de carbone, les graisses, les vitamines, les minéraux et l'eau. Tous ces éléments jouent un rôle précis qui ne peut être rempli par aucun autre élément. Un supplément de vitamine C, par exemple, ne compensera pas une déficience en vitamine D.

Tous les aliments contiennent en quantités variables une partie de ces éléments. Pour apporter à notre corps tous les éléments nutritifs dont il a besoin, nous devons avoir un régime équilibré se composant d'une vaste gamme d'aliments.

Les règles d'une alimentation saine sont les suivantes :

● Mangez tous les jours des aliments variés.
● Maintenez un poids idéal.
● Évitez de consommer trop de corps gras et de substances grasses, qui sont riches en cholestérol.
● Mangez des aliments qui contiennent suffisamment d'amidon et de fibres végétales.
● Évitez les excès de sucre.
● Évitez les excès de sodium (sel).

Examinons d'abord la première règle : mangez tous les jours des aliments variés. Tout régime équilibré devrait comprendre certains des aliments mentionnés ci-dessous :

UNE BIEN TRISTE VÉRITÉ

Le sucre, c'est bien connu, favorise les caries dentaires. Voici le problème, vu par un dentiste : si tous les dentistes canadiens se mettaient à l'œuvre et travaillaient jour et nuit, il y aurait au bout de l'année autant de nouvelles caries qu'au moment où ils auraient commencé.

Le Nord-Américain moyen consomme plus de 60 kilogrammes de sucre par an et d'édulcorants. Cette quantité énorme ne provient pas seulement des friandises, gâteaux et autres desserts. De nombreux aliments traités, dont les soupes, les fromages, les vinaigrettes, les sauces à spaghetti et même les saucisses fumées contiennent du sucre.

Outre les caries, le sucre est responsable de bien d'autres ennuis. Il est tellement raffiné que l'organisme le digère très rapidement. Comme il reste très peu de temps dans l'estomac, après en avoir avalé une bonne quantité, on a encore faim. Et puis on découvre la triste vérité : on prend du poids.

Il y a aussi le problème des calories « vides ». Le sucre ne contient ni vitamines, ni minéraux, ni protéines.

Encore une fois, il n'est pas nécessaire d'éliminer complètement le sucre. Il suffit simplement de diminuer sa consommation. Vous découvrirez très vite que votre envie de sucre n'est due qu'à l'habitude. Vous arriverez petit à petit à vous en passer et vos visites chez le dentiste révèleront sûrement moins de caries.

Votre hamburger préféré contient énormément de calories. Mangez très légèrement le reste de la journée si vous ne voulez pas grossir.

Fruits et légumes. Ils fournissent les vitamines A et C, les hydrates de carbone et les fibres végétales. Ces dernières proviennent de la partie ligneuse des plantes et ne sont pas digestibles, c'est-à-dire qu'elles traversent l'organisme sans se décomposer. Elles contiennent très peu d'éléments nutritifs mais elles favorisent l'évacuation des déchets du système digestif.

Rappelez-vous que tous les aliments ne fournissent pas les mêmes quantités d'éléments nutritifs. Il est donc important de consommer des fruits et des légumes différents.

Pain et céréales. Ces aliments sont riches en fer et en certaines vitamines B. Autant que possible, mangez des céréales et du pain entiers. Ils contiennent des fibres végétales et de nombreux minéraux essentiels à l'organisme qu'on ne trouve pas dans les céréales raffinées, mêmes celles de type enrichi.

Lait, fromage et yaourt. Ces aliments contiennent du calcium et de nombreuses vitamines.

Viande, volaille, poisson, œufs et légumineuses. Ils fournissent à l'organisme les protéines, le fer, le zinc et certaines vitamines B.

Et puis il y a les aliments qui contiennent surtout des calories, tels les sucreries, les biscuits, les tartes, les frites et les croustilles. Évitez autant que possible cette dernière catégorie d'aliments. Essayez plutôt de consommer des aliments appartenant aux quatre premiers groupes. Vous assurerez ainsi à votre organisme l'apport nécessaire de calories et d'importants éléments nutritifs.

DES CALORIES QUI SE TRANSFORMENT EN KILOS

« De combien de calories ai-je besoin par jour ? » Tout dépend de votre rythme de vie. Un garçon assez actif âgé de 12 ans a besoin de 2 200 à 2 800 calories. Des adolescents sportifs auront besoin de plus de 4 000 calories par jour. Certains joueurs de hockey, pendant la saison d'entraînement, peuvent consommer jusqu'à 8 000 ou 10 000 calories en une seule journée.

Lorsque vous consommez plus de calories que nécessaire, vous prenez du poids. Et cela d'autant plus facilement que vous ne faites pas d'exercice physique. Un exemple : votre hamburger préféré contient environ 600 calories. Ajoutez-y des frites, une boisson gazeuse et un chausson aux pommes et vous dépassez allègrement les 1 200 calories en un seul repas. Vous devez alors vous restreindre pour le reste de la journée ou vous grossirez.

Si, par contre, vous prenez moins de calories qu'il ne vous en faut, vous perdrez du poids. On rencontre souvent des jeunes gens qui décident tout à coup qu'ils sont trop gros et qui commencent un régime amaigrissant. Ils ont toutefois besoin des mêmes quantités de vitamines et de minéraux. C'est pourquoi ils doivent choisir avec soin des aliments à faible teneur en calories mais qui leur procurent tout de même les éléments nutritifs nécessaires. Il ne faut pas devenir mince au prix de sa santé.

LES COLLATIONS

Nous sommes en plein milieu de l'après-midi, tard le soir, ou encore deux heures avant le déjeuner. Vous avez soudain très faim et vous décidez de prendre une collation, quoiqu'on vous ait dit des milliers de fois de ne pas manger entre les repas.

Les collations sont-elles si mauvaises ? Le problème n'est pas de manger mais de savoir ce que vous mangez. Optez-vous pour des fruits, des légumes crus et du lait ou des aliments sans valeur nutritive ?

En consommant ces derniers aliments, vous n'avez plus faim pour ceux qui vous fourniraient vitamines, minéraux et protéines. Ou alors vous mangez plus qu'il n'est nécessaire et vous consommez ainsi probablement trop de calories, de sucre, de gras et de sel.

Pourquoi ne pas manger une carotte ou une orange au lieu d'un biscuit ou d'une friandise. Un verre de jus remplace avantageusement une boisson gazeuse. Et si c'est presque l'heure du dîner, attendez ! Un verre d'eau vous aidera à patienter et vous n'en apprécierez que davantage un bon repas bien équilibré.

▶ À L'ŒUVRE, LES CUISTOTS !

Mais non, ça n'est pas si terrible ! Il ne s'agit pas de bannir à jamais les biscuits. Il suffit de connaître la différence entre un bon et un mauvais biscuit. La teneur en sucre d'un bon biscuit est faible et il contient des ingrédients sains, de la farine d'avoine, des raisins secs, des noix et des dattes.

Mettez la main à la pâte. La première fois, suivez une recette. La fois suivante, diminuez la quantité de sucre. Vous vous rendrez vite compte qu'il est possible de réduire d'un tiers et même de la moitié la quantité de sucre et d'obtenir ainsi des biscuits et des gâteaux délicieux.

La même règle s'applique au sel. Ne l'éliminez pas; réduisez-le.

Voici d'autres trucs : faites votre propre vinaigrette avec du vinaigre, de l'huile et des herbes. Utilisez de la farine de blé entier pour vos crêpes. Faites-vous des boissons à base de yaourt et de fruits frais. Achetez des céréales à faible teneur en sucre et en sel.

Le milk-shake que vous buvez est-il vraiment à base de lait ou de crème glacée ou est-ce plutôt une de ces concoctions d'huile végétale, d'extraits secs de lait écrémé, d'émulsionneur, d'essences et de sucre ?

Et si vous mourez d'envie d'un copieux dessert, ne vous retenez pas. Prenez soin, toutefois, de consommer moins de sucre pendant un jour ou deux. Si vous avalez un déjeuner riche en corps gras mais avec peu de légumes et de fruits, prenez un dîner qui rétablira l'équilibre.

Rappelez-vous le dicton « un esprit sain dans un corps sain ». Un régime alimentaire équilibré vous aide à rester en bonne santé. Mettez ce théorème en pratique et vous en apprécierez les bienfaits tous les jours de votre vie.

Les aliments contenant beaucoup de calories sont en général sans valeur nutritive.

DES HISTOIRES SAVOUREUSES

Voici quelques anecdotes amusantes ayant trait à la nourriture qui vous étonneront.

UN APPÉTIT OGRESQUE

Un jour, juste avant de disputer un match de baseball, le célèbre Babe Ruth avala vingt hot dogs. Une jeune femme de Philadelphie, toutefois, le surpassa. Le 12 juillet 1977, Linda Kuerth, âgée de 21 ans, ingurgita vingt-trois saucisses fumées en 3 minutes et 10 secondes.

La plus grande saucisse du monde fut préparée en Angleterre par des scouts en mai 1979. Cette saucisse, qui mesurait plus de trois kilomètres et pesait environ 1 240 kilogrammes, fut servie à une fête d'enfants organisée dans Hyde Park, à Londres.

LES ORIGINES

Quelle est l'origine de certaines denrées alimentaires ? La réponse n'est pas toujours évidente. La preuve, les pâtes alimentaires sont originaires de Chine. Le croissant, qu'on pense toujours français, fut d'abord hongrois. La pomme de terre ? Irlandaise, bien sûr. Et non, elle poussa d'abord en Amérique du Sud et en Amérique centrale. Et le hamburger, si typiquement américain, fit ses débuts à Hambourg, en Allemagne.

DES HISTOIRES DE TOMATES

Si nous pouvons aujourd'hui nous régaler en mangeant des tomates, c'est surtout grâce à un certain colonel Robert G. Johnson. On crut pendant longtemps que celui ou celle qui mangerait une tomate mourrait la nuit suivante. Johnson décida de prouver le contraire.

À midi, le 26 septembre 1820, il se tint sur les marches du palais de justice de Salem, au New Jersey. Devant des centaines de spectateurs, il ingurgita tout un panier de tomates. On se dit qu'il était devenu fou. Le jour suivant, pourtant, à la surprise de tous, il était en pleine forme.

En 1781, Thomas Jefferson devint le troisième président des États-Unis. Vingt ans plus tôt, Jefferson avait été un des premiers à faire pousser des tomates aux États-Unis. S'il les cultivait, pourtant, ce n'était pas pour les consommer, mais parce qu'il les trouvait très décoratives.

UN RECORD ÉPUISANT

Une vache produit en moyenne 62 verres de lait par jour. La titulaire du record est une vache de l'Indiana qui, en 1975, donna en une seule journée 375 verres de lait. Imaginez la pauvre vache après une journée pareille !

DES HISTOIRES DE VOLAILLES

À l'heure actuelle, la population de gallinacés est plus élevée que la population humaine. Et ce, parce que les hommes consomment de plus en plus de poulets. Il y a quarante ans, la consommation annuelle de poulets chez les Nord-Américains était d'environ 0,2 kilogrammes par personne. Elle est maintenant passée à 17 kilogrammes.

Toutes les poules ne sont pas destinées à la consommation. Certaines sont élevées pour leurs œufs. Il y a quarante ans, une poule moyenne pondait 100 œufs par an. Grâce à de nouvelles méthodes, cette production est maintenant d'environ 240 œufs.

QUE D'EAU !

L'eau compte pour plus de la moitié de votre poids. Le sang, par exemple, se compose de 90 pour cent d'eau, le cerveau de 75 pour cent. Chacune de vos cellules contient de l'eau. Tous les jours, votre corps élimine environ 2,5 litres d'eau, soit en urine, en transpiration ou même lorsque vous respirez. L'eau est cependant facile à remplacer. Chaque fois que vous mangez, vous absorbez de l'eau.

Pouvez-vous nommer des aliments qui contiennent beaucoup d'eau ? Il y a bien entendu les tomates, les oranges et les pastèques. Saviez-vous aussi que le pain se compose de plus d'un tiers d'eau et la viande de la moitié ? Quant aux jus et au lait, si on en retire les éléments nutritifs et les essences naturelles, il ne reste plus que de l'eau.

FAITS DIVERS

La première boulangerie ouvrit ses portes à Rome en 171 avant J.-C. Un pain de blé et de miel était sa spécialité.

C'est à Vevey, en Suisse, qu'on fabriqua pour la première fois, en 1876, du chocolat au lait. On le doit à Daniel Peter qui croyait que tout aliment auquel on ajoutait du lait était meilleur au goût.

C'est à Paris, en 1603, qu'on fabriqua la première limonade.

La première pizzeria des États-Unis ouvrit ses portes à New York en 1905.

LES ALIMENTS DE DEMAIN

Nous sommes en l'an 2030. Vous avez faim. Qu'y a-t-il au menu ? La même chose qu'en 1980 ? Ou bien un repas composé de courges buffles, de haricots tepary, de tomates carrées et de bœuf sans gras ?

Si vous n'avez pas le temps de faire un bon repas, avalerez-vous en vitesse un morceau de pizza ou choisirez-vous une « barre alimentaire » ? Cette dernière ressemblerait à une barre de chocolat, aurait le goût d'une pizza et contiendrait tous les éléments nutritifs d'un repas normal.

Il est probable que dans une cinquantaine d'années, les aliments soient sensiblement différents des nôtres. Ils seront, par exemple, de bien meilleure qualité. Les fruits et les légumes seront plus gros, les viandes seront moins grasses et plus tendres. Ces changements résulteront des progrès de la génétique qui permettront de modifier les cellules reproductrices des plantes et des animaux afin d'améliorer leur qualité.

Certains chercheurs essaient à l'heure actuelle de faire pousser des plantes qui concentrent leur énergie de croissance dans leurs parties comestibles. La laitue idéale, tout en ayant des racines atrophiées, doublerait ou triplerait de volume. Quant à la betterave, dont nous mangeons les racines, ce serait le contraire.

Dans certains cas, la génétique sert à produire des aliments qui se conservent plus longtemps ou bien dont la forme facilite l'emballage et l'expédition. C'est ainsi que pourraient naître les tomates carrées.

L'accroissement démographique et le besoin toujours plus impératif de disposer d'aliments riches en protéines contribueront au développement de cultures que la plupart d'entre nous ne connaissons pas encore. On trouve dans le monde plus de 350 000 espèces de plantes, dont environ 80 000 sont comestibles. Pourtant, tout au cours de son histoire, l'homme n'a utilisé qu'à peu près 3 000 de ces espèces pour se nourrir. De nos jours, une trentaine d'espèces fournissent 95 pour cent des protéines et des calories que nous consommons. Le blé, le maïs et le riz nous procurent, à eux seul, plus de la moitié des protéines et des calories que nous consommons.

De nombreux chercheurs pensent qu'il est dangereux de dépendre d'un nombre si restreint d'aliments et conseillent qu'on diversifie les cultures. Ils ont d'ailleurs découvert certaines plantes qui auront peut-être un jour une importance capitale. Le haricot ailé est une de ces plantes. *Toutes* ses parties sont comestibles. Le haricot lui-même, une fois séché, contient jusqu'à 37 pour cent de protéines. L'amidon obtenu à partir des racines contient dix fois plus de protéines que les pommes de terre. Les feuilles ont un goût d'épinard et les fleurs rappellent le champignon.

Le haricot ailé est une plante tropicale que l'on cultive depuis longtemps en Asie du Sud-Est. Or, ce n'est que depuis quelques années qu'on le connaît ailleurs. Des chercheurs du monde entier l'étudient à l'heure actuelle et il est cultivé dans 70 pays. Il se pourrait bien que, d'ici peu, vous en ayez sur votre table.

En outre, les repas de l'avenir se composeront sans doute de cocoyam, de courges buffles, de haricots marama, de haricots tepary et de quinua, ce dernier ressemblant à une céréale.

L'usage croissant de succédanés alimentaires constituera sans doute une différence importante entre les repas d'aujourd'hui et ceux de demain. Ces succédanés ressemblent aux autres aliments mais ils sont généralement à base de graines ou de céréales, tels le soja, les cacahuètes, le tournesol, le blé, le maïs et l'avoine. Une fois traité, le produit fini n'a ni le goût ni l'aspect des graines. On trouve ainsi des succédanés au goût et à l'aspect de carottes, d'ananas, de fromage ou de viande.

Les succédanés servent ensuite à fabriquer des barres alimentaires, qu'on commence à trouver dans les magasins. Elles sont très pratiques pour les astronautes lors de leurs voyages dans l'espace. Les fabricants de barres seront bientôt en mesure d'en offrir à saveur de pizza, de hamburger, de frites, bref, de quoi satisfaire tous les palais.

Et si, dans quelques années, vous attrapez la grippe, votre médecin vous prescrira peut-être une barre alimentaire spéciale anti-grippe. Ou encore, dans le cas d'une fracture, une barre régénératrice. Bien sûr, ces tablettes n'enrayeront pas la maladie, mais elles pourront fournir à votre organisme malade les éléments nutritifs supplémentaires dont il a besoin.

CONNAÎTRE SON CORPS

Que se produit-il *vraiment* dans votre organisme quand vous mangez une friandise ? Ou quand vous n'absorbez pas assez de fer ? Quand vous faites régulièrement des exercices physiques ? Ou que vous grossissez un peu trop ?

Les jeunes trouveront les réponses à de telles questions dans un programme appelé K.Y.B. (initiales de *Know Your Body*, ce qui signifie « Connaître son corps »). Mis au point par la Fondation américaine de la santé, ce programme est appliqué au niveau scolaire dans tous les États-Unis. Seize autres pays ont recours à un programme international similaire.

Le but de ce programme est de vous apprendre comment vous, et vous seul, pouvez faire pour rester en bonne santé. Il débute par un examen médical et par un questionnaire sur votre santé. Tous deux font ressortir les « facteurs de risque », c'est-à-dire les habitudes et les conditions sanitaires qui peuvent entraîner la contraction d'une maladie. Parmi les « facteurs de risque », notons l'usage du tabac, la malnutrition et l'insuffisance d'exercices physiques.

Les résultats des tests sont consignés dans un livret médical que vous devez conserver. Chaque test indique des résultats que vous pouvez comparer avec ce que l'on considère comme le « coefficient normal » du test.

Si le coefficient d'un ou de plusieurs tests est trop bas ou trop élevé, on vous encourage à faire les efforts nécessaires pour le modifier. En général, ces résultats peuvent être « normalisés » en apportant certains changements à vos habitudes alimentaires ou autres. Prenons l'exemple d'une substance grasse comme le cholestérol. Votre corps brûle une certaine quantité de cholestérol. Cependant, si les aliments que vous absorbez sont trop élevés en cholestérol, il est possible que l'excédent de cette substance se fixe sur les parois des vaisseaux sanguins. Au fil des ans, le cholestérol s'accumule lentement et finit par obstruer les vaisseaux. Le sang ne pouvant plus circuler librement dans les vaisseaux, les risques d'une crise cardiaque ou d'une attaque sont grands. Si votre taux de cholestérol est trop élevé, vous le ferez baisser en changeant vos habitudes alimentaires. Vous devrez ainsi éviter de consommer des viandes rouges, des œufs et des crèmes glacées qui tous contiennent un taux élevé de cholestérol.

Le mode d'alimentation, la fréquence des exercices physiques, l'usage du tabac ont des conséquences sur la santé, le poids, la composition du sang, la force musculaire, le pouls et l'état des poumons. Si votre régime alimentaire est bien équilibré, si vous faites régulièrement du sport, si vous ne fumez pas, les résultats inscrits dans votre passeport médical seront probablement excellents. Plus important encore : vous augmenterez vos chances de vivre plus longtemps et en meilleure santé.

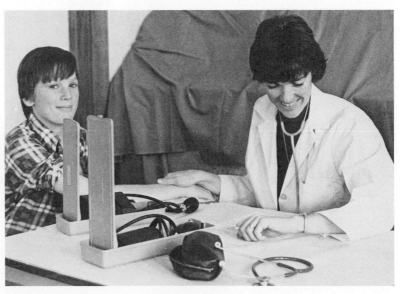

Dans le cadre de l'examen médical du programme KYB, votre pouls est vérifié à deux reprises : une première fois avant que vous fassiez des exercices physiques, et une autre après.

Cette magnifique photo de Saturne a été prise par Voyager I en novembre 1980.

LES MYSTÈRES DE SATURNE DÉVOILÉS

Il y a deux siècles, on pensait que la planète Saturne était à l'extrême limite du système solaire. Les premiers astronomes, comme Copernic, Kepler, Galilée et Newton, croyaient qu'à l'exception des très lointaines étoiles, il n'existait plus rien au-delà de Saturne. Par la suite, on découvrit pourtant trois autres planètes beaucoup plus distantes.

Planète géante, Saturne est la merveille du système solaire. À peine plus petite que Jupiter et, comme elle, presque exclusivement formée d'atmosphère, Saturne est une immense boule d'hydrogène et d'hélium. De très nombreuses lunes gravitent autour de l'astre. Mais ce qui le caractérise, ce sont les anneaux lumineux et plats, composés de minuscules particules de glace, qui gravitent autour de lui, à une distance presque égale à celle séparant la Terre de la Lune.

Jusqu'en 1979, les astronomes n'avaient pu observer Saturne qu'à l'aide de télescopes. Mais en septembre 1979, Pioneer Saturn, premier vaisseau spatial lancé vers Saturne, passa aux abords de la planète et prit d'elle quelques photos en gros plan révélant l'existence d'une nouvelle lune et de trois anneaux supplémentaires (et portant ainsi à 6 le nombre total des anneaux).

Environ un an plus tard, le 12 novembre 1980, le vaisseau spatial Voyager I arriva à proximité de Saturne. Venu tout droit de son extraordinaire voyage autour de Jupiter, en mars 1979, Voyager I se glissa sous les anneaux pour aller survoler le pôle sud de la planète. Après quoi, il reprit sa course, à l'incroyable vitesse de 90 000 kilomètres à l'heure, le long d'une trajectoire qui allait l'emporter à l'extérieur du système solaire.

Pendant les quelques jours passionnants où ce deuxième vaisseau spatial observa Saturne, on scruta la planète comme jamais des siècles d'étude n'avaient permis de le faire. Non seulement Voyager I passa à une faible altitude au-dessus de Saturne, mais il parvint à découvrir, grâce à ses caméras extrêmement puissantes, la face cachée de sept lunes de la planète.

En s'approchant de Saturne, le vaisseau spatial révéla progressivement sur l'atmosphère de cette planète des particularités impossibles à déceler à partir de la Terre.

Contrairement à l'atmosphère de Jupiter, qui forme des ceintures et des taches de couleur bien visibles, l'atmosphère de Saturne reste cachée par un épais nuage de cristaux solides d'ammoniaque gravitant à haute altitude. Pour la première fois, les caméras de Voyager I percèrent cette brume et photographièrent des bandes et des tourbillons allant d'est en ouest, comme ceux de Jupiter. Les caméras renvoyèrent également l'image d'une tache rouge et ovale, semblable à celle de Jupiter, mais plus petite, qui est à peu près aussi grande que la Terre.

▶ SATURNE : « LE SEIGNEUR DES ANNEAUX »

Les photos des anneaux de Saturne transmises par Voyager I provoquèrent l'étonnement et l'enthousiasme des savants, leur faisant quelque peu oublier l'observation de la planète même. Voyager I montra que les anneaux, apparemment uniformes, se composaient de dizaines de petits anneaux minces, séparés par d'infimes espaces. Les caméras du vaisseau indiquèrent que Saturne comptait non pas 6 mais 30, puis 95 anneaux. Le nombre des anneaux continua à augmenter au fur et à mesure que s'approchait Voyager I. Finalement, le vaisseau passa sous les anneaux, à 124 000 ki-lomètres seulement de Saturne, et braqua sur eux ses caméras. Il montra que ces anneaux, qui s'étendaient maintenant au-dessus de lui comme un immense arc-en-ciel, étaient composés de centaines de petits anneaux individuels, semblables aux sillons gravés sur un disque. Un gros plan de la division de Cassini, simple bande noire et vide vue de la Terre, révéla qu'elle renfermait en fait plus de cinquante anneaux.

Certains anneaux sont beaucoup plus compliqués qu'on ne l'imaginait. Quelques-uns ne sont pas vraiment circulaires mais légèrement ovales, et le mince anneau extérieur F est formé de filaments enroulés en torsades les uns autour des autres.

Les lignes sombres qui rayonnent à partir de Saturne et coupent les anneaux lumineux étonnèrent tout autant les astronomes, nul ne pouvant comprendre comment ces « rayons » pouvaient se former et exister, puisque les particules composant les anneaux sont sans cesse en mouvement autour de Saturne. Les astronomes découvrirent que les « rayons » changeaient d'apparence au fur et à mesure que Voyager s'éloignait. De sombres qu'ils avaient paru alors que le vaisseau s'approchait, ils devinrent progressivement lumineux. Le même phénomène se produit dans le cas des fines particules de poussière. Il est donc possible

Un équipement photographique perfectionné a permis d'obtenir ce cliché détaillé de l'atmosphère de Saturne.

que les « rayons » de Saturne soient formés de nuages de poussière cosmique, maintenus en place par les charges électriques compensant les champs gravitationnels des anneaux.

Les photos de Voyager I contredirent toutes les théories jusqu'alors admises sur les anneaux. Avant le voyage du vaisseau spatial, les astronomes expliquaient l'origine des quelques anneaux connus et des espaces qui les séparaient par l'influence du champ gravitationnel de certaines lunes de Saturne. Mais aucune théorie mettant en jeu quelques lunes ne peut justifier les centaines d'anneaux, les anneaux de forme ovale, les anneaux torsadés et les « rayons » découverts par Voyager. Aucune hypothèse ne permet de comprendre pourquoi des structures aussi fragiles existent apparemment depuis 4 500 000 000 d'années, époque à laquelle se sont formés Saturne et le système solaire.

Voyager I a donné quelques indications qui expliqueraient comment la gravité des lunes de Saturne influe sur les anneaux. Il révéla l'existence de deux petites lunes placées de chaque côté du mince anneau extérieur F, qui semblent jouer le rôle de « bergers » puisque leur force de gravité immobilise les infimes particules de l'anneau. Il est possible que la troisième petite lune, à l'extérieur du brillant anneau A de Saturne, ait le même effet stabilisateur. Le problème est de voir comment ces simples exemples peuvent nous renseigner sur le système céleste complexe que forment les dizaines de lunes, les centaines d'anneaux et les milliards de particules de glace de Saturne.

Les savants pensent maintenant qu'au moins quinze lunes gravitent autour de Saturne et que toutes, à l'exception d'une, sont placées à l'extérieur des anneaux. Deux des trois lunes découvertes par Voyager I décrivent la même orbite et semblent devoir se rencontrer au début de 1982, à moins qu'elles n'arrivent à s'éviter. Le vaisseau spatial s'approcha suffisamment du système pour photographier sept des plus grands satellites de Saturne : Mimas, Encelade, Téthys, Dioné, Rhea, Titan et Iapétus.

Bien avant le voyage du vaisseau spatial, on savait que les lunes de Saturne étaient uniques. En effet, dans ces régions lointaines et glacées du système solaire, l'eau n'existe pas à l'état liquide : elle se solidifie pour former une glace extrêmement fragile et cassante. Les lunes de Saturne sont de véritables icebergs planétaires, qui renferment peut-être en leur centre un petit noyau de roche.

Les clichés de Voyager montrèrent une étrange mosaïque de paysages lunaires. S'y révèlent d'anciennes régions piquetées d'une quantité incroyable de cratères météoritiques. Ainsi, la face visible de Mimas, qui ressemble à un œil fixé sur l'espace est marquée par une immense dépression due à l'impact d'un météorite si puissant qu'il a presque fait exploser le satellite. La surface de Dioné, Téthys et Rhea présente également de nombreux cratères météoritiques. Pris à une très faible altitude au-dessus de Rhea, les clichés de Voyager montrent nombre de cratères comparables à ceux de Mercure, ou à ceux des plateaux de la lune qui tourne autour de notre planète. C'est dans la glace, toutefois, et non dans la roche, que ces cratères ont été creusés par les fragments de corps célestes venus s'y écraser.

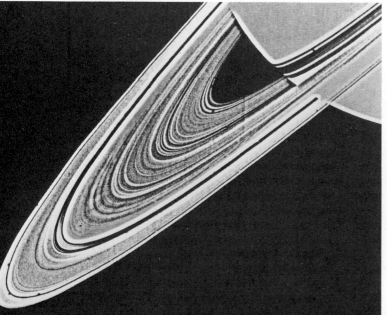

Les photos de Voyager provoquèrent l'étonnement des astronomes. Ils ne se doutaient pas que Saturne puisse avoir autant d'anneaux.

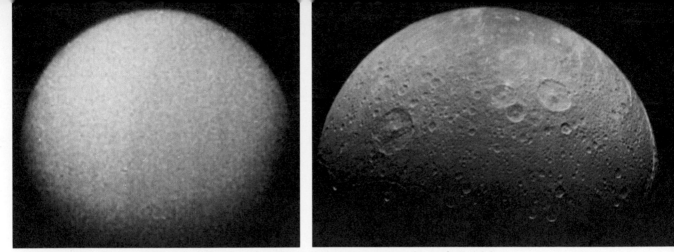

On croit que Saturne a au moins 15 lunes. Titan (à gauche) est la seule lune du système solaire à posséder une atmosphère. La surface de Dioné (à droite) présente de nombreux cratères.

Il est évident que la surface de certaines lunes de Saturne s'est modifiée, sous l'impact de forces internes, depuis les temps reculés où elles ont été bombardées par des météorites. Une faille profonde, qui indique peut-être que l'écorce lunaire est en mouvement, creuse la face de Téthys. Sur Rhea et Dioné, d'étranges stries et tourbillons dessinent le relief, au milieu des cratères, comme si l'écorce glaciaire des deux lunes s'était déplacée et déformée après la chute des météorites.

L'observation d'Encelade provoqua elle aussi la surprise des astronomes. Sa surface est presque complètement plane, sans dépressions, alors que cette lune décrit une orbite entre deux satellites fortement marqués par les météorites : Mimas et Dioné. Des forces internes ont certainement dû jouer pour aplanir la surface lunaire. Les savants émettent l'hypothèse que la force d'attraction de la lune voisine, Dioné, est assez grande pour réchauffer Encelade et faire fondre son écorce glaciaire, effaçant ainsi tous les accidents de relief anciens. Selon leur théorie, la chaleur est peut-être si intense qu'elle provoque parfois l'éruption de volcans de glace, faisant brièvement couler des fleuves de « lave » (en réalité d'eau à l'état liquide) à la surface d'Encelade.

Titan, la plus grande lune du système, est un satellite géant presque aussi grand que Mercure. C'est la seule lune du système solaire à laquelle les astronomes connaissent une atmosphère. Voyager I avait pour mission de passer à une très faible altitude au-dessus d'elle pour observer sa surface, toujours occultée de la Terre, et voir comment Titan peut nous renseigner sur l'atmosphère qui entoure les autres corps célestes et sur les origines de la vie.

Voyager I a presque frôlé Titan, passant à 4 000 kilomètres au-dessus de sa couche atmosphérique. Jamais auparavant, dans l'histoire de l'exploration spatiale, un vaisseau ne s'était approché aussi près d'un corps céleste.

Les études faites à partir de la Terre indiquaient que l'atmosphère de Titan contient du méthane. Les sondes spatiales révélèrent que ce gaz n'entre pas pour beaucoup dans la composition de l'atmosphère de Titan, qui renferme surtout de l'azote, principal composant de l'atmosphère terrestre. Des molécules organiques plus complexes, nées de l'action de la lumière solaire sur l'atmosphère, forment autour de Titan une espèce de « brouillard » cosmique, assez semblable au brouillard qui plane au-dessus de nos villes. Cette couche atmosphérique est très épaisse (peut-être plus de 200 kilomètres). Il semble que la pression atmosphérique à la surface de Titan soit de deux à trois fois supérieure à celle de la Terre, que les températures descendent jusqu'à −200°C. Il est possible que la surface de Titan soit un immense marais glacé, parsemé de lacs et parcouru de rivières d'azote liquide, battu par des pluies de produits chimiques organiques (de l'essence peut-être ?).

Les hommes de science n'en ont pas fini avec Saturne. Ils commencent à peine à analyser toutes les données transmises par Voyager I, ce qui devrait les tenir occupés pendant de nombreuses années. Entre-temps, Voyager II s'approche de Saturne, qu'il survolera de très près le 17 août 1981 avant de partir vers des mondes encore plus mystérieux et lointains : Uranus en 1986 et Neptune en 1989.

L'ÉPISSAGE DES GÈNES, UN SUCCÈS DE L'INGÉNIERIE GÉNÉTIQUE

Chacune des cellules de la moindre créature vivante renferme des gènes. Sortes de schémas directeurs, ce sont eux qui font qu'une grenouille est une grenouille ou qu'un homme est un homme. Les gènes sont responsables de la forme de nos orteils, de notre estomac, de nos yeux. Ils indiquent à la moelle osseuse comment fabriquer les globules rouges du sang, aux dents comment pousser et aux muscles comment bouger.

Il arrive que des erreurs se soient glissées dans le schéma directeur et l'organisme alors se dérègle. Par exemple, le gène responsable de la fabrication des globules rouges du sang peut être anormal et, au lieu de beaux globules rouges bien ronds, la moelle osseuse se met à fabriquer des globules aux formes étranges, incapables de fonctionner correctement. Une

maladie se déclare alors, l'anémie à hématies falciformes, qui peut être mortelle.

La médecine sait comment traiter l'anémie à hématies falciformes mais elle ne peut empêcher la moelle osseuse de fabriquer des globules bizarres. On ne peut toucher au schéma original. Imaginez qu'on le puisse et qu'on soit en mesure d'enlever les mauvais gènes pour les remplacer par des bons !

De la science fiction, direz-vous ? Et pourtant la réalité n'est pas si loin. Les chercheurs étudient à l'heure actuelle une nouvelle science étonnante : l'épissage des gènes. En combinant des fragments de gènes sous des formes nouvelles, ils sont parvenus à faire fabriquer de l'insuline humaine par des bactéries.

Les bactéries sont des micro-organismes, la forme de vie la plus répandue et l'une des plus

COMMENT LES BACTÉRIES SONT UTILISÉES POUR RÉAGENCER DES MOLÉCULES D'ADN

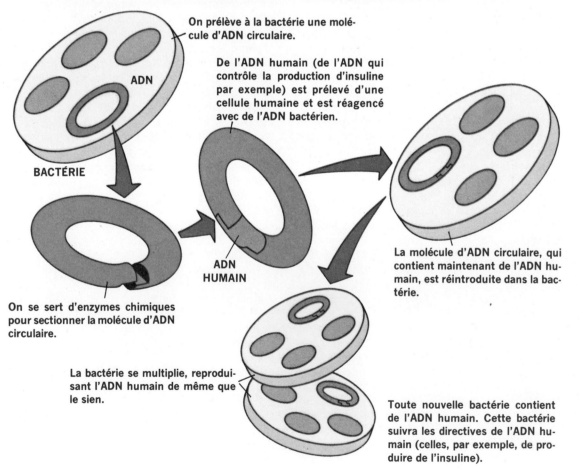

On prélève à la bactérie une molécule d'ADN circulaire.

ADN

BACTÉRIE

De l'ADN humain (de l'ADN qui contrôle la production d'insuline par exemple) est prélevé d'une cellule humaine et est réagencé avec de l'ADN bactérien.

La molécule d'ADN circulaire, qui contient maintenant de l'ADN humain, est réintroduite dans la bactérie.

On se sert d'enzymes chimiques pour sectionner la molécule d'ADN circulaire.

ADN HUMAIN

La bactérie se multiplie, reproduisant l'ADN humain de même que le sien.

Toute nouvelle bactérie contient de l'ADN humain. Cette bactérie suivra les directives de l'ADN humain (celles, par exemple, de produire de l'insuline).

Dès 1960, dans Flash Gordon, bande dessinée de l'époque, on utilisait l'interféron pour combattre la maladie — ici, il s'agit d'un virus bizarre en provenance de l'espace intersidéral qui a déclenché une épidémie dans l'équipage du vaisseau spatial.

infimes sur la Terre. Quant à l'insuline, c'est une hormone qui contrôle la quantité de sucre contenue dans le sang et que sécrète une glande, le pancréas.

La découverte des chercheurs est d'une extrême importance pour les personnes atteintes de diabète, c'est-à-dire pour celles dont l'organisme est dans l'incapacité de fabriquer de l'insuline. Pour rester en vie, les diabétiques doivent se procurer l'insuline d'une autre source. Ils utilisaient jusqu'à présent celle du pancréas des porcs et des vaches. Celle-ci, toutefois n'est pas identique à l'insuline humaine et, si elle convient très bien aux porcs et aux vaches, les êtres humains ne la supportent pas toujours très bien : 20 pour cent des diabétiques recevant cette insuline souffrent d'effets secondaires nocifs. En 1980, les médecins ont commencé à donner aux diabétiques de l'insuline fabriquée par des bactéries et les premiers essais se sont avérés très satisfaisants, laissant envisager que tous les diabétiques du monde pourraient bientôt recevoir de l'insuline humaine plutôt qu'animale.

▶ UNE TECHNIQUE RÉVOLUTIONNAIRE

Les gènes sont composés de molécules d'ADN (acide désoxyribonucléique) et la technique d'épissage des gènes consiste à réagencer ces molécules de façons différentes. La réalisation d'un tel processus nécessite des instruments très perfectionnés et une technologie de pointe.

L'épissage des gènes pourrait profondément transformer notre vie, en particulier dans les domaines médical, agricole et industriel.

En médecine. Outre l'insuline, les chercheurs ont réussi à faire fabriquer par des bactéries de l'hormone de croissance, substance chimique normalement sécrétée par l'hypophyse et contrôlant la croissance. Certaines personnes ne produisent pas assez d'hormone, ce qui les empêche de grandir normalement. C'est le cas des nains. Les enfants atteints de nanisme peuvent recevoir de l'hormone de croissance prélevée sur l'hypophyse de cadavres mais l'opération est difficile et coûteuse, 50 hypophyses étant nécessaires pour soigner un seul enfant pendant un an. En utilisant des bactéries pour leur fabrication, les hormones de croissance seraient d'une part disponibles en plus grande quantité et d'autre part reviendraient bien moins cher.

Les chercheurs ont également réussi à insérer le gène de l'interféron humain dans des bactéries. L'interféron est une protéine synthétisée par une cellule lors d'une infection virale et son rôle est de combattre les virus.

Elle s'attaque aux virus qui sont, par exemple, à l'origine des rhume, grippe, varicelle ou rubéole.

On pense, dans le milieu médical, que l'interféron pourrait être utilisé dans la lutte contre le cancer, en stoppant la croissance et la reproduction des virus du cancer. Cette hypothèse a déjà fait l'objet de vérifications expérimentales dont les résultats sont encourageants, mais la difficulté de se procurer l'interféron limite les possibilités des chercheurs; d'énormes quantités de sang sont en effet nécessaires pour obtenir, à partir des globules blancs, une quantité minuscule d'interféron, de surcroît impur.

En réussissant, en 1980, à insérer le gène de l'interféron humain dans des bactéries, les chercheurs ont ouvert la voie à la commercialisation de la production, ce qui résoudrait les problèmes de rareté, d'impureté et de coût de l'interféron. La nouvelle protéine, fabriquée par des bactéries, sera bientôt expérimentée sur des malades atteints du cancer, ainsi que dans la lutte contre d'autres virus, donc d'autres maladies.

L'interféron deviendra peut-être le remède miracle d'ici la fin du siècle.

En agriculture. L'épissage des gènes ouvre de nouveaux horizons dans le domaine de l'agriculture et de l'approvisionnement mondial.

Les biologistes sont aujourd'hui capables d'obtenir de la proline, un acide aminé présent dans de nombreuses protéines, par ce même procédé. L'administration de cette proline au bétail aurait pour effet d'en accélérer la croissance.

Une autre application intéressante de l'épissage des gènes ferait intervenir certaines bactéries, dites fixatrices d'azote, qui fixent l'azote atmosphérique et le transforment en l'engrais nécessaire à la vie végétale. Or ces azotobactéries vivent seulement sur les racines des légumes, comme les petits pois et les haricots. C'est pourquoi les fermiers sont obligés de recourir à des engrais azotés pour fertiliser leurs champs de maïs, de blé, d'avoine, et d'autres plantes alimentaires. Aussi les biologistes espèrent-ils pouvoir transmettre les gènes de fixation de l'azote de ces bactéries particulières au système génétique du maïs et d'autres plantes, ce qui permettrait à celles-ci de fabriquer alors leur propre engrais.

Dans l'industrie. Certaines bactéries décomposent naturellement le pétrole en différents corps, comme l'oxyde d'éthylène qui sert à la fabrication du plastique. Malheureusement, les bactéries fabriquent ce composé en faibles quantités; il serait donc très intéressant de pouvoir prélever le gène responsable de la fabrication de l'oxyde d'éthylène sur ces bactéries pour l'insérer sur d'autres, à croissance rapide, qui en produiraient de grandes quantités.

Par rapport aux procédés chimiques classiques, cette méthode aurait l'avantage, non seulement d'être moins coûteuse, mais aussi de ne pas être polluante.

▶ DES NOUVELLES FORMES DE VIE ?

Lorsqu'une cellule ou un organisme se reproduit, la transmission des caractères génétiques se fait sans altération, chaque descendant recevant une série complète des gènes des parents.

Une bactérie, par exemple, se reproduit en se divisant en deux et donne naissance à deux nouvelles cellules, ou bactéries, possédant les mêmes caractères génétiques que la cellule mère; en particulier, elles auront le gène de l'insuline humaine si celui-ci avait été greffé à la mère. Ceci soulève quelques questions intéressantes. Chaque organisme appartient à une espèce donnée, au sein de laquelle tous les membres se ressemblent. Que se passe-t-il alors lorsqu'un caractère génétique propre à une certaine espèce est transmis à une autre espèce ? Si une bactérie reçoit un gène humain, peut-on toujours la considérer comme identique aux autres membres de son espèce ou doit-on la définir comme une nouvelle forme de vie ?

La réponse à cette question intéresse non seulement les biologistes, mais aussi le monde des affaires et du droit, et en 1980 le débat a été porté devant la Cour Suprême des États-Unis par Ananda Chakrabarty. Ce bactériologiste a réussi à obtenir une bactérie capable de dégrader les hydrocarbures, découverte révolutionnaire pour combattre les marées noires et autres accidents de forage.

La Cour Suprême a déclaré que Chakrabarty avait créé une nouvelle forme de vie et qu'à titre d'invention cette bactérie pouvait être protégée par un brevet. (Le détenteur d'un brevet a le droit de déterminer qui fabrique, vend et retire les bénéfices financiers de son invention.)

LES PLUIES ACIDES

Il y a quelques années encore, quand on voulait de l'eau pure, on pouvait recueillir de l'eau de pluie dans des tonneaux en bois. Aujourd'hui, l'eau de pluie est loin d'être pure : elle ressemble même beaucoup à du vinaigre.

Un peu partout dans le monde, les pluies et les neiges contiennent de l'acide. De l'acide qui entraîne la destruction de la faune et de la flore, de l'acide qui ronge les immeubles et qui peut même être nocif pour l'homme.

Les centrales électriques et les industries qui brûlent du pétrole et surtout du charbon sont les grandes responsables du problème. Il y a, en plus, tous les véhicules qui consomment du carburant. Les déchets produits par la combustion du charbon et du pétrole, c'est-à-dire l'anhydride sulfureux et les oxydes d'azote, se répandent dans l'atmosphère. Lorsque ces composants chimiques se mélangent à l'oxygène de l'atmosphère, il en résulte de l'acide sulfurique et de l'acide nitrique.

Transportés par le vent, ces acides peuvent se déplacer sur des milliers de kilomètres. Ainsi, des acides émanant des États-Unis peuvent très bien retomber sur le Québec tout comme ceux émanant de France peuvent retomber sur la Suède.

Il semble que ce soit les lacs et les rivières qui souffrent le plus des pluies acides. L'acidité de l'eau tue animaux et plantes aquatiques, empêche les œufs d'éclore et tue aussi les bactéries qui décomposent normalement les feuilles mortes et les autres matières organiques.

Dans l'est de l'Amérique du Nord, ce sont les pêcheurs qui se rendirent compte les premiers de l'étrange phénomène. Des cours d'eau qui auparavant regorgeaient de poissons semblaient maintenant vides.

Des chercheurs commencèrent à analyser lacs et rivières et constatèrent vite que toute forme de vie en milieu aussi acide était devenue impossible. Puis ils remontèrent à la source du problème : les différentes industries ainsi que les voitures.

Plus de 200 lacs des Adirondacks, dans l'État de New York, ne contiennent plus aucun poisson. Le même phénomène se produit dans 14 lacs de l'Ontario alors que 48 000 autres sont menacés. Sept rivières de la Nouvelle-Écosse qui jadis débordaient de poissons ont connu le même sort.

Y a-t-il de l'espoir ? Aucun, à moins de prendre des mesures draconiennes. De plus en plus d'anhydride sulfureux et d'oxyde d'azote se dégagent des cheminées d'usines et des tuyaux d'échappement.

Il existe certaines méthodes pour débarrasser ces émanations de leurs déchets chimiques; malheureusement, elles sont coûteuses et pas toujours efficaces.

Le phénomène des pluies acides est sûrement l'un des problèmes écologiques les plus graves qui sévit en Amérique du Nord. C'est pourquoi en 1980 le Canada et les États-Unis ont décidé de s'unir pour tenter d'en restreindre l'ampleur.

« Je m'demande si les pluies acides ont un effet sur la pêche dans ce lac ? »

VOIR LES CHOSES SOUS UN AUTRE ANGLE

Les structures rocheuses que représente cette photographie sont des cristaux de sel qui ont été grossis 150 fois. Et c'est une chose extraordinaire que d'observer un objet commun à ce point transformé. Des cristaux de sel ordinaires ressemblent à des galets miniatures bien lisses, mais, sur ce cliché, ils évoquent plutôt des ruines de quelque cité antique. Comme vous pouvez le voir, un cristal de sel de forme cubique se compose de nombreux petits cristaux, eux-mêmes cubiques, qui se sont solidifiés entre eux. À certains endroits, les petits cubes se sont cassés, créant ainsi des vides dans le cristal. Un objet grossi livre beaucoup plus de secrets que celui que l'on observe à l'œil nu.

Il y a déjà longtemps que l'on se sert d'appareils grossissants mais, jusqu'à présent, nul ne pouvait capter l'objet dans son ensemble de la façon aussi précise que l'on observe dans ce grossissement de cristaux de sel. Au cours des vingt dernières années on a mis au point un appareil capable de révéler à la fois la surface et le détail d'un objet : il s'agit du microscope à balayage électronique.

Les microscopes que nous connaissons utilisent un rayon lumineux qui éclaire l'objet observé. Le microscope électronique, en revan-

Les cristaux de sel ci-dessous ont été grossis environ 150 fois à l'aide d'un microscope à balayage électronique.

che, éclaire l'objet par un rayon de petites particules appelées électrons. Ce sont ces mêmes particules qui produisent le courant électrique qui circule dans les fils ou qui créent l'image sur un écran de télévision. Le microscope électronique, lui, projette un fin rayon de millions d'électrons sur un objet, un cristal de sel par exemple. Le faisceau provient de ce qu'on appelle un « pistolet à électrons ». Ce faisceau est si fin qu'il n'éclaire qu'une infime partie du cristal. Pour que toute la surface de l'objet soit observée, on le balaye avec le faisceau très rapidement dans tous les sens. De cette façon, l'extrémité du faisceau touche chaque pli, bosse, cratère de la surface du cristal de sel.

Deux phénomènes se produisent lorsque le faisceau touche la surface du cristal. Première-

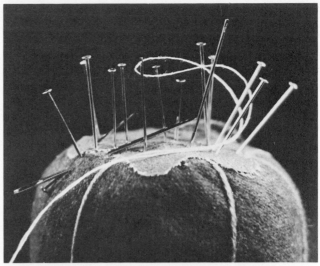

Les épingles et les aiguilles comptent parmi les plus simples objets inventés par l'homme. Sur le micrographe ci-dessous, on voit une pointe d'épingle émoussée et un immense chas d'aiguille.

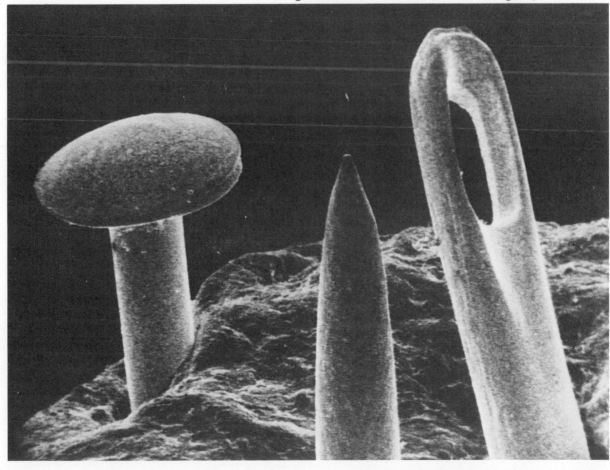

Le micrographe ci-dessus montre une créature qui semble sortir tout droit d'un roman de science-fiction. Il s'agit en fait de la tête d'une mouche qui, en réalité, n'est pas plus grande qu'une tête d'épingle.

ment, certains électrons rebondissent. Deuxièmement, des électrons présents dans le cristal sont « arrachés ». Tous ces électrons sont recueillis par le microscope à chaque passage du rayon sur la surface du cristal. Le microscope utilise ces électrons pour former sur un écran de télévision l'image de ce qu'il vient de capter. Ainsi, graduellement, l'image complète de la surface du cristal apparaît sur l'écran. La photographie ci-contre est la reproduction de ce qui est apparu sur l'écran. Des photos prises à l'aide d'un microscope électronique s'appellent des micrographes.

Les scientifiques se servent fréquemment du microscope électronique, car, grâce à lui,

Le micrographe ci-dessus montre la disposition des « cellules » du liège. Le liège est un matériau léger et imperméable formant la couche extérieure de l'écorce de certains arbres, dont le chêne-liège.

ils peuvent faire des découvertes intéressantes sur les formes et sur la structure des cellules végétales, des cellules animales, des virus, des cristaux, et même des roches lunaires. Les photos révèlent souvent des structures mystérieuses et inattendues et permettent aux chercheurs de comprendre la nature de l'objet étudié. Parfois, la surface d'un objet courant est si différente de celle qu'on lui connaît, qu'il est difficile de l'identifier. C'est un monde nouveau qui apparaît sous nos yeux, le monde de l'infiniment petit que le microscope électronique démasque pour nous.

Les photographies qui illustrent cet article représentent des objets quotidiens à leur taille normale et grossie.

ESPACE : FLASH D'INFORMATION

Le Soleil aurait-il réduit de volume ces derniers temps ? À en croire certains astronomes le diamètre du Soleil aurait effectivement diminué de 1 000 kilomètres au cours des derniers siècles. Des mesures précises du diamètre du Soleil effectuées sur une période de quelques dizaines d'années seulement semblent indiquer que le soleil se contracte. Une étude détaillée des relevés effectués lors des éclipses solaires de 1567 et 1715 viennent renforcer cette thèse.

Toutefois, les astronomes ne sont pas inquiets. Le soleil mesure 1 390 000 kilomètres de diamètre, si bien que sa diminution de volume est négligeable.

▶ L'ESPACE ET LES SOVIÉTIQUES

En 1980, la station orbitale soviétique Saliout 6, sur orbite depuis plus de trois ans, a continué à jouer le rôle de centre d'accueil confortable pour les cosmonautes. Au cours de l'année, elle a hébergé cinq équipages de deux hommes qui ont réussi à l'atteindre à bord d'un vaisseau spatial Soyouz. Les cosmonautes soviétiques Valeri Rioumine et Leonid Popov ont habité Saliout 6 du 9 avril au 11 octobre.

Ils sont donc restés 10 jours de plus que Rioumine et Liakhov en 1979.

Saliout 6 est en outre devenu une sorte de station de croisière spatiale internationale. En effet, au cours des dernières années, des cosmonautes tchèques, polonais et allemands de l'Est faisant équipe avec des Soviétiques y ont fait escale.

▶ PLUTON, 50 ANS APRÈS

Lorsqu'elle fut découverte le 18 février 1930 par un jeune étudiant en astronomie, Pluton, planète lointaine, la neuvième du système solaire, n'était qu'une petite tache lumineuse sur une photo. Aujourd'hui nous en savons beaucoup plus sur ce monde étrange qui gravite à la limite du système solaire.

Pluton semble se différencier des autres planètes qui sont soit des masses rocheuses relativement petites comme la Terre, soit d'énormes sphères gazeuses comme Jupiter. Pluton se présente au contraire comme une sorte d'iceberg planétaire constitué de roches et de gaz congelés. On a pu y détecter une mince atmosphère de gaz méthane et tout porte à croire que sa surface est couverte d'une sorte de givre

Des savants ont avancé une nouvelle théorie pour expliquer la disparition des dinosaures de la surface de la Terre : une astéroïde géante en serait responsable.

de méthane. On a en outre découvert que Pluton avait un satellite naturel, une petite lune (baptisée Charon).

DISPARITION DES DINOSAURES...
NOUVELLE HYPOTHÈSE

Il y a bien longtemps, dans la nuit des temps, les dinosaures régnaient en maîtres sur la Terre. Or, il y a environ 65 000 000 d'années, ces énormes reptiles ont disparu, ainsi que près des trois quarts des espèces connues d'animaux et de plantes. Pourquoi ? De nombreuses théories ont tenté de répondre à cette question — modifications climatiques, éruptions volcaniques ou apparition de petits mammifères qui se seraient nourris des œufs des dinosaures.

Récemment, plusieurs scientifiques ont avancé une nouvelle théorie. D'après eux, un astéroïde serait entré en collision avec la Terre et cet accident aurait projeté d'énormes quantités de poussières dans la stratosphère. Ces particules de poussière auraient alors fait écran à la lumière solaire, phénomène lui-même responsable de la destruction de la quasi-totalité de la flore terrestre. Tour à tour, les dinosaures, qui étaient des herbivores, puis les carnivores sont morts de faim. Cette hypothèse semble à peine croyable. On a pourtant retrouvé en Italie, dans une mince couche d'argile qui s'était déposée sur le fond marin à l'époque de la disparition des dinosaures, des indices qui semblent la confirmer. Les scientifiques sont persuadés que cette couche renferme des poussières produites par l'impact de l'astéroïde. Elle a, en effet, une forte teneur en iridium, élément rare sur la Terre mais qui abonde dans les météorites et les astéroïdes.

Si cette théorie est juste, on devrait pouvoir retrouver cette couche riche en poussières dans le monde entier. Or, des scientifiques ont effectivement révélé l'existence de cette couche dans des régions aussi éloignées les unes des autres que le Danemark, la Nouvelle-Zélande et l'Espagne.

LE QUASAR QUINTUPLE

Les quasars sont d'étranges objets célestes qui ressemblent aux étoiles mais qui ont la particularité d'émettre de puissantes ondes radioélectriques. Évoluant aux confins de l'univers, ils s'éloignent de la Terre à des vitesses extraordinaires. On ne sait pas comment ils se sont formés ni où ils puisent leur formidable

Les cosmonautes soviétiques Valeri Rioumine et Leonid Popov (à gauche) ont établi un record en restant 185 jours dans l'espace.

énergie. Comme on le voit, ce n'est déjà pas facile d'expliquer ce qu'est un quasar, alors cinq, vous pensez !

C'est pourtant le problème qui s'est posé aux astronomes qui ont observé un objet céleste baptisé PG 1115 + 8 au moyen du nouveau télescope à miroirs multiples du mont Hopkins dans l'Arizona. Ils ont en effet repéré cinq quasars séparés, tous identiques. Des quintuplés ? Non, pensent les astronomes. Il s'agirait plutôt de cinq images différentes d'un même quasar. La théorie de la relativité avancée par Einstein veut que la gravité puisse incurver un rayon lumineux, un peu comme le fait une lentille de verre. Supposons qu'une énorme masse invisible (une galaxie obscure ou un trou noir, par exemple) soit située quelque part entre PG 1115 + 8 et la Terre. Cette masse pourrait fort bien faire dévier l'itinéraire de la lumière provenant du quasar en direction de la Terre, ce qui expliquerait la formation d'images multiples. Cette interprétation élucide donc le mystère des cinq quasars.

CHALEUR ET SÉCHERESSE = UN ÉTÉ MEURTRIER

Le centre-ouest et le sud-ouest des États-Unis se souviendront pendant longtemps de l'été 1980, un été pendant lequel la température ne semblait plus vouloir descendre au-dessous de 38°C, ne serait-ce que pour quelques jours. Pendant 33 jours d'affilée, les habitants de la région Dallas-Fort Worth ont vu le thermomètre monter à plus de 38°C, tandis qu'à Wichita Falls (Kansas) on enregistrait pendant un jour 47°C, à Dallas 45°C et à Oklahoma City 41°C.

Ces chaleurs étaient d'autant plus insupportables qu'il ne pleuvait pas : 13 millimètres tombèrent à Houston (Texas) entre le 2 juin et le 20 juillet, soit 9 pour cent de ce qui tombe les autres années à la même période, et 14 millimètres à Little Rock (Arkansas) au lieu de 150 millimètres.

Ce temps chaud et sec était dû à la zone de haute pression qui s'était déplacée du golfe du Mexique jusqu'au sud-ouest des États-Unis. En général, des zones de haute pression alternent avec des zones de basse pression mais celle-ci était si bien installée qu'elle empêchait la zone de basse pression chargée de nuages de faire une percée.

Le temps a été rendu responsable de la mort de 1 260 personnes, en majorité des personnes âgées ou démunies qui n'avaient pas la chance de disposer d'un système de ventilation ou de climatisation efficace. Les cas de crise cardiaque, d'insolation et d'autres maladies se sont multipliés. En un seul jour, le service d'ambulance de Saint-Louis dut intervenir plus de 350 fois, soit le double d'appels qu'en temps normal.

Les dégâts matériels se sont élevés à 12 milliards de dollars. Sous l'effet de la chaleur, les autoroutes fondaient et se gondolaient, les lacs et les réservoirs s'asséchaient, détruisant la faune et la flore, et les forêts étaient dévastées par le feu sur des milliers d'hectares. La chaleur eut aussi pour effet indirect d'augmenter les vols de conditionneurs d'air.

Au niveau économique, les exploitants agricoles furent les plus touchés, en particulier les éleveurs de volaille et de bétail et les cultivateurs de céréales. Plus de 8 000 000 de poulets destinés à la consommation furent décimés et la perte d'un millier de poules pondeuses entraîna une chute importante dans la production d'œufs.

Le bétail souffrait lui aussi, ne pouvant plus paître l'herbe complètement desséchée, et perdait du poids alors que l'été lui permet habi-

À cause de la vague de chaleur de nombreuses récoltes furent détruites en 1980.

Les points d'eau qui servaient à abreuver les troupeaux s'asséchèrent.

tuellement d'engraisser. Plutôt que de se ruiner en foin pour leur bétail, beaucoup de fermiers préférèrent le vendre. La reconstitution de leur troupeau prendra plusieurs années.

Les vastes champs cultivés, brûlés par le soleil, passaient de la couleur verte au jaune des plaines désertiques. Les récoltes de maïs, de soja et de coton furent parmi les plus touchées. L'exploitant ne fut pas la seule victime des conditions climatiques, le consommateur en pâtit également. Baisse de la production signifie inévitablement hausse des prix à la consommation; le prix du boisseau de blé était passé de 2$ à 3,33$ à la mi-août, le coton avait augmenté de 20 pour cent et le poulet de 25 pour cent.

Mais le malheur des uns fait toujours le bonheur des autres. La chaleur étouffante fit donc la grande joie des centres d'achat dotés de l'air conditionné, des patinoires et d'autres refuges privilégiés. D'autres firent preuve d'ingéniosité en trouvant des solutions temporaires. Ainsi ce conducteur d'autobus de Saint-Louis qui offrait de l'eau glacée à ses passagers ou ces fermiers du Texas qui servirent au bétail la chair juteuse des cactus, après en avoir brûlé les piquants.

Des délégations gouvernementales essayèrent d'aider les plus déshérités en distribuant des ventilateurs électriques dans les habitations qui n'avaient pas l'air conditionné et en transformant en centres de secours des centres sociaux. Les compagnies d'électricité acceptèrent de ne pas couper le courant dans les maisons des personnes âgées, même si ces dernières n'étaient pas en mesure de s'acquitter de leur facture. Les fortes chaleurs ayant bien souvent augmenté les notes d'électricité de 50 à 60 pour cent par rapport à l'été 1979, les compagnies d'électricité permirent aussi le paiement à tempérament.

À la mi-août la vague de chaleur prit fin et il plut. Cependant, la crainte que cette sécheresse et cette chaleur ne se répètent en 1981 n'a pas disparu. Certains, en effet, n'ont pas oublié la vague de chaleur et de sécheresse qui, dans les années 30, s'était abattue sur une grande partie du Texas, de l'Oklahoma, du Kansas et du Colorado plusieurs années de suite, transformant la région en une zone semi-désertique. D'autres se souviennent aussi de la Grande Sécheresse du Texas des années 50... 8 ans sans pluie ou presque.

1980 marqua-t-elle le début d'une nouvelle grande sécheresse ? Nul n'est en mesure de le dire et il faudra malheureusement attendre pour voir ce que réservent les prochaines années.

L'HÉRITAGE DU PASSÉ

Pour ceux que les choses anciennes passionnent, la terre et la mer sont des puits de trésors; ils y recherchent des objets du temps jadis, objets qui leur livrent des secrets sur des civilisations et des formes de vie aujourd'hui disparues.

▶ LES ÉPAVES D'UN CÉLÈBRE COMBAT NAVAL

Il y a deux mille ans, le 2 septembre 31 avant J.-C., un célèbre combat naval, la bataille d'Actium, s'engageait entre les deux dirigeants de l'Empire romain. D'un côté se trouvaient les forces d'Octave, dont le pouvoir s'étendait sur la partie occidentale du monde romain, de l'autre, celles de Marc-Antoine, dont la suprématie s'étendait sur l'Orient.

Actium est située sur la côte nord-ouest de la Grèce. C'est là qu'Antoine avait pris ses quartiers d'hiver. Ses forces comprenaient 120 000 cavaliers et 500 navires, dont 60 environ appartenaient à Cléopâtre, la reine

Gravure représentant Cléopâtre à la bataille d'Actium.

d'Égypte, qui était venue lui rendre visite.

Octave et ses forces partirent d'Italie, traversèrent la mer Ionienne jusqu'au nord d'Actium, où il coupèrent la route d'approvisionnement d'Antoine. Ce dernier décida d'affronter la flotte d'Octave et les navires de Cléopâtre se joignirent à lui. Les vaisseaux d'Antoine ne pouvant manœuvrer aussi facilement que ceux d'Octave, la partie fut vite jouée et ses marins commencèrent à se rendre. Cléopâtre s'enfuit avec ses bateaux en direction de l'Égypte; Antoine, abandonnant ses forces à leur sort, la suivit. Octave captura la plupart des navires d'Antoine et en brûla un bon nombre. Une semaine plus tard, l'armée de terre capitulait à son tour.

Grâce à sa victoire, Octave fut couronné empereur de tout l'Empire romain sous le nom d'Auguste.

Au fil des siècles, la plupart des bâtiments qui avaient été coulés à la bataille d'Actium pourrirent. Certains d'entre eux, cependant, furent protégés par les boues et le sable qui les avaient recouverts. En 1980, des archéologues grecs, qui faisaient des recherches au large des côtes d'Actium, rapportèrent qu'ils avaient découvert des épaves de la bataille et qu'ils espéraient pouvoir les renflouer. Ce serait un fait inédit, ces épaves étant les premiers vaisseaux de guerre romains jamais trouvés. Une étude de ces vestiges nous permettrait d'approfondir nos connaissances sur le début de l'Empire romain.

▶ DES ÊTRES VIVANTS DU TEMPS JADIS

Il y a des êtres vivants sur Terre depuis des milliards d'années. Des fossiles (organismes végétaux ou animaux qui existèrent dans le passé) de dents, d'os, de carapaces, d'empreintes de pieds que les paléontologues ont retrouvés l'on prouvé.

L'importance des fossiles tient à ce qu'ils révèlent au spécialiste l'aspect qu'avaient les êtres vivants autrefois, ainsi que l'époque à laquelle ils existèrent sur Terre. Ils permettent, en outre, de comprendre le genre de relations que les différentes espèces avaient établies entre elles.

En 1980, deux fossiles ont été retrouvés. Le premier le fut dans le Sahara, en Égypte. Il s'agissait du squelette de petits animaux ressemblant au singe. Les paléontologues baptisèrent cet animal du nom de *Aegyptopithecus zeuxis*.

Les paléontologues pensent que l'*Aegyptopithecus* est l'ancêtre du singe et de l'homme, d'où la théorie que l'évolution des êtres humains et des primates s'est faite à partir de cet animal.

L'*Aegyptopithecus* vivait il y a environ 30 000 000 d'années et avait la taille d'un chat. Les pattes fossilisées qui ont été découvertes indiquent clairement qu'il était arboricole et qu'il se déplaçait vraisemblablement en courant le long des branches et non en sautant de l'une à l'autre. Des dents fossilisées ont révélé qu'il se nourissait de fruits. L'orbite des yeux, qui est relativement petite, prouve qu'il n'avait pas de grands yeux, ce qui fait penser que l'animal était actif pendant la journée, et non la nuit.

C'est dans le nord-ouest de l'Australie que les paléontologues firent la seconde découverte. Ils mirent au jour les plus vieux restes de créatures vivantes fossilisées jamais trouvés : ils avaient 3,5 milliards d'années. La vie sur Terre existe donc depuis beaucoup plus longtemps qu'on l'a cru jusqu'à présent.

Les fossiles australiens sont minuscules et

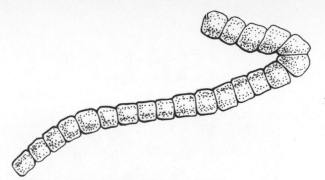

Ce dessin représente le fossile d'un organisme qui existait il y a 3,5 milliards d'années.

ne sont observables qu'au microscope. On découvrit qu'il s'agissait d'organismes se composant d'une suite de cellules, ressemblant quelque peu à certaines bactéries existant actuellement.

Remarquons que les deux découvertes ont été faites dans des régions sèches et torrides. Il y a des millions d'années, en revanche, le Sahara était une région de pâturages et de forêts. Quand au nord-ouest de l'Australie, à l'époque où vivaient ces créatures ressemblant à des bactéries, il était couvert par un lac aux eaux chaudes. Fascinants fossiles qui nous révèlent les mystères de la Terre il y a des millions d'années.

Des paléontologues pensent que l'*Aegyptopithecus* est l'ancêtre du singe et de l'homme.

FAIRE ET CONSTRUIRE

Avec des bas, des morceaux de mousse de polyester, des bouts de tissu et un peu d'imagination, entourez-vous de petits personnages . . . en collants.

DU VERRE
QUI JETTE MILLE FEUX

Des assiettes, des bols, des bocaux, des bouteilles, voilà toute une myriade d'objets en verre faciles à réaliser, et qui jetteront mille feux dans votre intérieur. Et parce que vous utilisez de la peinture qui résiste à l'eau, vos chefs-d'œuvre ne seront nullement affectés par maints lavages.

Achetez d'abord des assiettes et des récipients en verre à bon marché ou utilisez-en qui ont déjà servi. Vous pouvez ainsi transformer des pots de mayonnaise vides en récipients de cuisine, une bouteille de vin deviendra un vinaigrier ou un charmant vase. Et si vous avez besoin de pots à condiments, des petits pots de nourriture pour bébés feront l'affaire !

Les peintures acryliques sont de meilleure qualité mais toute peinture résistant à l'eau peut aussi être utilisée. Les vendeurs de votre magasin local de fournitures d'artisanat vous aideront dans votre choix. Achetez une gamme de couleurs : rouge, jaune, vert, bleu, et peut-être du noir et du blanc.

Nous vous conseillons de dessiner votre motif avant de peindre. Tracez d'abord sur une feuille de papier le contour de l'objet à peindre. Puis, sur cette même feuille, esquissez une ébauche du motif avec des crayons de couleurs ou des stylos feutre. De vos talents d'artiste dépend la complexité de votre dessin. Il ne faut toutefois pas être un grand maître pour

dessiner des étoiles, des petits poissons amusants ou des soleils souriants. Un petit truc : si vous êtes à court d'idées, feuilletez des revues ou des livres, vous y trouverez sans doute l'inspiration. Les assiettes qui illustrent cet article sont décorées de motifs particuliers, caractéristiques de la porcelaine de Pennsylvanie. L'étoile et les tulipes symbolisent la foi et le bonheur; le soleil et les gouttes de pluie évoquent une récolte abondante et les cœurs représentent l'amour.

Vous voulez faire une surprise à quelqu'un ? Offrez-lui une assiette sur laquelle vous aurez peint son nom. C'est si simple ! Et nous vous donnons ici une méthode.

Après avoir tracé votre motif sur la feuille de papier, fixez-le avec du ruban adhésif au fond de l'assiette. De cette façon, en tournant l'assiette à l'envers, vous verrez le motif et vous n'aurez qu'à le peindre, comme vous le feriez pour un coloriage. Dans certains cas, il vous faudra peindre directement sur l'objet et ce travail vous demandera plus d'adresse.

N'oubliez surtout pas, il ne faut jamais peindre l'intérieur du récipient. Prenons comme exemple une bouteille ou un bocal, peignez l'extérieur.

Voici quelques trucs pour réussir :
1. Lavez méticuleusement l'objet à peindre. S'il n'est pas propre, la peinture n'y adhérera pas.
2. Essuyez-le bien.

3. Ne touchez pas la surface à peindre, vous y laisseriez des empreintes. Utilisez un mouchoir en papier pour manipuler l'objet en verre.
4. Gardez à portée de la main un mouchoir ou une serviette de papier mouillés. Vous pourrez ainsi essuyer la peinture avant qu'elle ne sèche, si vous faites une erreur.
5. Laissez la peinture sécher complètement. Passez une deuxième couche si vous trouvez qu'après la première la couleur n'est pas assez foncée.

A QUAND LA FORTUNE?

« De l'or ! »

Il n'en fallait pas plus à ceux qui entendaient ce mot magique pour quitter leur foyer, leur emploi, tout. Ils faisaient un baluchon de quelques affaires personnelles et commençaient la traversée d'un immense continent. Ils devaient affronter la canicule, la faim, la maladie et les voleurs de grands chemins. Beaucoup périssaient. Mais cela n'empêchait pas des hordes de chercheurs d'or de continuer d'affluer, le cœur plein d'espoir.

Il est impossible de dissocier l'histoire de l'Amérique du Nord de la ruée vers l'or. En 1849, 80 000 personnes déferlèrent sur la Californie. La majorité des « Quarante-neuf », comme on les appelait, se rendaient dans la région de la rivière Américaine, au nord et à l'est de Sacramento. On y avait trouvé de l'or pour la première fois en janvier 1848. Les nouveaux venus délimitaient d'abord leur concession puis se mettaient à piocher, à creuser et à chercher de l'or. Peu de pionniers firent fortune mais beaucoup s'établirent en Californie et participèrent ainsi à l'éclosion de l'Ouest. En 1850, la Californie devint un État.

Lorsqu'en 1858 on découvrit de l'or dans le Fraser en Colombie britannique, 25 000 prospecteurs s'y précipitèrent. L'année suivante, ils envahirent le Colorado. La dernière grande fièvre de l'or commença dans les premiers mois de 1897 au Yukon et en Alaska. Même le froid intense de ces régions ne décourageaient pas ceux qui rêvaient de trouver le précieux métal jaune.

Le rêve devenait réalité pour une minorité de chercheurs. Ceux qui avaient de la chance, toutefois, pouvaient amasser des fortunes considérables. En 1852, on découvrit de l'or pour 80 000 000 $ en Californie. L'or continue, près de 130 ans plus tard, de hanter l'esprit des prospecteurs. Sans répit, ils cherchent le filon qui les rendra riches.

Au milieu du XIXe siècle, l'or valait environ 16 $ l'once. Cent ans plus tard, son prix était d'à peu près 35 $ l'once. Puis, vers 1970, il commença à augmenter. En janvier 1980, le prix de l'or fit un bond prodigieux et atteignit 850 $ l'once. En octobre de la même année, il était retombé à 625 $. Des sommes aussi exorbitantes ont inévitablement tenté plus d'un prospecteur. Sans atteindre l'ampleur de la ruée de 1849, la fièvre de l'or se manifeste de nouveau le long des rives de nombreux cours d'eau.

LES SABLES AURIFÈRES

La vie d'un prospecteur est souvent jalonnée d'obstacles et de difficultés. Le succès n'est jamais certain et la chance et le hasard ont souvent le dernier mot.

Il est arrivé qu'un nouveau venu trouve de l'or dès le premier jour alors qu'un prospecteur chevronné cherchait en vain de l'or depuis des mois. Mais qui cherche trouve, comme dit le proverbe. La méthode la plus facile et la plus économique pour ce faire reste sans doute le lavage du sable.

En passant près d'un filon d'or, une rivière ou un ruisseau peut détacher des fragments du précieux métal et les emporter au fil de son courant. L'or étant presque vingt fois plus lourd que l'eau, dès que le courant ralentit, les particules d'or se déposent au fond de la rivière. Il faut donc chercher là où le courant est lent. En jetant dans l'eau une brindille ou une feuille, on peut les suivre et découvrir l'endroit où le courant perd de sa vitesse. Il ne reste plus alors qu'à commencer le criblage.

Pour éviter de se mouiller, il est préférable de porter des bottes en caoutchouc et bien entendu, rappelons aussi que tout cours d'eau peut être dangereux et que la prudence est de mise.

LE MATÉRIEL

Vous aurez besoin d'un équipement particulier si vous désirez tamiser le sable. L'outil qui s'impose est la batée. Un moule à tarte fera l'affaire, pourvu qu'il soit en métal épais, ce dernier ne se déformant pas. Vous pouvez aussi utiliser une auge en plastique dur qui est fabriquée à l'intention des chercheurs d'or.

Munissez-vous également d'une pelle ou d'une petite bêche, d'une pince à épiler avec laquelle vous attraperez les particules d'or que contiendra la boue et d'une petite bouteille dans laquelle vous déposerez votre trésor.

LE PROCÉDÉ À SUIVRE

Avec la pelle, creusez aussi profondément que possible dans le lit de la rivière. Remplissez de boue la moitié de votre batée. Immergez-la ensuite et secouez-la légèrement. La boue s'écartera et l'or, beaucoup plus lourd, se déposera au fond de l'auge. Si vous continuez ainsi pendant un moment, tout en inclinant l'auge pour que l'eau s'écoule, vous finirez par éliminer toute la boue. Il ne vous restera alors que quelques cailloux, du sable, et qui sait, de l'or !

Jetez les cailloux. Continuez à plonger la batée dans l'eau jusqu'à ce qu'il ne vous reste que du sable noir très fin. Pas de sable noir, pas d'or; les deux vont toujours de pair.

Examinez maintenant très soigneusement, en vous servant de la pince à épiler, le sable noir. Si vous y trouvez des petits grains jaunes, il s'agit peut-être d'or. Ne vous méprenez pourtant pas. Ces petites parcelles jaunes peuvent n'être que de la pyrite, qu'on appelle « l'or des fous ».

C'est un minerai jaune qui ressemble étrangement à l'or mais qui est beaucoup plus dur que ce dernier. Par contre, comme elle est beaucoup moins malléable que l'or, la pyrite se brisera si vous la serrez fort avec la pince ou si vous la frappez avec un marteau.

Si vous croyez avoir trouvé de l'or, déposez-le dans la bouteille et bouchez-la hermétiquement. Vous pourrez ensuite apporter l'or dans un bureau d'essai où une analyse déterminera s'il s'agit du métal précieux.

Et si la chance ne vous sourit pas tout de suite, n'abandonnez pas. Quelques pépites se cachent peut-être un peu plus loin, au détour de la rivière, ou sous un arbre, près de la berge, là où le courant prend une allure nonchalante.

Lancez-vous à la recherche d'or. C'est une activité amusante qui, si la chance vous sourit, . . .

... vous rapportera son pesant d'or.

LE JALONNEMENT D'UNE CONCESSION

Si la chance vous sourit et que vous trouvez de l'or, il serait sage de délimiter votre concession. Une concession minière vous donne le droit exclusif de prospecter à un endroit déterminé.

Il faut d'abord planter sur le lieu de votre découverte un écriteau indiquant que cet endroit est votre concession. Vous devez ensuite trouver le propriétaire du terrain. S'il s'agit d'un particulier, il faudra qu'il vous accorde l'autorisation de prospecter. Il vous demandera sans doute, en retour, une compensation. Si, par contre, le terrain est propriété publique, un organisme local, provincial ou fédéral vous indiquera les papiers à remplir pour obtenir la permission de chercher de l'or.

Bonne chance!

L'AUTEUR! L'AUTEUR!

Sophie et Madeleine sont deux personnages très connus de l'histoire *Les Vacances* de la comtesse de Ségur. Madeleine a une sœur, qui est également un personnage dans *Les Vacances*. Vous rappelez-vous son nom ? Elle est l'un des 22 personnages inscrits ci-dessous dans la colonne de gauche. Rendez-la à son créateur et rendez de même à chaque auteur son personnage.

Personnages	Auteurs
1. Le renard	**a.** Yves Thériault
2. Tom Sawyer	**b.** Antoine de Saint-Exupéry
3. Blanquette	**c.** Jules Verne
4. Atchoum	**d.** Lewis Carroll
5. Camille	**e.** Jonathan Swift
6. Kim	**f.** Charles Perrault
7. Geppetto	**g.** Uderzo et Goscinny
8. Peter Pan	**h.** Victor Hugo
9. Don Quichotte	**i.** Jacob et Wilhelm Grimm
10. Fadette	**j.** Daniel Defoe
11. Ulysse	**k.** Charles Dickens
12. Edmond Dantès	**l.** Hergé
13. Robinson Crusoé	**m.** La comtesse de Ségur
14. Milou	**n.** Homère
15. Ma sœur Anne	**o.** Rudyard Kipling
16. Michel Strogoff	**p.** Mark Twain
17. Ebenezer Scrooge	**q.** Alexandre Dumas
18. Cosette	**r.** Miguel de Cervantes
19. Agaguk	**s.** Collodi
20. Idéfix	**t.** Alphonse Daudet
21. Gulliver	**u.** George Sand
22. Alice	**v.** Sir James Barrie

RÉPONSES : 1.b; 2.p; 3.t; 4.i; 5.m; 6.o; 7.s; 8.v; 9.r; 10.u; 11.n; 12.q; 13.j; 14.l; 15.f; 16.c; 17.k; 18.h; 19.a; 20.g; 21.e; 22.d.

Et maintenant, partez à la chasse : les 22 personnages sont cachés dans cette grille. Essayez de les trouver. Pour retrouver les noms, vous pouvez lire de gauche à droite, de droite à gauche, de haut en bas et de bas en haut. Vous pouvez, si vous le voulez, recouvrir la grille d'une feuille de papier calque et entourer les noms que vous trouvez au fur et à mesure. Un nom a déjà été entouré en guise d'exemple.

W	G	Q	D	O	N	Q	U	I	C	H	O	T	T	E
M	U	S	R	R	N	A	P	R	E	T	E	P	O	B
O	L	X	A	O	F	A	D	E	T	T	E	E	M	E
T	L	E	N	B	Z	J	U	C	T	K	D	T	S	N
E	I	N	E	I	R	F	A	E	M	U	M	T	A	E
C	V	N	R	N	U	S	S	I	H	G	O	E	W	Z
I	E	A	E	S	B	O	I	M	X	A	N	U	Y	E
L	R	R	L	O	C	K	F	X	O	G	D	Q	E	R
A	H	U	D	N	Q	P	M	H	R	A	D	N	R	S
T	X	E	H	C	A	M	I	L	L	E	A	A	Z	C
C	I	O	Y	R	T	A	K	U	Z	I	N	L	U	R
H	F	S	G	U	O	L	I	M	G	R	T	B	C	O
O	E	A	T	S	U	J	G	E	P	P	E	T	T	O
U	D	M	I	O	R	E	C	U	L	Y	S	S	E	G
M	I	C	H	E	L	S	T	R	O	G	O	F	F	E

DES ŒUFS ÉLÉGANTS

Quelquefois, les plus jolis objets d'artisanat sont également ceux qui sont les plus faciles à réaliser. Ces œufs ravissants en sont une parfaite illustration. Ils sont en sucre recouvert d'un glaçage et sont sertis de morceaux de bijoux. L'ingrédient le plus important reste cependant votre imagination. Ces œufs font de merveilleux cadeaux qui, s'ils sont gardés dans un endroit sec et sûr, se conserveront pendant des années.

MATÉRIEL NÉCESSAIRE:

Sucre
Blanc d'œuf
Colorant (facultatif)
Moule à œuf en plastique
Poche à décorer la pâtisserie de 25 cm avec une douille en forme d'étoile
Sucre de confiserie en poudre
Crème de tartre
Morceaux de bijoux, sequins, brillants, fils d'or

FABRICATION DES ŒUFS:

1. Utilisez une tasse de sucre pour chaque œuf. Humidifiez le sucre avec le blanc d'œuf et mélangez jusqu'à ce que vous obteniez une consistance ressemblant à celle du sable mouillé. Si vous voulez un œuf en couleur, ajoutez au mélange une goutte ou deux de colorant.

2. Remplissez une des deux moitiés du moule avec le sucre humide en le tassant fermement.

3. Renversez le moule sur une plaque à biscuits ou sur une feuille d'aluminium. Retirez délicatement le moule.

4. Répétez les étapes 2 et 3 en utilisant la seconde moitié du moule.

5. Laissez sécher le sucre environ une demi-heure.

6. Avec une cuillère à café, évidez ensuite prudemment le centre de chaque moule en sucre. Creusez jusqu'à ce que vous obteniez une coquille d'environ un demi-centimètre d'épaisseur. Le sucre que vous retirerez pourra être utilisé pour la fabrication d'un autre œuf.

7. Laissez sécher les demi-œufs toute la nuit.

DÉCORATION DES ŒUFS:

1. Préparez le glaçage en utilisant une tasse de sucre de confiserie par œuf. Ajoutez suffisamment d'eau pour obtenir une pâte onctueuse et incorporez-y ¼ de cuillère à café de crème de tartre.

2. Collez ensemble les deux moitiés de l'œuf avec un peu de glaçage.

3. Laissez sécher environ trois heures. Conservez le reste du glaçage dans un récipient fermé que vous placerez dans le réfrigérateur.

4. Remplissez la poche à décorer de glaçage. Couvrez la soudure qui unit les deux demiœufs avec des petites fleurs en forme d'étoile. Posez d'autres petites fleurs sur le dessus de l'œuf.

5. Terminez la décoration de l'œuf avec des petits morceaux de bijoux ou d'autres jolis objets en enfonçant délicatement les petites pièces dans le glaçage.

6. Une fois terminé, laissez l'œuf sécher.

LES ŒUFS FABULEUX DE FABERGÉ

Les œufs les plus fabuleux du monde furent certainement les créations de Peter Carl Fabergé. Cet orfèvre russe, qui vécut de 1856 à 1920, fabriqua de nombreux objets de bijouterie pour la famille impériale de Russie. Mais ce sont sans aucun doute ses œufs qui le rendirent le plus célèbre. Ceux-ci étaient faits de métal recouvert d'émaux et finement décorés d'or et de merveilleux joyaux. Certains œufs de Fabergé étaient de vraies petites boîtes que l'on pouvait ouvrir. L'un deux renfermait une reproduction miniature du palais impérial russe.

LA PHILATÉLIE

De nombreux pays ont, en 1980, émis des timbres en l'honneur de personnalités célèbres ainsi que d'endroits renommés. Des timbres multicolores reproduisant les beautés de la nature furent également mis en circulation. C'est aussi en 1980 qu'un timbre unique atteignit un prix jamais égalé auparavant.

Ce record fut atteint par un timbre d'un cent magenta datant de 1856, émis par la Guyana. Il changea de propriétaires une première fois en 1873 : un jeune collectionneur l'ayant trouvé dans un grenier le vendit pour 1,50$. En 1980, un autre collectionneur acheta pour 935,000$ ce même timbre que l'on considère maintenant comme le plus précieux au monde.

▶ GENS ET LIEUX

De nombreux timbres portant l'effigie de femmes célèbres furent émis en 1980. L'année 1980 marquait en effet le milieu de la Décennie de la Femme, période de 10 ans décrétée par les Nations unies et dont le but est d'établir l'égalité entre les sexes. Ainsi, à l'occasion de cet événement, les Nations unies mirent en circulation une série de timbres commémoratifs reproduisant, sous différents aspects, une colombe dans laquelle sont tissés les symboles de « Femme » et « Égalité ».

Parmi les femmes à l'honneur sur les timbres américains se trouvaient Helen Keller et son éducatrice Anne Sullivan. C'est grâce à cette dernière que Helen Keller, aveugle, sourde et muette, surmonta ses infirmités et devint un symbole de courage. Le timbre commémoratif d'une valeur de 15 cents marquait le centième anniversaire de sa naissance. Le Brésil émit également un timbre en l'honneur de ces deux femmes.

L'effigie de Dolley Madison, l'épouse du quatrième président des États-Unis James Madison, fut imprimée sur un petit timbre de 15 cents. Ce timbre reflétait la grâce et le style de la Première Dame des États-Unis au début du XIXᵉ siècle.

La série de timbres consacrée à la littérature américaine fut créée en 1979. Le second timbre de cette série représentait la romancière Edith Wharton. Ses romans, qui dépeignent la vie élégante du tournant du XXᵉ siècle, lui valurent deux prix Pulitzer. La Grande-Bretagne rendit également hommage aux femmes-écrivains. Quatre timbres anglais représentent les écrivains du XIXᵉ siècle Charlotte et Emily Brontë, George Eliot et Elizabeth Gaskell. Sur chaque timbre figurent le portrait de l'écrivain, ainsi qu'une scène tirée de l'un de ses romans.

Deux de ces timbres anglais furent choisis pour faire partie de la série européenne. Cette série européenne est constituée de timbres spéciaux émis chaque année par les membres de la Conférence des postes et télécommunications européennes. Le thème européen pour 1980 était justement les personnages célèbres. Tout comme la Grande-Bretagne, d'autres pays allièrent thèmes européens et thèmes des Nations unies, et représentèrent des femmes célèbres. Le timbre émis par Monaco, par exemple, saluait l'écrivain français Colette, auteur, notamment, du roman *Gigi*. La Grèce, elle, honora la cantatrice Maria Callas.

Les hommes eurent également leur place sur les timbres. L'Irlande fit figurer deux grands écrivains de la fin du XIXᵉ siècle et du début du XXᵉ, Oscar Wilde et George Bernard Shaw. C'est un portrait d'Oscar Wilde par Toulouse-Lautrec, le grand peintre français, qui fut choisi. George Bernard Shaw, lui, eut droit à une caricature. Le Canada émit un timbre portant l'effigie de l'ancien premier ministre John Diefenbaker. Dans la série Héritage noir, les États-Unis mirent en circulation un timbre commémoratif de 15 cents représentant Benjamin Bannecker, astronome et mathématicien du XVIIIᵉ siècle.

L'histoire, en 1980, fut aussi représentée par des monuments historiques. La Chine, par exemple, émit quatre timbres représentant la Grande Muraille. Pour célébrer Londres lors de l'exposition internationale qui eut lieu en mai 1980, l'Angleterre imprima huit monuments célèbres sur un seul timbre de 50 pence. Cinq autres timbres anglais reproduisaient des aquarelles de monuments, dont Buckingham Palace et Hampton Court. L'Allemagne ajouta deux timbres à sa série sur les châteaux. Le Danemark reproduisit des paysages du Jutland du Nord, parmi lesquels un ancien cimetière Viking. Les États-Unis émirent quatre timbres qui complétaient la série Architecture américaine.

TIMBRES
DU MONDE ENTIER
1980

Letters Lift Spirits
USA 15c

P.S. Write Soon
USA 15c

NIPPON 20

DEUTSCHE BUNDESPOST BERLIN 40

ÉIRE 12
George Bernard Shaw
CEPT EUROPA

12ᴾ 12ᴾ 12ᴾ 12ᴾ
LIVERPOOL AND MANCHESTER RAILWAY 1830 — LIVERPOOL AND MANCHESTER RAILWAY 1830 — LIVERPOOL AND MANCHESTER RAILWAY 1830 — LIVERPOOL AND MANCHESTER RAILWAY 1830

MONACO 1,30
1980 – EUROPA 1980
G. COLETTE

KINGFISHER 10ᴾ

USA 15c
HELEN KELLER
ANNE SULLIVAN

CANADA 17

15c
UNITED NATIONS
DECADE
FOR
WOMEN
UNITED NATIONS

Bella Coola
Indian Art USA 15c

USA Olympics 1980 15c

**COLLECTION THÉMATIQUE :
LA VIE SOUS-MARINE**

LE MONDE DE LA NATURE

Cependant, les plus beaux timbres sont souvent ceux qui reproduisent les couleurs de la Nature. L'un des exemples les plus marquants est un timbre commémoratif de 17 cents émis par le Canada et qui représente un jardin luxuriant. Ce timbre a été imprimé pour marquer la tenue des Floralies internationales 1980 qui ont eu lieu à Montréal.

Le Swaziland, en Afrique du Sud, émit 15 timbres représentant certaines des milliers de fleurs qui poussent dans le pays. Israël choisit de reproduire des chardons, très communs sous son climat aride, sur une série de trois timbres. De nombreux autres pays, dont la Belgique, le Népal, Andorre et les îles Féroé, mirent en circulation en 1980 des timbres aux plantes et aux fleurs multicolores.

Les plus jolis timbres parmi ceux sur la Nature reproduisaient des oiseaux. Les quatorze timbres d'une série émise par le Sierra Leone étaient consacrés à des espèces africaines multicolores. Quatre timbres britanniques représentèrent des oiseaux aquatiques, tel le martin-pêcheur, une espèce protégée en Angleterre depuis 1880.

De nombreux pays prirent comme thème les espèces en voie de disparition. Un timbre canadien peignit la gelinotte des prairies, un oiseau dont l'habitat naturel a été pratiquement détruit par la culture des terres. Une série de quatre timbres de l'île de Guernsey, dans la Manche, reproduisaient les chèvres dorées de l'île.

D'AUTRES TIMBRES DES QUATRE COINS DU MONDE

Les derniers timbres américains célébrant les Jeux olympiques de 1980 furent émis en février. Il s'agissait de quatre timbres de 15 cents sur les Jeux d'hiver. Dès 1979, les services postaux avaient mis en circulation dix timbres, trois cartes postales, une enveloppe affranchie et un aérogramme en l'honneur des Jeux olympiques.

L'une des émissions de timbres les plus originales célébrait la correspondance. Ces timbres, de tailles différentes, étaient vendus par planches et comportaient quatre dessins différents. Une autre série figurait des moulins, qui étaient jadis très répandus dans tous les États-Unis. Ces timbres étaient petits et furent émis en petits carnets de dix au lieu de huit.

La série Américaine sur les arts populaires fut illustrée par des masques sculptés par les Indiens des territoires du Nord-Ouest. Quatre masques multicolores, de quatre tribus différentes, furent représentés sur des timbres de 15 cents.

En 1980, les Nations unies sortirent une série de timbres qui continueront d'être émis pendant au moins dix ans. Cette série est consacrée aux drapeaux des pays membres de l'O.N.U. Seize drapeaux ont été choisis pour les premiers timbres, qui ont une valeur de 15 cents.

La Grande-Bretagne marqua le 150e anniversaire de sa première ligne de chemin de fer régulière par une série commémorative de cinq timbres. Mis bout à bout, les cinq timbres forment un train.

La Chine rendit honneur aux peintures orientales avec quatre timbres représentant des chevaux au galop. Plusieurs pays d'Asie émirent des timbres à l'occasion de l'année 4678 du calendrier chinois, année du singe. Un timbre japonais représentait un jouet se composant de trois singes d'argile, alors que T'aï-wan mettait en circulation deux timbres montrant des singes en train de jouer.

UNE COLLECTION THÉMATIQUE

Parmi les plus beaux timbres se trouvent ceux qui illustrent le monde mystérieux et coloré des créatures sous-marines. Ces timbres peuvent faire l'objet d'une collection en soi, basée sur un seul thème. On peut commencer avec les timbres émis en 1980. Les plus impressionnants sont quatre timbres américains qui reproduisent les coraux et les lumineux poissons tropicaux qui y vivent. En 1980 parut également un timbre canadien représentant une espèce en danger : l'aiglefin de l'Atlantique que l'on trouve seulement près des côtes de Nouvelle-Écosse.

Votre collection thématique peut se constituer de timbres en provenance de tous les coins du monde et de toute époque. Vous pouvez avoir un timbre provenant d'Allemagne de l'Est, représentant un guppy, un autre avec un concombre de mer issu en Nouvelle-Guinée, un troisième représentant le monde sous-marin du Kenya et d'autres avec les poissons tropicaux des Antilles et des îles du Pacifique. Grâce à cette collection, vous pourrez découvrir les créatures les plus exotiques du monde.

A

B

· 75 m ·

C

PANNEAUX DE SIGNA-
LISATION ROUTIÈRE

Vous savez lire, certes. Mais lisez-vous assez vite pour comprendre un panneau qui indique ROUTE FERMÉE À LA CIRCULATION alors que vous passez à toute vitesse dans une voiture ?

Dans de nombreux pays ce problème a été résolu grâce à l'utilisation de symboles graphiques. Selon le code international de signalisation routière, un triangle avertit de l'existence d'un danger alors qu'un cercle annonce une règle de la circulation. En Amérique du Nord, le losange signale un obstacle; la couleur rouge indique qu'il faut s'arrêter alors que le jaune est synonyme de prudence.

D

E

F

G

Ces panneaux de signalisation routière proviennent de plusieurs pays. Pour essayer de comprendre leur message, faites correspondre les lettres situées sous les panneaux avec les chiffres correspondant aux significations des panneaux.

1. ATTENTION, CHEVREUILS, Canada
2. ATTENTION AUX CYCLISTES, Danemark
3. ATTENTION, TORTUES, États-Unis
4. ATTENTION, CHAMEAUX, Algérie
5. ATTENTION, HIPPOPOTAMES, Zambie
6. RAFRAÎCHISSEMENTS, Mexique
7. PASSAGE À NIVEAU, France
8. STATION D'ESSENCE, États-Unis
9. ATTENTION, ÉLÉPHANTS, Zambie
10. ATTENTION AUX VOLEURS, Danemark

RÉPONSES
A3; B.7; C.2; D.8; E.1; F.5; G.6; H.9; I.4; J.10

H

I

J

BOÎTES ARTISTIQUES

Voici quelques recettes pour transformer de simples boîtes en de jolis objets inhabituels. Dans ces boîtes artistiquement décorées, vous pourrez enfermer des bijoux, des trombones ou mille autres objets de pacotille. Une autre suggestion : remplissez-les de bonbons ou d'autres petits présents et offrez-les à vos amis.

Chaque boîte sera le fruit de votre imagination. La liste des matériaux que vous pouvez utiliser est longue : petits bonbons, macaronis, pois secs, graines de tournesol, grains de café et encore bien d'autres aliments secs. Sur une boîte rouge, écrivez avec des petites lettres en macaroni un gentil message pour quelqu'un que vous aimez. Peignez une autre boîte d'un bleu éclatant. Créez ensuite un bonhomme de neige en y collant des grains de riz. Des grains de poivre seront parfaits pour les yeux et un grain de riz peint en rouge fera une jolie bouche. Décorez une boîte blanche d'une belle tulipe que vous exécuterez avec des lentilles et des feuilles de laurier.

Les différentes étapes à suivre sont : (1) décider du motif de décoration, (2) sélectionner les aliments, (3) choisir une boîte de couleur complémentaire ou en peindre une dans cette couleur, (4) disposer le motif sur le couvercle de la boîte et (5) coller chaque petite pièce.

Afin que les décorations ne se détachent pas, il faut vernir la surface du motif. Utilisez un vernis à base aqueuse ou vaporisez un vernis acrylique. Vous pourrez vous procurer ces derniers dans un magasin de matériel d'art et d'artisanat.

C'EST IN-CRO-YABLE !

Dépêchez-vous ! Le volcan est en éruption et vous devez sortir au plus vite du labyrinthe de la montagne.

Posez une feuille de papier calque sur le labyrinthe. Vous devez commencer à la flèche du bas et trouver votre chemin jusqu'à la flèche de haut. Si vous arrivez dans un cul-de-sac, prenez un crayon d'une autre couleur et recommencez. La solution se trouve à la page 383.

DES COLLECTIONS PASSIONNANTES

Pour beaucoup, collectionner des objets est une véritable passion. Cloches, sifflets, plantes, bocaux à cornichons, insignes, vieux matériel de lutte contre l'incendie... La liste d'objets collectionnés est illimitée et les collections constituées sont souvent passionnantes.

Les photos ci-contre représentent des collectionneurs posant à côté de leurs collections. Le collectionneur de chapeaux a accumulé des couvre-chefs masculins en provenance du monde entier. Le collectionneur de magazines pour enfants a commencé sa collection dès son plus jeune âge, gardant systématiquement les magazines qu'il lisait. C'est la compassion qui a poussé les membres de cette famille à ouvrir un orphelinat pour poupées Raggedy Ann : ils ne peuvent résister à la vue d'une Raggedy Ann abandonnée dans une vieille boutique et l'emmènent immédiatement rejoindre ses sœurs. Le collectionneur de ficelle possède la plus grosse pelote de ficelle du monde. Il a commencé à collectionner les bouts de ficelle en 1950 et affirme : « Ce n'est rien que de la bonne ficelle bien solide mais il est bien possible qu'il y ait quelques glands à l'intérieur car les écureuils ne résistent pas à l'envie de venir s'asseoir dessus. » (Après tout, il faut bien que les écureuils trouvent un endroit pour ranger leurs propres collections!)

DES ARTS DÉCORATIFS EN VOGUE

Pour la majorité d'entre nous, les travaux manuels sont plus que des occupations que l'on réserve pour les jours pluvieux. Ils permettent de passer des heures de loisirs très créatrices, de donner des cadeaux sortant de l'ordinaire à sa famille et à ses amis et de décorer son intérieur.

En 1980, de nouvelles méthodes ont été employées pour accomplir des ouvrages d'art décoratif.

▶L'ART DE FAIRE DES NŒUDS

Le macramé, c'est l'art de faire des nœuds avec n'importe quelle fibre naturelle ou synthétique. C'est un art qui laisse entière liberté, car une fois les nœuds de base appris, on peut créer tous les modèles de patron imaginables.

Jadis, les baleiniers passaient leurs heures de loisirs à faire des nœuds. Leur voyage durait souvent deux à trois ans et les distractions étaient comptées. Faire des nœuds leur permettait donc de se détendre.

L'eau douce étant rare sur les voiliers d'autrefois, les marins avaient eu l'idée ingénieuse de recouvrir les bouteilles d'un tissage en treillis de façon à éviter que les récipients ne se brisent. Cette époque-là est révolue, certes. Mais il n'en reste pas moins que nœuds plats, festons et baguettes permettent de réaliser des ouvrages de toutes les formes car ce qui rend le macramé si intéressant c'est justement sa mobilité et sa flexibilité.

▶LE DÉCOUPAGE

Le découpage est une activité facile qui n'exige pas de matériel coûteux; seulement, pour obtenir de bons résultats, il faut du temps et de la patience. Pour beaucoup, faire du découpage, c'est tout simplement recouvrir du papier avec du vernis. Il n'en est rien, d'autant plus que de nombreuses techniques de découpage n'utilisent pas de vernis du tout. Dans

Toute fibre peut servir à faire du macramé. Et, une fois les nœuds de base appris, on peut fabriquer des paniers, des paillassons et des cache-bouteilles.

Découpage : des morceaux de papier imprimé ont été collés de façon à obtenir une impression de relief.

Dans la peinture mathématique, on se sert de pochoirs pour transférer les couleurs sur un morceau de tissu.

sa forme la plus simple, le découpage consiste à découper des gravures qu'on fixe sur une surface de bois en les recouvrant de vernis. Dans sa forme plus élaborée, il s'agit de découper et de colorier à la main des formes de papier qu'on colle dans une boîte à ombre de façon à créer une scène en relief.

Si cet art d'une extrême souplesse créatrice vous attire, procurez-vous des cartes de vœux, différents papiers d'emballage, des ciseaux, de la colle incolore et une boîte à cigares.

▶ LA PEINTURE MATHÉMATIQUE

Comme son nom l'indique, la peinture mathématique, qui connut une grande popularité au début du XIXe siècle, tente de donner à la peinture une précision mathématique. Ainsi, même les débutants peuvent réussir des tableaux attrayants. Ce procédé est le lointain ancêtre de la « peinture par numéros » très répandue aujourd'hui.

Les adeptes de la peinture mathématique peignent le plus souvent sur du velours mais le papier et la toile conviennent tout aussi bien. Ils utilisent indifféremment la peinture à l'huile ou l'aquarelle mais ils doivent avoir recours à ce qui constitue le dénominateur commun de toutes les peintures mathématiques, le pochoir.

C'est en effet le pochoir qui, remplaçant l'application de la peinture à main levée, donne son caractère particulier à la peinture mathématique. Pour réaliser un tableau, il faut plusieurs pochoirs, un pour chaque couleur.

Pour réaliser une peinture mathématique, il faut d'abord esquisser sur une feuille de papier un dessin simple, une coupe de fruits par exemple. On doit ensuite découper un pochoir pour tous les éléments du dessin à peindre en rouge. On opère de la même façon pour les zones qui devront être peintes en jaune, et ainsi de suite jusqu'à ce que tous les éléments du dessin soient transférés sur pochoirs.

L'étape suivante consiste à transférer le dessin, sur le velours cette fois, en utilisant un pochoir à la fois. Il faut appliquer la peinture par touches verticales successives au moyen d'un pinceau presque sec dont les soies doivent être suffisamment robustes pour résister à ce traitement.

▶ OUVRAGES EN PERLES

Il existe des perles de toutes les couleurs, de toutes les formes et de toutes les dimensions, sans compter que vous pouvez en fabriquer vous-même. Grâce aux techniques de base de l'enfilement et du nœud, vous pouvez enfiler les perles pour faire un collier, les intégrer à un tissage pour faire une ceinture ou les utiliser en broderie pour décorer un coffret à bijoux.

Cette dernière activité connaît actuellement un renouveau de popularité. La méthode consiste à faire des points de broderie traditionnels à une différence près : les points de broderie sont remplacés par des perles. Le résultat obtenu est tout aussi complexe qu'un motif de broderie normale mais il présente, en plus, l'attrait du chatoiement des perles.

▶ LES TISSUS ET LA CRÉATIVITÉ

Inventée il y a plusieurs centaines d'années, la courtepointe répondait à un double impératif : nécessité de se tenir au chaud et désir d'ex-

Broderie en perles.

Un « montik » est une peinture sur tissu qui associe des tissus appliqués à la machine avec des motifs en fils, des peintures, des pastels et d'autres matériaux.

158

Pour fabriquer ces incroyables poupées, il faut des collants, du rembourrage en polyester et quelques points de couture.

primer un certain talent artistique. Aujourd'hui, alors que la conservation de l'énergie est une préoccupation quotidienne, la technique de la courtepointe reste populaire pour les mêmes raisons. Sa version contemporaine sert d'élément décoratif à peu près à n'importe quoi, de l'oreiller au mur en passant par l'habillement et le livre de poche. Toutefois, la technique de la courtepointe — travail consistant à récupérer des bouts de tissus pour en faire un ensemble en patchwork — n'est qu'un exemple des nombreuses activités créatrices que nous offre le tissu.

Il existe, entre autres, un nouveau type de peinture sur tissu appelé « montik ». Ces « montiks » sont en fait des tableaux composés de tissus appliqués à la machine et associés à l'emploi de motifs en fils complexes, de peintures, de pastels et d'autres matériaux.

Pour réaliser un « montik », il faut commencer par dessiner un motif sur du papier. Ce dessin sert ensuite de patron pour le découpage de divers morceaux de tissus imprimés. Ces derniers sont alors collés sur un support en étoffe épaisse avant de passer à l'étape suivante : le piquage à la machine.

Il ne reste plus qu'à ajouter les détails et les ombres au moyen de points décoratifs, de crayons feutre ou de sequins. La broderie-application ainsi obtenue donne une impression saisissante de profondeur et de contraste.

Des bas, un rembourrage en polyester, du fil et une aiguille; c'est tout ce qu'il faut pour entreprendre une autre forme d'ouvrage en tissu : la réalisation de « personnages en collants ». Pas besoin d'être une couturière chevronnée pour réussir ces poupées d'un réalisme inouï. Le résultat dépend en grande partie des matériaux utilisés. Grâce au rembourrage de polyester, le corps de la poupée est doux et potelé. Les bas extensibles et transparents de couleur chair donnent aux poupées une peau dont le teint et la texture font presque aussi vrai que nature.

Pour les traits du visage, rien de plus simple : c'est comme si vous faisiez de la sculpture avec du fil et une aiguille. Pour faire naître une expression sur le visage, il faut enfoncer, pincer et tirer le rembourrage de la tête en prenant soin de bien faire tenir les formes de quelques points. Quelques points supplémentaires pour la bouche, le nez et les oreilles et le tour est joué ! Impossible, bien entendu, de réaliser deux visages identiques, mais, après tout, les visages humains ne sont jamais tout à fait identiques non plus !

LA NUMISMATIQUE

En 1980, à la grande joie des collectionneurs, de nouvelles pièces ont été frappées en commémoration d'importants événements survenus au cours de l'année ou des années passées. Cependant, les amateurs de numismatique ont dû se rendre à l'évidence : leur passe-temps revenait de plus en plus cher (le prix de l'or avait atteint 800 $ l'once, avant de se stabiliser aux environs de 625 $). Il faut également mentionner qu'un nouveau record de prix a été établi lors de la vente de neuf pièces de la Grèce antique et, enfin, que la valeur des pièces de collection a augmenté dans la plupart des catégories.

▶PIÈCES DU MONDE ENTIER

Plusieurs pays ont frappé des pièces spéciales à l'occasion des Jeux olympiques de 1980. C'est l'Union soviétique, pays organisateur des Jeux d'été, qui en a émis le plus grand nombre en mettant en circulation 39 pièces d'argent, d'or et de platine, dans le cadre d'un programme qui a débuté en 1977. L'île de Man a émis des pièces commémorant les Jeux d'été et les Jeux d'hiver qui, rappelons-le, se sont déroulés à Lake Placid, aux États-Unis. La Chine, Chypre, la Guinée équatoriale, la Hongrie et Saint-Marin ont également frappé des pièces olympiques.

Divers pays ont émis des pièces à l'occasion d'autres événements importants. Ainsi, la Hollande a mis en circulation des pièces en or de 1 et de 2 florins à l'occasion de l'abdication de la reine Juliana en faveur de sa fille Beatrix. Ces florins sont ornés des portraits des deux reines. La mise en circulation de la pièce hongroise de 100 forints en nickel pur a célébré le premier vol spatial d'un cosmonaute hongrois à bord d'une station spatiale soviétique.

En Égypte, un ensemble de pièces d'or et d'argent dit « Président de la Paix » a été frappé pour commémorer le traité de paix signé en 1979 entre le président égyptien Anouar el-Sadate et le premier ministre israélien Menahem Begin. De son côté, Israël, en pleine crise inflationniste, a adopté une nouvelle monnaie en 1980. Dans le nouveau système, l'agorot et les livres ont été remplacés par un nouvel agorot et des shekels.

Parmi les émissions rattachées à des événements historiques, citons celle d'une pièce norvégienne de 200 couronnes, en argent, mise en circulation pour commémorer le 35e anniversaire de la fin de l'occupation allemande, lors de la Seconde Guerre mondiale. Par ailleurs, l'Autriche a frappé une pièce de 500 schillings en argent à l'occasion du 200e anniversaire de la mort de l'impératrice Marie-Thérèse.

▶NOUVELLES PIÈCES EN OR

Les rangs des collectionneurs de pièces grossissent chaque jour grâce aux programmes d'émission de pièces en or offerts par divers pays. Le plus populaire est très certainement le programme sud-africain d'émission de Kruggerands qui, en 1980, a été étendu de façon à intéresser encore plus de collectionneurs. Le Kruggerand est maintenant vendu sous forme de pièces d'une demi-once, d'un

U.R.S.S.

Île de Man

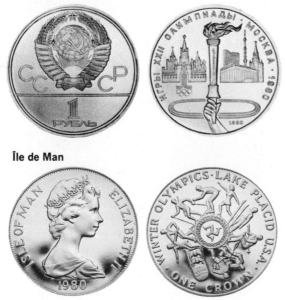

États-Unis

Australie

Canada

NOUVELLES NUMISMATIQUES DES ÉTATS-UNIS

Les pièces de cinq cents, dix cents, vingt-cinq cents et d'un demi-dollar frappées en 1980 par l'Hôtel des Monnaies de Philadelphie ont maintenant un « P » comme marque distinctive. Les pièces américaines ont toujours été identifiées par l'empreinte des autres Hôtels des Monnaies des États-Unis. Celui de Philadelphie, qui produit des pièces depuis 1793, n'a jamais ajouté sa marque à leur dessin, sauf à celui des dollars Anthony (1979) et de quelques pièces de cinq cents du début des années 1940.

Mis en circulation en 1979, le « petit dollar » Anthony n'a pas été bien accueilli par le public. À la fin de 1980, plus de la moitié des 800 000 000 de pièces frappées au cours de la première année de production était encore dans les coffres de l'Hôtel des Monnaies et des réserves fédérales. Des responsables du Trésor américain ont annoncé que le dollar Anthony 1981 ne serait frappé qu'en vue de son inclusion dans les ensembles de pièces de l'année titrées et non mises en circulation.

quart d'once et d'un dixième d'once.

Le programme « American Arts Gold Medallion » en juillet par le Trésor américain offre des éditions limitées de médaillons en or d'une demi-once et d'une once. Le médaillon d'une demi-once a été frappé à l'effigie de la chanteuse Marian Anderson, tandis que celui d'une once représente l'artiste Grant Wood. Il s'agissait là des deux premiers médaillons d'une série de dix qui sera émise jusqu'en 1984.

L'Australie a frappé sa première pièce d'or en presque 50 ans. D'un montant de 200 $, elle représente un adorable koala perché dans un eucalyptus. La Grande-Bretagne a mis en circulation des pièces en or titré, d'un demi-souverain, de 2 livres et de 5 livres, qui n'avaient pas été frappées depuis 1937. Quant au Canada, il a continué de produire sa série de pièces de 100 $ en or en hommage au Grand Nord. La pièce de 1980 illustre la chasse en kayak. Elle est accompagnée d'une pièce en argent ornée d'un ours polaire.

Demi-dollar frappé par l'Hôtel des Monnaies de Philadelphie (un cercle entoure l'empreinte distinctive).

Cette pièce ancienne est l'un des neuf décadrachmes athéniens qui se sont vendus à un prix record en 1980.

UN PRIX RECORD

Vers la fin de l'année, un ensemble de décadrachmes de la Grèce antique s'est vendu pour la somme effarante de 4 000 000 $, nouveau record mondial dans le domaine de la numismatique. L'une des pièces, un décadrachme d'Athènes, était affichée à 1 500 000 $. Ce prix record dépasse de beaucoup celui qui avait été établi en novembre 1979 avec la vente d'un doublon d'or Brasher pour la somme de 725 000 $.

Les neuf pièces constituaient un ensemble complet de décadrachmes qui sont à peu près de la grosseur des pièces de vingt-cinq cents.

DES RECETTES DE CUISINE

de l'Inde
KAJU

La cuisine indienne diffère beaucoup d'une région à l'autre du pays; en outre, chaque cuisinier a ses propres spécialités. Cependant, tous les habitants de l'Inde préparent et apprécient de la même manière les noix de cajous.

Les Indiens rôtissent eux-mêmes les noix qu'ils consomment. Si vous désirez servir un amuse-gueule savoureux, il vous suffit de préparer des noix de cajous à la manière indienne. Présentez-les ensuite dans un bol, mélangées à des raisins secs.

INGRÉDIENTS

pour 4 personnes
1½ cuillère à soupe d'huile végétale
2 tasses de noix de cajous fraîches
1 cuillère à café de sel
   poivre de cayenne (facultatif)

MATÉRIEL

cuillères à mesurer	du papier absorbant
une grande poêle à frire	un bol
un verre gradué	une cuillère
une spatule	un petit saladier

PRÉPARATION

1. Mesurez l'huile et versez-la dans la poêle à frire. Chauffez à feu moyen pendant une demi-minute.

2. Ajoutez les noix et faites-les sauter dans l'huile pendant trois minutes, en les retournant de temps en temps avec la spatule.

3. Retirez les noix, placez-les sur des feuilles de papier absorbant et épongez.

4. Dans un bol, mélangez le sel et le poivre.

5. Ajoutez les noix et mélangez avec une cuillère ou avec les mains jusqu'à ce qu'elles soient bien assaisonnées.

6. Servez les noix dans un joli saladier.

   N.B.: Vous pouvez préparer de la même façon des amandes, des cacahuètes, des pistaches ou tout autre variété de noix fraîches. (Certaines ne sont disponibles que dans les magasins d'aliments naturels).

du Mexique
GUACAMOLE

Le guacamole est une salade très populaire au Mexique. Vert et onctueux, on le prépare avec des avocats. On appelle parfois ces fruits des « poires alligator » car leur peau est dure et a un peu l'aspect du cuir. Cette peau épaisse enrobe une pulpe tendre et délicieuse au centre de laquelle se loge un énorme noyau (graine).

Pour exécuter cette recette, l'avocat doit être bien mûr. Pour vous en assurer, pressez gentiment le fruit entre les paumes des mains. Il doit être suffisamment tendre pour que la pression de vos mains se marque à la surface.

INGRÉDIENTS

pour 6 personnes
1   gros avocat bien mûr
1½ cuillère à soupe de jus de citron
1   petit oignon
1   petite tomate

¾ de cuillère à café de sel
1½ cuillère à soupe de mayonnaise
1   pincée de sel d'ail
    des craquelins (biscuits secs)

MATÉRIEL

1 couteau à éplucher
1 bol
cuillères à mesurer
fourchette
cuillère

PRÉPARATION

1. Coupez l'avocat en deux; ôtez le noyau.

2. Épluchez l'avocat ou bien évidez la pulpe à l'aide d'une cuillère.

3. Placez la pulpe dans un bol et ajoutez-y le jus de citron.

4. Avec une fourchette, écrasez l'avocat en y incorporant bien le jus de citron.

5. Coupez la tomate en dés et ajoutez à l'avocat avec le sel, la mayonnaise et le sel d'ail.

6. Mélangez jusqu'à l'obtention d'un mélange onctueux.

7. Épluchez l'oignon et hâchez-le finement.

8. Ajoutez l'oignon hâché au mélange et incorporez-le bien.

9. Servez le guacamole avec des craquelins ou encore comme garniture de sandwiches.

N.B. : Vous pouvez conserver le noyau de l'avocat pour le faire germer et le planter.

SPORTS

L'équipe américaine de hockey fête sa victoire 4 à 2 contre la Finlande,
victoire qui lui valut la médaille d'or aux Jeux olympiques d'hiver.

LES JEUX OLYMPIQUES DE 1980

De tout temps, des épreuves spectaculaires ou des athlètes exceptionnels ont marqué les Jeux olympiques. Les Jeux de 1980 ne firent pas exception à la règle. À Lake Placid, aux Jeux d'hiver, un public enthousiaste vibra aux exploits d'Eric Heiden, vainqueur de cinq épreuves, et de la surprenante équipe de hockey des États-Unis. Les Jeux de Moscou virent les coureurs anglais Sebastian Coe et Steve Ovett se livrer deux duels magnifiques. Toutefois, les Jeux de 1980 resteront sans doute célèbres pour une tout autre raison : le refus des États-Unis et de nombreux autres pays de participer au rassemblement olympique de Moscou.

▶ LA POLITIQUE ET LES JEUX OLYMPIQUES

En décembre 1979, les troupes soviétiques envahissaient l'Afghanistan et prêtaient main-forte au nouveau régime pour combattre les Afghans qui s'insurgeaient contre l'ingérence soviétique dans leur pays.

Des pays du monde entier réagirent violemment devant l'intervention soviétique. Le président des États-Unis, Jimmy Carter, déclara que cette dernière constituait une menace militaire pour la région du golfe Persique.

Quelques athlètes américains se prononcèrent contre le boycottage car, pensaient-ils, cette mesure ne pouvait en rien influencer la politique soviétique. Selon eux, il était préférable de participer aux Jeux mais de boycotter les cérémonies d'ouverture et de clôture et de refuser les médailles qu'ils étaient susceptibles de gagner. Cette attitude, croyaient-ils, aurait plus de poids sur le peuple soviétique.

Moscou, la capitale soviétique, s'apprêtait à accueillir les Jeux d'été en juillet et en août. Le président Carter décida de faire pression sur l'Union soviétique pour l'inciter à retirer ses troupes d'Afghanistan. En janvier, il exigea que la présence militaire soviétique en Afghanistan prenne fin avant le 20 février, faute de quoi, dit-il, les États-Unis refuseraient d'envoyer leurs athlètes à Moscou et demanderaient à d'autres pays de boycotter les Jeux.

Par ailleurs, le Comité international olympique (C.I.O.), qui est chargé d'organiser les Jeux, devait déclarer que toute ingérence politique

Les Jeux d'hiver — Lake Placid, New York

dans les Jeux était impensable et que, par conséquent, le boycottage proposé par les États-Unis était inacceptable.

Il faut bien reconnaître, toutefois, que notre siècle a été témoin d'une ingérence quasi constante de la politique dans les Jeux olympiques. En 1976, une trentaine de pays avaient précisément boycotté les Jeux de Montréal pour protester contre la participation de la Nouvelle-Zélande, « coupable » d'avoir envoyé une équipe de rugby en Afrique du Sud. En 1972, des terroristes palestiniens s'étaient introduits dans le village olympique à Munich et avaient assassiné onze membres de l'équipe nationale d'Israël. En 1968, au moment de recevoir leurs médailles, deux sprinters américains avaient fait le salut du Pouvoir Noir pour protester contre le racisme aux États-Unis. En 1964, l'Afrique du Sud avait été bannie des Jeux à cause de sa politique raciale. En 1936, Adolf Hitler, dictateur de l'Allemagne, se servit des Jeux de Berlin pour propager le nazisme. En 1944, 1940 et 1916, les deux guerres mondiales entraînèrent l'annulation des Jeux. Comme on le voit, cette intervention politique dans le mouvement olympique n'avait rien de nouveau.

Le 20 février, date limite fixée par le président Carter, les troupes soviétiques étaient toujours en Afghanistan. Walter Mondale, vice-président des États-Unis, confirma avec fermeté la position du gouvernement américain.

Deux semaines plus tard, l'Association olympique canadienne décidait à son tour de boycotter les Jeux. Le Japon, la Chine et l'Allemagne fédérale adoptaient la même résolution alors que l'Australie, l'Angleterre et la France se prononçaient en faveur de la participation aux Jeux.

La cérémonie d'ouverture eut lieu à la date prévue. Plus de 80 pays participèrent aux Jeux mais une cinquantaine s'en tinrent écartés, la plupart en signe de protestation contre l'invasion soviétique en Afghanistan. Malgré l'absence de nombreux athlètes, 36 records du monde furent battus. Il n'en reste pas moins que les athlètes ont joué un second rôle par rapport à la politique.

Les Jeux d'hiver de 1984 doivent se dérouler à Sarajevo en Yougoslavie et les Jeux d'été à Los Angeles aux États-Unis. D'ici là, souhaitons que les athlètes retrouvent leur place sur l'avant-scène du sport olympique.

Les Jeux d'été — Moscou, U.R.S.S.

LES JEUX OLYMPIQUES D'HIVER

Les XIIIe Jeux olympiques d'hiver se sont déroulés à Lake Placid, dans l'État de New York, du 12 au 24 février. Plus de 1 200 concurrents, représentant 37 pays, se sont affrontés dans des épreuves de ski, de patinage, de hockey, de bobsleigh, de biathlon et de luge dans le cadre admirable des monts Adirondacks.

▶ UN ATHLÈTE EXCEPTIONNEL

Les États-Unis ont présenté des athlètes dans les 37 épreuves que comportaient ces Jeux d'hiver et se sont adjugés 6 médailles d'or. À la surprise générale, l'équipe de hockey s'est octroyée de haute lutte une de ces médailles alors qu'Eric Heiden allait, à lui seul, compléter la moisson d'or des États-Unis. Ce magnifique athlète de 21 ans, originaire du Wisconsin, a en effet remporté toutes les épreuves de patinage de vitesse messieurs, 500, 1 000, 1 500, 5 000 et 10 000 mètres et s'est offert le luxe d'établir de nouveaux records olympiques sur ces cinq distances. Il ne devait d'ailleurs pas s'en tenir là puisque, lors de la dernière épreuve, il a pulvérisé le record du monde du 10 000 mètres.

▶ UN MATCH SENSATIONNEL

Au cours du tournoi de hockey, les joueurs de l'équipe des États-Unis ont remporté 6 victoires et fait un match nul avant d'accéder à la plus haute marche du podium. Avant les Jeux, personne n'accordait la moindre chance à la jeune équipe américaine, d'autant plus que, lors d'un match amical qui s'était déroulé avant les Jeux, l'équipe soviétique avait écrasé sa rivale américaine par un score de 10 à 3.

Toutefois, dès le début des Jeux, les Américains ont montré leur grand talent en l'emportant, à la surprise générale, par un score de 7 à 3 face à la puissante équipe de Tchécoslovaquie. Au moment d'affronter l'équipe soviétique, l'équipe américaine totalisait 4 victoires et un match nul. Les résultats antérieurs néanmoins plaidaient fortement en défaveur de l'équipe américaine. Depuis le triomphe de l'équipe des États-Unis à Squaw Valley en Californie en 1960, les Soviétiques avaient remporté les quatre tournois olympiques.

Des millions de téléspectateurs suivirent ce match passionnant et riche en rebondissements que les Américains remportèrent avec un score final de 4 à 3. Menés successivement

Eric Heiden remporta les cinq médailles d'or des épreuves de patinage de vitesse et battit un record mondial.

Le gardien de but américain, Jim Craig, intercepte un lancer au cours du match contre l'Union soviétique.

2 à 1 puis 3 à 2, ils se reprirent chaque fois et égalisèrent sur deux tirs de Mark Johnson. Finalement, c'est Mike Eruzione, le capitaine de l'équipe, qui marqua le but de la victoire au cours de la troisième période.

Le tournoi n'était pas terminé et rien n'était encore joué. Quatre équipes pouvaient encore prétendre à la victoire, les États-Unis, la Finlande, la Suède et l'Union soviétique. Les États-Unis affrontaient la Finlande. Une fois de plus les jeunes Américains eurent un début de match difficile. Au bout de deux périodes de jeu, ils étaient menés 2 à 1. Ils devaient cependant se reprendre pendant la troisième période et l'emporter 4 à 2 sur des buts de Phil Verchota, Rob McClanahan et Johnson. Cette victoire assurait définitivement la médaille d'or aux États-Unis.

▶ D'AUTRES VAINQUEURS

Le ski alpin est un des sports les plus prisés des Jeux d'hiver et la descente est l'épreuve reine. Les épreuves messieurs et dames sont revenues aux Autrichiens Leonhard Stock et Annemarie Moser-Proell. Tous deux se sont imposés face aux meilleurs spécialistes du monde sur le parcours rapide de Whiteface Mountain. Le Suédois Ingemar Stenmark devait réussir le doublé au slalom spécial et au slalom géant, imité en cela chez les femmes par Hanni Wenzel qui allait de la sorte projeter sur la scène sportive internationale son minus-cule pays, le Liechtenstein. En grande forme, elle a également décroché la médaille d'argent en descente.

Les Soviétiques ont remporté 4 de leurs 10 médailles d'or dans les épreuves de ski de fond. Nikolai Zimyatov a successivement remporté les épreuves des 30 et 50 kilomètres avant de s'adjuger une troisième médaille comme membre de l'équipe de relais 4 × 10 kilomètres. Pour sa part, l'Allemand de l'Est Ulrich Wehling a gagné la même épreuve pour la troisième fois consécutive, exploit unique dans les annales des Jeux d'hiver.

Depuis plus d'un quart de siècle, le patinage artistique dames semblait être la chasse gardée des Américaines, lesquelles avaient triomphé à quatre reprises lors des six derniers Jeux d'hiver : Tenley Albright en 1956, Carol Heiss en 1960, Peggy Fleming en 1968 et Dorothy Hamill en 1976. En 1980, toutefois, leur patineuse numéro un et favorite de l'épreuve, Linda Fratianne, a dû s'incliner devant l'Allemande de l'Est Anett Poetzsch.

À la suite d'une brillante démonstration, l'Anglais Robin Cousins a remporté le titre masculin de patinage artistique. L'épreuve par couples est revenue aux Soviétiques Irina Rodnina et Aleksandr Zaitsev qui ont ainsi réussi à conserver le titre qu'ils avaient décroché en 1976.

L'Allemand de l'Est Meinhard Nehmer a remporté la médaille d'or en bobsleigh pour

La patineuse est-allemande, Anett Poetzsch remporta la médaille d'or de patinage artistique.

la deuxième fois consécutive. Il a mené son bobsleigh à quatre à la victoire en descendant le parcours du mont Van Hoevenberg en un temps record. Son équipe a réussi deux descentes en moins d'une minute, temps le plus rapide de toute l'histoire des Jeux d'hiver. Par ailleurs, c'est l'équipe suisse qui a remporté l'épreuve de bobsleigh à deux.

En luge messieurs, ce sont une fois de plus les Allemands de l'Est qui ont dominé. Bernhard Glass a remporté l'épreuve de luge monoplace alors que Hans Rinn et Norbert Hahn renouvelaient leur performance de 1976 en enlevant l'épreuve de luge biplace. L'épreuve de luge monoplace dames est revenue à la Soviétique Vera Zozulya.

L'Union soviétique, l'Allemagne de l'Est et les États-Unis ont fait une ample moisson de médailles à Lake Placid. Si les Soviétiques ont remporté le plus de médailles d'or, ce sont les Allemands de l'Est qui ont décroché le plus grand nombre de médailles, soit 29, réparties comme suit : 9 d'or, 7 d'argent et 7 de bronze. De leur côté, les Soviétiques ont obtenu un total de 22 médailles, soit 6 médailles d'argent, 6 médailles de bronze et 10 médailles d'or. Avec 6 médailles d'or, 4 d'argent et 2 de bronze, les Américains ont remporté en tout 12 médailles.

En plus d'Eric Heiden, quintuple vainqueur, de Linda Fratianne et des membres de l'équipe de hockey, les athlètes américains qui sont montés sur le podium sont les suivants : Leah Poulos Mueller, 2 médailles d'argent aux 500 et 1 000 mètres dames en patinage de vitesse; Phil Mahre, une médaille d'argent au slalom spécial messieurs; Beth Heiden, une médaille de bronze au 3 000 mètres dames en patinage de vitesse; et Charles Tickner, une médaille de bronze en patinage artistique messieurs.

Les athlètes canadiens ont remporté deux médailles à Lake Placid. Le Québécois Gaétan Boucher a gagné la médaille d'argent au 1 000 mètres messieurs en patinage de vitesse, alors que l'Ontarien Stephen Podborski remportait la médaille de bronze en descente messieurs.

Le total de 12 médailles remportées par les États-Unis à Lake Placid constitue le meilleur résultat d'ensemble de ce pays aux Jeux d'hiver depuis 1952. Toutefois, ce sont les exploits d'Eric Heiden et de leur jeune équipe de hockey que les Américains continueront longtemps d'associer aux Jeux d'hiver.

L'Autrichien Leonhard Stock battit tous les concurrents dans l'épreuve de ski de descente.

Les Allemands de l'Est
Rinn et Hahn remportèrent l'épreuve de luge biplace.

TABLEAU DES MÉDAILLES

Jeux d'hiver — Lake Placid, New York

Pays	Or	Argent	Bronze	Total
Union soviétique	10	6	6	22
Allemagne de l'Est	9	7	7	23
États-Unis	6	4	2	12
Autriche	3	2	2	7
Suède	3	0	1	4
Liechtenstein	2	2	0	4
Finlande	1	5	3	9
Norvège	1	3	6	10
Pays-Bas	1	2	1	4
Suisse	1	1	3	5
Grande-Bretagne	1	0	0	1
Allemagne de l'Ouest	0	2	3	5
Italie	0	2	0	2
Canada	0	1	1	2
Hongrie	0	1	0	1
Japon	0	1	0	1
Bulgarie	0	0	1	1
Tchécoslovaquie	0	0	1	1
France	0	0	1	1

ERIC HEIDEN, HÉROS OLYMPIQUE

Sourire irrésistible . . . enthousiasme débordant . . . amabilité de chaque instant . . . application et constance dans l'effort. Les journalistes ont rivalisé d'expressions flatteuses pour décrire Eric Heiden, le héros des Jeux olympiques d'hiver de 1980. Originaire de Madison, Wisconsin, cet étudiant en médecine de 21 ans est devenu l'idole du peuple américain en remportant les 5 épreuves de patinage de vitesse messieurs à Lake Placid. Il établissait par la même occasion un record du plus grand nombre de médailles d'or remportées par un athlète au cours des mêmes Jeux olympiques d'hiver.

Avant les Jeux olympiques, Heiden était déjà très connu sur la scène internationale sportive. Aux États-Unis, toutefois, son ascension rapide, qui commença en 1977, était passée presque inaperçue du grand public. C'est que, à l'exception de la région des Grands Lacs dont Heiden est originaire, le patinage de vitesse n'est pas un sport très populaire aux États-Unis. Aussi, lorsqu'en 1977, Heiden décrocha le titre de champion du monde à Heerenveen, aux Pays-Bas, son succès fut presque totalement ignoré aux États-Unis. En 1978 et 1979, il devait défendre victorieusement son titre, toujours au plus grand désintéressement du public américain. Heiden était d'ailleurs bien loin de se plaindre de ce semi-anonymat. Il devait lui-même déclarer après la flambée d'enthousiasme qui succéda à ses éclatantes performances des Jeux : « Sincèrement, c'était bien mieux lorsque j'étais inconnu ! »

Eric et Beth, sa jeune sœur, elle-même médaillée de bronze en patinage de vitesse à Lake Placid, ont disposé dès leur plus jeune âge d'une salle d'exercice et furent élevés dans une saine atmosphère d'émulation sportive. C'est Art Thomsen, leur grand-père, ancien entraîneur de hockey sur glace à l'université du Wisconsin, qui décida d'apprendre à patiner, et à bien patiner, à Beth et Eric.

Beth s'intéressa la première au patinage de vitesse. Eric ne tarda pas à participer aux séances d'entraînement de son club de patinage de vitesse. C'est là qu'ils furent remarqués par l'entraîneur Diane Holum qui entreprit de les préparer à la compétition. Elle ne fut pas longue à se rendre compte que ses deux élèves avaient la trempe de futurs champions. Non seulement ils étaient doués mais ils faisaient preuve d'une constance dans l'effort et d'une détermination qui ne trompent pas.

Alors que la saison de patinage de vitesse 1980 tirait à sa fin, les Heiden décidèrent de tenter la grande aventure dans d'autres sports. Eric informa les journalistes qu'il allait abandonner le patinage de compétition pour le cyclisme et le hockey et qu'il désirait terminer ses études pour se spécialiser en médecine sportive. Sa reconversion aura toutefois été moins rapide et moins éclatante que celle de sa sœur. Cette dernière devait enlever le titre de championne du monde 1980 de cyclisme sur route lors des compétitions disputées en France.

LES JEUX D'ÉTÉ

Les Jeux d'été de la XXIIe Olympiade se sont tenus à Moscou (Union soviétique) du 19 juillet au 3 août. Environ 6 000 athlètes venus de 81 pays y participèrent. Vingt-deux sports étaient représentés. Avant que certains pays ne décident de boycotter les Jeux, on attendait 10 000 athlètes. Parmi les pays participants quelques-uns protestèrent, mais sans violence, 16 firent flotter le drapeau olympique au lieu de leur drapeau national à la cérémonie d'ouverture et 12 nations d'Europe de l'Ouest ne défilèrent pas.

À cause de l'absence de nombreux athlètes, l'équipe soviétique remporta encore plus de médailles que de coutume, 197 en tout dont 80 d'or. Les meilleurs Jeux olympiques pour les Soviétiques avaient été ceux de 1972 au cours desquels ils avaient décroché 125 médailles dont 50 d'or. À Moscou, ils se surpassèrent donc.

L'Allemagne de l'Est se classa seconde avec un total de 126 médailles, dont 47 d'or. La Bulgarie troisième avec 40 médailles, dont 8 d'or. Parmi les pays non communistes, la Grande-Bretagne fut celui qui obtint les meilleurs résultats, soit 21 médailles dont 5 d'or.

Athlétisme. L'athlétisme, qui tient toujours la vedette aux Jeux olympiques, attira tous les jours 100 000 spectateurs au stade Lénine. Si les Soviétiques et les Allemands de l'Est se couvrirent d'or, ce sont néanmoins les athlètes britanniques qui remportèrent les épreuves reines. Ces derniers, menés par Steve Ovett et Sebastian Coe, deux rivaux dans les épreuves de course, rapportèrent quatre médailles d'or. Au 800 mètres, Ovett battit Coe dans une course très serrée. Quelques jours plus tard, Coe prit sa revanche et finit le 1 500 mètres de façon spectaculaire. Les deux autres médailles revinrent à Daley Thompson pour le décathlon et à Allan Wells au 100 mètres.

L'Éthiopien Miruts Yifter fit un doublé en gagnant le 5 000 et le 10 000 mètres. Il mit ainsi fin au règne du Finlandais Lasse Viren, ce dernier ayant remporté les deux épreuves aux deux Olympiades précédentes.

Des records du monde furent battus : l'Allemand de l'Est Gerd Wessig au saut en hauteur, le Polonais Wladyslaw Kozakiewicz au saut à la perche et le Soviétique Yuri Sedykh au lancer du marteau. Mentionnons également

Les coureurs britanniques étaient menés par deux athlètes rivaux, Steve Ovett (279) et Sebastian Coe.

L'Éthiopien Miruts Yifter remporta le 5 000 mètres et le 10 000 mètres.

la superbe performance de l'Allemand de l'Est Lutz Dombrowski au saut en longueur. Avec un bond de 8,5 mètres, il réussissait le deuxième meilleur saut de tous les temps. Son compatriote Waldemar Cierpinski remporta pour la seconde fois consécutive le marathon.

Chez les dames, la Soviétique Nadyezhda Olizarenko battit le record mondial du 800 mètres. Sa co-équipière Tatyana Kazankina, qui avait remporté le 800 et le 1 500 mètres aux Jeux de Montréal en 1976, établit un record olympique au 1 500 mètres. L'Allemande de l'Est Baerbel Eckert Wockel améliora son propre record olympique au 200 mètres. C'était la deuxième fois consécutive qu'elle remportait cette épreuve.

Natation. Si les Soviétiques n'avaient pas réussi en 1976 à décrocher une médaille d'or en natation, en 1980, chez eux, ils montèrent sept fois sur le podium. L'absence des Américains a peut-être aidé les Soviétiques mais il y a au moins un athlète, Vladimir Salnikov, que les Américains auraient eu beaucoup de mal à battre.

Salnikov, un étudiant de 20 ans, a gagné la médaille d'or des 400 et 1 500 mètres nage libre, et a contribué à la victoire de son équipe dans le relais 4 × 200 mètres nage libre. En nageant le 1 500 en 14 min 58 s 27, il établit un record mondial et devint ainsi le premier nageur à terminer l'épreuve en moins de 15 minutes. Au 400 mètres, il établit un record olympique. Le Britannique Duncan Goodhew remporta l'unique médaille d'or de la Grande-Bretagne dans les épreuves de natation au 100 mètres brasse.

L'équipe féminine d'Allemagne de l'Est domina les épreuves, tout comme cela avait déjà été le cas en 1976 à Montréal. Il y a quatre ans elle remporta 11 médailles d'or sur 13. En 1980, elle réitérait son exploit. Rica Reinisch, Barbara Krause et Caren Metschuck remportèrent chacune trois médailles d'or. La première, qui a 15 ans, battit tous les records aux 100 et 200 mètres dos. Elle nageait aussi avec l'équipe qui remporta le relais 4 × 100 mètres quatre nages. La seconde, qui gagna les 100 et 200 mètres nage libre, participait également

Le nageur soviétique Vladimir Salnikov gagna les 400 et 1 500 mètres, et contribua à la victoire de son équipe dans le relais 4 × 200 mètres nage libre.

La gymnaste soviétique Nelli Kim (à droite) se classa première ex-æquo aux exercices au sol avec Nadia Comaneci.

au relais. La troisième remporta le 100 mètres papillon et contribua à la victoire de deux équipes de relais.

Gymnastique. L'enfant chérie des Jeux de Montréal, la gymnaste roumaine Nadia Comaneci, était présente à Moscou et elle avait bien l'intention de répéter ses exploits au classement individuel. Malheureusement, elle dut se contenter de la médaille d'argent, celle d'or revenant à la Soviétique Yelena Davydova. Comaneci remporta néanmoins la médaille d'or aux épreuves à la poutre, et se classa pre-

mière ex-æquo aux exercices au sol avec la Soviétique Nelli Kim.

Chez les hommes, la vedette fut le Soviétique Aleksandr Dityatin. C'est l'athlète qui remporta le plus de médailles aux Jeux, soit 3 d'or, 4 d'argent et 1 de bronze.

L'Union soviétique remporta la médaille d'or des épreuves par équipe, aussi bien dans la compétition féminine que masculine.

Autres épreuves. La boxe, qui avait été la chasse-gardée des Américains il y a quatre ans, devint celle des Cubains en 1980. Ces derniers gagnèrent 6 médailles d'or. Le poids-lourd Teofilo Stevenson gagna une médaille d'or pour la troisième fois consécutive. Le seul athlète olympique qui ait jamais réussi l'exploit de gagner trois médailles d'or dans le passé avait été le Hongrois Laszlo Papp.

En basket-ball masculin, la Yougoslavie l'emporta sur l'Italie. Chez les dames, la victoire revint à l'équipe soviétique.

En soccer, la Tchécoslovaquie battit l'équipe d'Allemagne de l'Est, victorieuse en 1976.

En judo, la France se distingua en remportant deux médailles d'or, en super-légers (Thierry Rey) et lourds (Angelo Parisi).

En escrime, la France remporta l'épreuve par équipe devant la Pologne et l'U.R.S.S. Dans la compétition féminine, Pasquale Trinquet s'empara de la médaille d'or au fleuret individuel et aida ses coéquipières à remporter l'épreuve par équipes.

Le gymnaste soviétique, Aleksandr Dityatin : l'athlète qui remporta le plus de médailles et accomplit l'exploit, pour la première fois dans l'histoire des Jeux, d'obtenir un 10 au cheval d'arçon.

TABLEAU DES MÉDAILLES

Jeux d'été — Moscou, U.R.S.S.

Pays	Or	Argent	Bronze	Total
Union soviétique	80	70	47	197
Allemagne de l'Est	47	36	43	126
Bulgarie	8	16	16	40
Cuba	8	7	5	20
Italie	8	3	4	15
Hongrie	7	10	15	32
Roumanie	6	6	13	25
France	6	5	3	14
Grande-Bretagne	5	7	9	21
Pologne	3	14	14	31
Suède	3	3	6	12
Finlande	3	1	4	8
Yougoslavie	2	3	4	9
Tchécoslovaquie	2	2	9	13
Australie	2	2	5	9
Danemark	2	1	2	5
Brésil	2	0	2	4
Éthiopie	2	0	2	4
Suisse	2	0	0	2
Espagne	1	3	2	6
Autriche	1	3	1	5
Grèce	1	0	2	3
Belgique	1	0	0	1
Inde	1	0	0	1
Venezuela	1	0	0	1
Zimbabwe	1	0	0	1
Corée du Nord	0	3	2	5
Mongolie	0	2	2	4
Tanzanie	0	2	0	2
Mexique	0	1	3	4
Pays-Bas	0	1	3	4
Irlande	0	1	1	2
Ouganda	0	1	0	1
Jamaïque	0	0	3	3
Guyana	0	0	1	1
Liban	0	0	1	1

MÉDAILLES D'OR DES JEUX OLYMPIQUES 1980

JEUX D'HIVER — LAKE PLACID, NEW YORK

Biathlon
10 km : Frank Ullrich, Allemagne de l'Est
20 km : Anatoly Alabyev, U.R.S.S.
30 km relais : U.R.S.S.

Bobsleigh
À deux : Suisse
À quatre : Allemagne de l'Est

Hockey
Équipe : États-Unis

Luge
Messieurs monoplace : Bernhard Glass, Allemagne de l'Est
Messieurs biplace : Allemagne de l'Est
Dames, monoplace : Vera Zozulya, U.R.S.S.

Patinage artistique
Messieurs : Robin Cousins, Grande-Bretagne
Dames : Anett Poetzsch, Allemagne de l'Est
Couple : Irina Rodnina / Aleksandr Zaitsev, U.R.S.S.
Danse : Natalia Linichuk / Gennadi Karponosov, U.R.S.S.

Patinage de vitesse, messieurs
500 m : Eric Heiden, États-Unis
1 000 m : Eric Heiden, États-Unis
1 500 m : Eric Heiden, États-Unis
5 000 m : Eric Heiden, États-Unis
10 000 m : Eric Heiden, États-Unis

Patinage de vitesse, dames
500 m : Karin Enke, Allemagne de l'Est
1 000 m : Natalia Petruseva, U.R.S.S.
1 500 m : Annie Borchink, Pays-Bas
3 000 m : Bjoerg Eva Jensen, Norvège

Ski alpin, messieurs
Descente : Leonhard Stock, Autriche
Slalom géant : Ingemar Stenmark, Suède
Slalom spécial : Ingemar Stenmark, Suède

Ski alpin, dames
Descente : Annemarie Moser-Proell, Autriche
Slalom géant : Hanni Wenzel, Liechtenstein
Slalom spécial : Hanni Wenzel, Liechtenstein

Ski nordique, messieurs
15 km : Thomas Wassberg, Suède
30 km : Nikolai Zimyatov, U.R.S.S.
50 km : Nikolai Zimyatov, U.R.S.S.
Relais 4 × 10 km : U.R.S.S.
Saut de 70 m : Toni Innauer, Autriche
Saut de 90 m : Jouko Tromanen, Finlande
Combiné : Ulrich Wehling, Allemagne de l'Est

Ski nordique, dames
5 km : Raisa Smetanina, U.R.S.S.
10 km : Barbara Petzold, Allemagne de l'Est
Relais 4 × 5 km : Allemagne de l'Est

JEUX D'ÉTÉ — MOSCOU, U.R.S.S.

Athlétisme, messieurs
100 m : Allan Wells, Grande-Bretagne
200 m : Pietro Mennea, Italie
400 m : Viktor Markin, U.R.S.S.
Relais 4 × 100 m : U.R.S.S.
800 m : Steve Ovett, Grande-Bretagne
1 500 m : Sebastian Coe, Grande-Bretagne
Relais 4 × 400 m : U.R.S.S.
5 000 m : Miruts Yifter, Éthiopie
10 000 m : Miruts Yifter, Éthiopie
20 km marche : Maurizio Damilano, Italie
50 km marche : Hartwig Gauder, Allemagne de l'Est
110 m haies : Thomas Munkelt, Allemagne de l'Est
400 m haies : Volker Beck, Allemagne de l'Est
3 000 m steeplechase : Bronislaw Malinowski, Pologne
Marathon : Waldemar Cierpinski, Allemagne de l'Est
Lancer du disque : Viktor Rasschupkin, U.R.S.S.
Lancer du marteau : Yuri Sedykh, U.R.S.S.
Saut en hauteur : Gerd Wessig, Allemagne de l'Est
Lancer du javelot : Dainis Kula, U.R.S.S.

Saut en longueur : Lutz Dombrowski, Allemagne de l'Est
Saut à la perche : Wladislaw Kozakiewicz, Pologne
Lancer du poids : Vladimir Kiseliev, U.R.S.S.
Triple saut : Jaak Uudmae, U.R.S.S.
Décathlon : Daley Thompson, Grande-Bretagne

Athlétisme, dames
100 m : Ludmila Kondratyeva, U.R.S.S.
200 m : Barbel Wockel, Allemagne de l'Est
400 m : Marita Koch, Allemagne de l'Est
Relais 4 × 100 m : Allemagne de l'Est
800 m : Nadezhda Olizarenko, U.R.S.S.
1 500 m : Tatyana Kazankina, U.R.S.S.
Relais 4 × 400 m : U.R.S.S.
100 m haies : Vera Komisova, U.R.S.S.
Lancer du disque : Evelin Jahl, Allemagne de l'Est
Saut en hauteur : Sara Simeoni, Italie
Lancer du javelot : Maria Colon, Cuba
Saut en longueur : Tatiana Kolpakova, U.R.S.S.
Lancer du poids : Ilona Slupianek, Allemagne de l'Est
Pentathlon : Nadezhda Tkachenko, U.R.S.S.

Aviron, messieurs
Skiff : Pertti Karppinen, Finlande
Double scull : Allemagne de l'Est
Quadruple scull : Allemagne de l'Est
Deux barré : Allemagne de l'Est
Deux sans barreur : Allemagne de l'Est
Quatre barré : Allemagne de l'Est
Quatre sans barreur : Allemagne de l'Est
Huit : Allemagne de l'Est

Aviron, dames
Skiff : Sanda Toma, Roumanie
Double scull : U.R.S.S.
Quadruple scull : Allemagne de l'Est
Deux sans barreur : Allemagne de l'Est
Quatre barré : Allemagne de l'Est
Huit : Allemagne de l'Est

Basket-ball
Messieurs : Yougoslavie
Dames : U.R.S.S.

Boxe
Mouches-légers : Shamil Sabyrov, U.R.S.S.
Mouches : Petar Lessov, Bulgarie
Coqs : Juan Hernandez, Cuba
Plumes : Rudi Fink, Allemagne de l'Est
Légers : Angel Herrera, Cuba
Super-légers : Patrizio Oliva, Italie
Welters : Andres Aldama, Cuba
Super-welters : Armando Martinez, Cuba
Moyens : Jose Gomez, Cuba
Mi-lourds : Slobodan Kacar, Yougoslavie
Lourds : Teofilo Stevenson, Cuba

Canoë-kayak, messieurs
Kayak monoplace — 500 m : Vladimir Parfenovich, U.R.S.S.
Kayak biplace — 500 m : U.R.S.S.
Kayak monoplace — 1 000 m : Rudiger Helm, Allemagne de l'Est
Kayak biplace — 1 000 m : U.R.S.S.
Kayak à 4 — 1 000 m : Allemagne de l'Est
Canoë monoplace — 500 m : Sergei Postrekhin, U.R.S.S.
Canoë biplace — 500 m : Hongrie
Canoë monoplace — 1 000 m : Lubomir Lubenov, Bulgarie
Canoë biplace — 1 000 m : Roumanie

Canoë-kayak, dames
Kayak monoplace — 500 m : Birgit Fischer, Allemagne de l'Est
Kayak biplace — 500 m : Allemagne de l'Est

Cyclisme
Épreuve sur route : Sergei Soukhoroutchenkov, U.R.S.S.
100 km épreuve par équipe : U.R.S.S.

4 000 m — poursuite individuelle : Robert Dill-Bundi, Suisse
4 000 m — poursuite par équipe : U.R.S.S.
Vitesse : Lutz Hesslich, Allemagne de l'Est
1 000 m contre la montre : Lothar Thoms, Allemagne de l'Est

Équitation
Concours complet individuel : Federico Euro Roman, Italie
Concours complet par équipe : U.R.S.S.
Dressage individuel : Elisabeth Theurer, Autriche
Dressage par équipe : U.R.S.S.
Jumping individuel : Jan Kowalczyk, Pologne
Jumping par équipe : U.R.S.S.

Escrime, messieurs
Épée individuelle : Johan Harmenberg, Suède
Épée par équipe : France
Fleuret individuel : Vladimir Smirnov, U.R.S.S.
Fleuret par équipe : France
Sabre individuel : Viktor Krovopuskov, U.R.S.S.
Sabre par équipe : U.R.S.S.

Escrime, dames
Fleuret individuel : Pascale Trinquet, France
Fleuret par équipe : France

Football (soccer)
Équipe : Tchécoslovaquie

Gymnastique, messieurs
Classement individuel : Aleksandr Dityatin, U.R.S.S.
Classement par équipe : U.R.S.S.
Exercices au sol : Roland Bruckner, Allemagne de l'Est
Barre fixe : Stoyan Deltchev, Bulgarie
Saut de cheval : Nikolai Andrianov, U.R.S.S.
Barres parallèles : Aleksandr Tkachyov, U.R.S.S.
Anneaux : Aleksandr Dityatin, U.R.S.S.
Cheval d'arçons : Zoltan Magyar, Hongrie

Gymnastique, dames
Classement individuel : Yelena Davydova, U.R.S.S.
Classement par équipe : U.R.S.S.
Poutre : Nadia Comaneci, Roumanie
Exercices au sol libre : Nelli Kim, U.R.S.S. et Nadia Comaneci, Roumanie
Saut de cheval : Nataliya Shaposhnikova, U.R.S.S.
Barres asymétriques : Maxi Gnauck, Allemagne de l'Est

Haltérophilie
Mouches (52 kg) : Kanibek Osmanoliev, U.R.S.S.
Coqs (56 kg) : Daniel Nunez, Cuba
Plumes (60 kg) : Viktor Mazin, U.R.S.S.
Légers (67,5 kg) : Yanko Roussev, Bulgarie
Moyens (75 kg) : Assen Zlatev, Bulgarie
Lourds-légers (82,5 kg) : Yurik Vardanyan, U.R.S.S.
Lourds-moyens (90 kg) : Peter Baczako, Hongrie

Lourds (1re catégorie, 100 kg) : Ota Zaremba, Tchécoslovaquie
Lourds (2e catégorie, 110 kg) : Leonid Taranenko, U.R.S.S.
Super-lourds (plus de 110 kg) : Sultan Rakhmanov, U.R.S.S.

Handball
Messieurs : Allemagne de l'Est
Dames : U.R.S.S.

Hockey sur gazon
Messieurs : Inde
Dames : Zimbabwe

Judo
60 kg : Thierry Rey, France
65 kg : Nikolai Solodukhin, U.R.S.S.
71 kg : Ezio Gamba, Italie
78 kg : Shota Khabarell, U.R.S.S.
86 kg : Juerg Roethlisberger, Suisse
95 kg : Robert Van De Walle, Belgique
Plus de 95 kg : Angelo Parisi, France
Toutes catégories : Dietmar Lorenz, Allemagne de l'Est

Lutte, style libre
Mouches-légers (48 kg) : Claudio Pollio, Italie
Mouches (52 kg) : Anatoly Beloglazov, U.R.S.S.
Coqs (57 kg) : Sergei Beloglazov, U.R.S.S.
Plumes (62 kg) : Magomedgasan Abushev, U.R.S.S.
Légers (68 kg) : Saipulla Absaidov, U.R.S.S.
Welters (74 kg) : Valentin Raitchev, Bulgarie
Moyens (82 kg) : Ismail Abilov, Bulgarie
Mi-lourds (90 kg) : Sanasar Oganesyan, U.R.S.S.
Lourds (100 kg) : Ilya Mate, U.R.S.S.
Super-lourds (plus de 100 kg) : Soslan Andiev, U.R.S.S.

Lutte, style gréco-romain
Mouches-légers (48 kg) : Zaksylik Ushkempirov, U.R.S.S.
Mouches (52 kg) : Vakhtang Blagidze, U.R.S.S.
Coqs (57 kg) : Shamil Serikov, U.R.S.S.
Plumes (62 kg) : Stilianos Migiakis, Grèce
Légers (68 kg) : Stefan Rusu, Roumanie
Welters (74 kg) : Ferenc Kocsis, Hongrie
Moyens (82 kg) : Gennady Korban, U.R.S.S.
Mi-lourds (90 kg) : Norbert Nottny, Hongrie
Lourds (100 kg) : Gheorghi Raikov, Bulgarie
Super-lourds (plus de 100 kg) : Aleksandr Kolchinsky, U.R.S.S.

Natation, messieurs
100 m dos : Bengt Baron, Suède
200 m dos : Sandor Wladar, Hongrie
100 m brasse : Dunkan Goodhew, Grande-Bretagne
200 m brasse : Robertas Zulpa, U.R.S.S.
100 m papillon : Par Arvidsson, Suède
200 m papillon : Sergei Fesenko, U.R.S.S.
100 m nage libre : Jorg Woithe, Allemagne de l'Est
200 m nage libre : Sergei Kopliakov, U.R.S.S.

400 m nage libre : Vladimir Salnikov, U.R.S.S.
Relais 4 × 200 m nage libre : U.R.S.S.
1 500 m nage libre : Vladimir Salnikov, U.R.S.S.
400 m quatre nages : Aleksandr Sidorenko, U.R.S.S.
Relais 4 × 100 m quatre nages : Australie
Plongeon du haut-vol : Falk Hoffmann, Allemagne de l'Est
Plongeon du tremplin : Alexandr Portnov, U.R.S.S.

Natation, dames
100 m dos : Rica Reinisch, Allemagne de l'Est
200 m dos : Rica Reinisch, Allemagne de l'Est
100 m brasse : Ute Geweniger, Allemagne de l'Est
200 m brasse : Lina Kachushite, U.R.S.S.
100 m papillon : Caren Metschuck, Allemagne de l'Est
200 m papillon : Ines Geissler, Allemagne de l'Est
100 m nage libre : Barbara Krause, Allemagne de l'Est
200 m nage libre : Barbara Krause, Allemagne de l'Est
400 m nage libre : Ines Diers, Allemagne de l'Est
Relais 4 × 100 m nage libre : Allemagne de l'Est
800 m nage libre : Michelle Ford, Australie
400 m quatre nages : Petra Schneider, Allemagne de l'Est
Relais 4 × 100 m quatre nages : Allemagne de l'Est
Plongeon de haut-vol : Martina Jaschke, Allemagne de l'Est
Plongeon du tremplin : Irina Kalinina, U.R.S.S.

Pentathlon moderne
Individuel : Anatoly Starostin, U.R.S.S.
Par équipe : U.R.S.S.

Tir
Pistolet libre : Aleksandr Melentev, U.R.S.S.
Pistolet rapide : Corneliu Ion, Roumanie
Petite carabine (position couchée) : Karoly Varga, Hongrie
Petite carabine (3 positions) : Viktor Vlasov, U.R.S.S.
Sanglier courant : Igor Sokolov, U.R.S.S.
Pigeon d'argile : Luciano Giovannetti, Italie
Skeet : Hans Kjeld Rasmussen, Danemark

Tir à l'arc
Messieurs : Tomi Poikolainen, Finlande
Dames : Keto Losaberidze, U.R.S.S.

Volleyball
Messieurs : U.R.S.S.
Dames : U.R.S.S.

Water-polo
U.R.S.S.

Yachting
Finn monotype : Finlande
Flying Dutchman : Espagne
470 : Brésil
Soling : Danemark
Star : U.R.S.S.
Tornado : Brésil

LES JEUX OLYMPIQUES JUNIORS

Qui n'a rêvé de participer à une épreuve olympique dans son sport préféré ? Aussi utopique qu'il paraisse, ce rêve devient pourtant réalité chaque année pour des millions de jeunes Américains.

Ces jeunes athlètes participent en effet aux Jeux olympiques juniors, l'un des programmes de sport amateur les plus importants des États-Unis. Grâce à cette heureuse initiative, des jeunes gens ont la possibilité de participer à des épreuves sportives de première classe, allant du basket-ball à la boxe en passant par le water-polo et la lutte.

Les conditions de participation sont simples. Il suffit de pratiquer un sport en amateur et d'avoir entre 8 et 18 ans. Il n'est pas nécessaire d'être membre d'une équipe ou d'un club. Ceux qui ont participé à des compétitions sportives, comme les Jeux panaméricains ou les Jeux olympiques, ne peuvent prendre part aux épreuves dans leur spécialité. Par contre, rien ne les empêche de tenter leur chance dans une autre discipline.

Le jeune athlète intéressé doit d'abord prendre contact avec l'A.A.U. *(Amateur Athletic Union)* qui lui communiquera le nom de la personne ou de l'organisme susceptible de lui fournir tous les renseignements dans sa région.

Une fois au courant des épreuves organisées dans sa région, il prend part à une des nom-

Jake Howard, 17 ans, remporta l'épreuve de saut en longueur aux Jeux olympiques juniors de 1980. Ces Jeux, qui n'acceptent que des jeunes athlètes amateurs, donnent la possibilité aux concurrents d'essayer de gagner la médaille d'or des dix-sept sports au programme.

180

Les Jeux permettent également aux jeunes athlètes de se perfectionner et, qui sait, de participer peut-être un jour aux Jeux olympiques internationaux. Ci-contre : la jeune gymnaste Kimberly Hillner.

breuses réunions d'athlétisme (plus de 2 000) organisées à l'échelle locale. Les vainqueurs vont ensuite se mesurer au niveau de l'État puis au niveau régional. Dix mille athlètes seulement peuvent se qualifier pour les championnats nationaux. Des médailles, or, argent et bronze, sont attribuées aux vainqueurs des différentes épreuves, du niveau de l'État au niveau national. Dix-sept sports sont représentés : le basket-ball, le bobsleigh-luge, la boxe, le cross-country, le décathlon, le plongeon, la gymnastique, le judo, le pentathlon, la natation, la nage synchronisée, l'athlétisme, le trampoline, le volley-ball, le water-polo, l'haltérophilie et la lutte.

Le programme des Jeux olympiques juniors fut officiellement inauguré en 1949 avec l'autorisation du Comité olympique des États-

Unis. Depuis, les excellents résultats obtenus aux Jeux olympiques par des athlètes qui se sont révélés à l'occasion des Jeux olympiques juniors témoignent du succès de ce programme. Aux Jeux de 1976, à Montréal, 83 membres de l'équipe américaine avaient déjà participé aux Jeux olympiques juniors. Ils remportèrent 25 médailles d'or et 25 médailles d'argent, soit les trois quarts des médailles d'or et d'argent glanées par les États-Unis.

Le programme des Jeux olympiques juniors offre au jeune athlète la possibilité de parfaire ses qualités athlétiques, d'affirmer son tempérament de gagnant en participant à des compétitions acharnées et de connaître l'ivresse de la victoire. Sans compter qu'il peut espérer participer un jour aux Jeux Olympiques internationaux.

BASEBALL

Au cours de la saison 1980, le baseball a connu des rebondissements successifs qui se sont soldés par la victoire des Phillies de Philadelphie sur les Royals de Kansas City, par 4 matches à 2. Pour les Philadelphiens, cette victoire marquait la fin de presque un siècle de frustration. En effet, les Phillies, appartenant à la Ligue nationale depuis 97 ans, n'ont disputé, depuis la création des Séries mondiales en 1903, que deux séries de fin de saison, en 1915 et en 1950, et n'en ont remporté aucune.

Cette fois-ci les Phillies ne se laissèrent pas faire. Dans trois des quatre victoires qu'ils remportèrent, ils luttèrent avec acharnement pour rattraper leur retard et arracher le match aux Royals. Après s'être laissés distancer de 4 points dans le match d'ouverture et de 2 dans la seconde partie, les Phillies remportèrent ces deux premiers matches par 7-6 et 6-4. Kansas City parvint à égaliser sur les scores de 4-3 (10 manches) et 5-3. Les Phillies gagnèrent le cinquième match par 4-3 après avoir rattrapé leur retard en s'adjugeant 2 points dans la neuvième manche. Enfin, dans le sixième match, les Phillies prirent l'avantage dès le début de la partie et écrasèrent leur adversaire par le score triomphal de 4 à 1.

Les Phillies doivent ce succès éclatant au jeu du joueur de troisième but Mike Schmidt, du lanceur Steve Carlton et du releveur Tug McGraw. Schmidt, grâce à ses huit coups sûrs, dont deux coups de circuit et sept points produits, se vit décerner le titre de joueur le plus utile de la saison pour les Séries, ainsi que dans la Ligue nationale, avec 48 coups de circuit et 121 points produits.

Carlton « le gaucher » ajouta deux victoires, en Série mondiale, à ses records de la saison : 24 victoires et 9 défaites. Son lancer supérieur lui permit de s'adjuger, au cours de la saison ordinaire, la récompense Cy Young attribuée au meilleur lanceur de la ligue. McGraw prit la relève dans quatre matches sur six et fut crédité d'une victoire et de deux victoires préservées.

Tout au long du chemin qui les conduisit aux Séries, les Phillies durent surmonter de nombreux obstacles et ce n'est qu'en toute fin de saison qu'ils remportèrent le titre dans la division Est de la Ligue nationale. En effet,

En dépit de leur brillant joueur de troisième but, George Brett, les Royals de Kansas City furent vaincus par les Phillies de Philadelphie en Série mondiale. (Avec la meilleure moyenne au bâton en 39 ans (.390) et un total de 118 points produits, Brett se vit décerner le titre de joueur le plus utile de la ligue américaine.)

Le lanceur Steve Carlton, des Phillies de Philadelphie et... **Mike Schmidt, joueur de troisième but.**

ils étaient ex-æquo avec les Expos de Montréal au moment d'affronter ceux-ci dans une série de trois matches en fin de saison. Les Phillies remportèrent le premier match et décrochèrent le titre à l'issue de la 11e manche du second match, clôturé par un coup de circuit de Schmidt.

Les Phillies s'attaquèrent alors aux Astros de Houston dans une épuisante série demi-finale de cinq matches. Les Astros avaient remporté le match éliminatoire contre les Dodgers de Los Angeles, pour la division Ouest. Les Dodgers, qui avaient remporté trois matches et en avaient perdu trois contre les Astros, durent les affronter une fois de plus dans un match éliminatoire et furent écrasés 7-1.

Quatre des matches Phillies-Astros durent être prolongés. Les Phillies arrachèrent le premier match par 3-1 puis se laissèrent distancer par les Astros, 7-4 en dix manches et 1-0 en 11 manches. Les Phillies finirent par éliminer leur adversaire par 5-3 et 8-7, dans deux matches en 10 manches.

Dans la Ligue américaine, Kansas City remporta facilement le titre de la division Ouest avec une marge de 14 matches. À l'Est, les Yankees de New York, après avoir pris une avance considérable à la mi-saison, durent ce-

pendant se reprendre en septembre pour résister au coup de boutoir de Baltimore. Comme les Phillies, Kansas City n'avait jamais pu remporter le championnat en dépit de ses résultats dans la division, en 1976, 1977 et 1978. Chaque année les Yankees avaient écrasé les Royals; ce fut donc un revirement fantastique lorsque Kansas City remporta le championnat avec ses trois triomphes consécutifs de 7-2, 3-2 et 4-2.

Avec un record de 25 victoires, 7 défaites et une moyenne de points mérités de 3.23, le lanceur de Baltimore, Steve Stone, reçut la récompense Cy Young pour la Ligue américaine. À un moment donné, au cours de la saison, Stone remporta 14 victoires consécutives.

		P	CS	E	Lanceur
SÉRIE MONDIALE 1980					
1	Kansas City	6	9	1	Dennis Leonard
	Philadelphie	7	11	0	Bob Walk
2	Kansas City	4	11	0	Dan Quisenberry
	Philadelphie	6	8	1	Steve Carlton
3	Philadelphie	3	14	0	Tug McGraw
	Kansas City	4	11	0	Dan Quisenberry
4	Philadelphie	3	10	1	Larry Christenson
	Kansas City	5	10	2	Dennis Leonard
5	Philadelphie	4	7	0	Tug McGraw
	Kansas City	3	12	2	Dan Quisenberry
6	Kansas City	1	7	2	Rich Gale
	Philadelphie	4	9	0	Steve Carlton

BASEBALL MAJEUR — CLASSEMENT FINAL

LIGUE AMÉRICAINE

Division Est

	G	P	%	Diff.
New York	103	59	.636	—
Baltimore	100	62	.617	3
Milwaukee	86	76	.531	17
Boston	83	77	.519	19
Détroit	84	78	.519	19
Cleveland	79	81	.494	23
Toronto	67	95	.414	36

Division Ouest

	G	P	%	Diff.
*Kansas City	97	65	.599	—
Oakland	83	79	.512	14
Minnesota	77	84	.478	19½
Texas	76	85	.472	20½
Chicago	70	90	.438	26
Californie	65	95	.406	31
Seattle	59	103	.364	38

*Champions de la ligue

LIGUE NATIONALE

Division Est

	G	P	%	Diff.
*Philadelphie	91	71	.562	—
Montréal	90	72	.556	1
Pittsburgh	83	79	.512	8
St. Louis	74	88	.457	17
New York	67	95	.414	24
Chicago	64	98	.395	27

Division Ouest

	G	P	%	Diff.
Houston	93	70	.571	—
Los Angeles	92	71	.568	1
Cincinnati	89	73	.549	3½
Atlanta	81	80	.503	11
San Francisco	75	86	.466	17
San Diego	73	89	.451	19½

MENEURS DES LIGUES MAJEURES

LIGUE AMÉRICAINE

Frappeurs

	PB	CS	%
G. Brett, Kansas City	449	175	.390
Cooper, Milwaukee	622	219	.352
Dilone, Cleveland	528	180	.341
Rivers, Texas	630	210	.333
Carew, Californie	540	179	.331
Bell, Texas	489	161	.329
Wilson, Kansas City	705	230	.326
Stapleton, Boston	449	144	.321
Bumbry, Californie	641	205	.320
Oliver, Texas	656	209	.319

Lanceurs

	C	P	MPM
May, New York	15	5	2.46
Norris, Oakland	22	9	2.53
Burns, Chicago	15	13	2.84
Keough, Oakland	16	13	2.92
Gura, Kansas City	18	10	2.95

Coups de circuit

Jackson, New York	41
Ogilvie, Milwaukee	41
Thomas, Milwaukee	38
Armas, Oakland	35
Murray, Baltimore	32

LIGUE NATIONALE

Frappeurs

	PB	CS	%
Buckner, Chicago	578	187	.324
Hernandez, Saint-Louis	595	191	.321
Templeton, Saint-Louis	504	161	.319
McBride, Philadelphie	554	171	.309
Cedeno, Houston	499	154	.309
Dawson, Montréal	577	178	.308
Garvey, Los Angeles	658	200	.304
Collins, Cincinnati	551	167	.303
Simmons, Saint-Louis	495	150	.303
Hendrick, Saint-Louis	572	173	.302

Lanceurs

	G	P	MPM
Sutton, Los Angeles	13	5	2.20
Carlton, Philadelphie	24	9	2.34
Reuss, Los Angeles	18	6	2.51
Blue, San Francisco	14	10	2.97
Rogers, Montréal	16	11	2.98

Coups de circuit

Schmidt, Philadelphie	48
Horner, Atlanta	35
Murphy, Atlanta	33
Carter, Montréal	29
Baker, Los Angeles	29

LIGUE MINIME DE BASEBALL

Les joueurs de T'aï-wan qui participent aux compétitions de la ligue minime de baseball glanent lauriers sur lauriers. Une fois de plus, ils ont dominé en 1980 les séries mondiales qui se sont déroulées comme tous les ans à Williamsport en Pennsylvanie et ont remporté le tournoi pour la quatrième fois consécutive.

Dans tous les matches qu'ils ont disputés, les Taïwanais ont confirmé leur écrasante supériorité. À l'issue du premier des trois matches qu'ils disputèrent à Williamsport, le lanceur Shuh-Shin Li n'accorda que deux coups sûrs et retira au bâton les douze frappeurs qui lui furent opposés. Sa brillante performance permit à son équipe de s'imposer par 6 à 0 devant Curaçao des Antilles néerlandaises. En demi-finale, T'aï-wan établit un record en réussissant sept circuits aux dépens de Trail (Colombie britannique) qu'elle élimina par le score sans appel de 23 à 0.

Au cours des éliminatoires, les deux équipes finalistes (T'aï-wan et Tampa) s'étaient signa-lées par une force de frappe particulièrement éloquente. À l'issue des deux premiers matches, le score total des Taïwanais était de 29 à 0 alors que celui des Floridiens était de 36 à 3. En finale, Li allait une fois de plus être l'artisan de la victoire de son équipe. Il reprit en effet sa place au monticule pour n'accorder que quatre coups sûrs aux frappeurs de Tampa. Il réussit en outre un circuit aux dépens de Kirk Walker, le lanceur de l'équipe de Tampa.

Au cours de la première manche, les Taïwa-nais croisèrent le marbre à deux reprises sur un simple de Li et une erreur de Tampa. Tyrone Griffin, l'arrêt-court de Tampa, combla en partie le retard de son équipe en frappant un circuit vers la fin de la première manche. C'est au cours de la troisième manche que Li réussit son circuit, immédiatement imité en cela par Chen qui portait ainsi l'avantage de son équipe à 4 à 1. À eux deux, Li et Chen réus-sirent sept circuits lors des trois matches qu'ils disputèrent.

Tampa ne s'avouait pourtant pas vaincue et croisait le marbre au cours de la quatrième manche sur un double de Clayton Wilson et un simple de Walker. Ce fut ensuite au tour de Gary Sheffield de frapper un double avant de croiser le marbre sur deux retraits au champ intérieur. Tampa devait malgré tout concéder la victoire finale à T'aï-wan.

Le lanceur Shuh-Shin Li est lancé en l'air par ses équipiers après que son équipe eut gagné la série mondiale pour la quatrième fois consécutive.

BASKET-BALL

Kareem Abdul-Jabbar (33) et Earvin (Magic) Johnson (32) ont permis au Lakers de Los Angeles de remporter le championnat de la NBAA.

Pour la onzième année consécutive, le basket-ball professionnel américain a couronné une nouvelle équipe. Il s'agit cette fois des Lakers de Los Angeles qui ont enlevé le titre 1980 de la *National Basketball Association* (NBA) en s'imposant par 4 victoires à 2 en série finale devant les 76ers de Philadelphie. Les deux équipes remportèrent alternativement les quatre premières rencontres. Les Lakers devaient ensuite s'assurer le titre avec deux victoires successives, la dernière sur terrain adverse à Philadelphie. À l'issue de ce dernier match, les Lakers l'emportaient avec une avance de 16 points, ce qui constituait la marge la plus importante de toute la série éliminatoire.

Les Lakers assurèrent leur succès dans des conditions exceptionnelles. Privés de leur entraîneur Jack McKinney, qui était blessé, ils jouèrent sous les ordres de Paul Westhead qui assuma avec bonheur ses responsabilités d'entraîneur suppléant. Ils durent en outre leur dernière victoire aux exploits d'Earvin (Magic) Johnson dont c'était la première année en basket-ball professionnel. Le vétéran Kareem Abdul-Jabbar s'est imposé comme joueur étoile des Lakers du début de la saison à la cinquième rencontre de la série finale, rencontre au cours de laquelle il se foula la cheville. Johnson, une nouvelle recrue, s'imposa d'emblée comme le digne remplaçant d'Abdul-Jabbar. Lors du dernier match, remporté par un score de 123 à 107 par les Lakers, Johnson contribua au succès de son équipe en marquant 42 points à lui seul. C'est d'ailleurs lui qui se vit attribuer le trophée du joueur le plus utile à son équipe.

Les Celtics de Boston avaient terminé la saison régulière de la NBA en tête de classement avec une fiche de 61 victoires contre 21 défaites, soit deux victoires de plus que Philadelphie. Toutefois, les 76ers allaient être couronnés champions de la Conférence de l'Est en éliminant l'équipe de Boston qui avait déjà remporté treize fois le titre de la ligue.

Lors de la série finale de la Conférence de l'Ouest, les Lakers détrônèrent les champions 1979, les SuperSonics de Seattle, par quatre victoires à une. Les SuperSonics étaient sortis vainqueurs de la difficile série éliminatoire qui les avait opposés à Milwaukee.

CLASSEMENT FINAL DE LA NBA
CONFÉRENCE DE L'EST
Division de l'Atlantique

	G	P	%
Boston	61	21	.744
Philadelphia	59	23	.720
Washington	39	43	.476
New York	39	43	.476
New Jersey	34	48	.415

Division du Centre

	G	P	%
Atlanta	50	32	.610
Houston	41	41	.500
San Antonio	41	41	.500
Cleveland	37	45	.451
Indiana	37	45	.451
Détroit	16	66	.195

CONFÉRENCE DE L'OUEST
Division du Midwest

	G	P	%
Milwaukee	49	33	.598
Kansas City	47	35	.573
Chicago	30	52	.366
Denver	30	52	.366
Utah	24	58	.293

Division du Pacifique

	G	P	%
Los Angeles	60	22	.732
Seattle	56	26	.683
Phoenix	55	27	.671
Portland	38	44	.463
San Diego	35	47	.427
Golden State	24	58	.293

Champion de la NBA : Lakers de Los Angeles

BASKET-BALL COLLÉGIAL

Conférence	Gagnant
Atlantic Coast	Maryland (saison régulière)
	Duke (tournoi)
Big Eight	Missouri (saison régulière)
	Kansas State (tournoi)
Big Ten	Indiana
Ivy League	Pennsylvanie
Mid-American	Toledo
Missouri Valley	Bradley
Pacific Ten	Oregon State
Southeastern	Kentucky (saison régulière)
	Louisiana State (tournoi)
Southern	Furman
Southwest	Texas A & M
West Coast Athletic	San Francisco/
	St. Mary's Moraga (ex æquo)
Western Athletic	Brigham Young

Champion de la NCAA : Louisville

Champion de la NIT : Virginie

L'université de Louisville a remporté son premier titre de NCAA en battant l'équipe de l'UCLA 59 à 54.

Au niveau du basket-ball universitaire, l'université de Louisville a remporté son premier titre de la NCAA grâce à sa victoire de 59 à 54 sur l'équipe de UCLA. Cette dernière avait déjà remporté dix fois le titre. Darrell Griffith, auteur de 23 points en finale pour Louisville, se vit attribuer le titre de joueur le plus utile à son équipe.

Quarante-huit équipes participaient au championnat de la NCAA mais, sur les quatre demi-finalistes, l'université de Louisville était la seule à s'être bien placée au cours de la saison régulière (elle avait terminé au deuxième rang avec une fiche de 31 victoires et 3 défaites). Purdue (22-9) était vingtième alors que ni UCLA (21-9) ni Iowa (23-8) n'étaient classées. À la surprise générale, UCLA avait éliminé DePaul, classée au premier rang, dès le début du tournoi.

L'équipe de l'Old Dominion University conserva son titre de championne de l'*Association for Intercollegiate Athletics for Women* (AIAW) en défaisant Tennessee par 68 à 53 en finale. La Danoise Inge Nissen, qui marqua 20 points, fut la joueuse la plus adroite de Old Dominion.

FOOTBALL

▶ FOOTBALL PROFESSIONNEL CANADIEN

Les Eskimos d'Edmonton ont tenu le haut du pavé du commencement à la fin de la saison de la Ligue canadienne de football. Après avoir remporté 13 matches en campagne régulière, ils ont éliminé les Blue Bombers de Winnipeg dans la finale de la Section ouest. Une semaine plus tard, ils devenaient les détenteurs de la Coupe Grey pour une troisième année d'affilée en battant les représentants de la Section est, les Tiger-Cats de Hamilton par le compte de 48 à 10.

Les Eskimos ont inscrit plusieurs records d'équipes lors de la dernière saison. Le plus remarquable est celui d'avoir marqué 505 points soit presque 100 de plus que leurs plus proches adversaires dans ce domaine, les Stampeders de Calgary. Les champions de la Coupe Grey ont également placé le plus de joueurs sur l'équipe d'étoiles de la Ligue canadienne soit 12. Les Blue Bombers de Winnipeg suivent avec 11 représentants.

Les Tiger-Cats de Hamilton ont obtenu la meilleure fiche dans l'Est soit huit victoires, sept défaites et un match nul. Un tel palmarès n'aurait pas été suffisant dans la Section ouest pour participer aux séries d'après-saison. En séries éliminatoires de leur section, les Tiger-Cats ont éliminé les Alouettes de Montréal.

Le meilleur porteur de ballon des Eskimos d'Edmonton, Jim Germany fonce à travers la ligne des Alouettes de Montréal alors que Tom Cousineau (45) se prépare à effectuer un plaqué.

Suite à leur participation au match de la Coupe Grey, l'équipe de la ville de l'acier a perdu les services de son entraîneur en chef, John Payne. Ce dernier a remis sa démission parce que le propriétaire de l'équipe, Harold Ballard a manifesté ouvertement son manque de confiance en lui.

Le quart des Blue Bombers de Winnipeg, Dieter Brock, a été choisi le joueur par excellence au pays. Brock a inscrit plusieurs nouvelles marques dont celle du plus grand nombre de passes tentées et celle du plus grand nombre de passes réussies qui appartenaient à Peter Liske des Stampeders de Calgary depuis 1967. Brock, grand responsable de l'amélioration des Bombers en 1980, a tenté 514 passes et en a réussi 304 pour présenter une moyenne de .591. Un autre quart, Gerry Dattillio des Alouettes de Montréal, a été choisi le joueur canadien par excellence aux dépens du plaqueur Dave Fennell des Eskimos d'Edmonton. Dan Kepley des Eskimos a été choisi le meilleur joueur défensif contre Tom Cousineau des Alouettes de Montréal. Au titre de meilleur joueur de ligne à l'attaque, Mike Wilson, un autre porte-couleurs des Eskimos, l'a emporté contre Val Belcher des Rough Riders d'Ottawa. Willie Miller des Bombers a été sélectionné comme recrue par excellence aux dépens du joueur Dave Newman des Argonauts de Toronto.

▶ FOOTBALL UNIVERSITAIRE CANADIEN

Les Golden Bears de l'Université de l'Alberta ont dominé la scène du football universitaire canadien tout comme les Eskimos d'Edmonton l'ont fait au niveau du football professionnel canadien. Une semaine après la conquête de la Coupe Grey par les Eskimos, les Golden Bears méritaient le trophée Georges P. Vanier — attribué annuellement à la formation qui enlève les honneurs du College Bowl — en l'emportant sur les Gee-Gees de l'Université d'Ottawa. Pour se rendre à la finale nationale, les Golden Bears dirigés par Jim Donlevy, ont vaincu les Mustangs de l'université Western. Ces derniers peuvent se consoler à la pensée que leur as porteur de ballon Greg Marshall, un athlète de 6'1'' et 230 livres, a été choisi le joueur universitaire par excellence et qu'il a mérité le trophée Hec Crighton.

Ce fut en quelque sorte une surprise que de voir les Gee-Gees d'Ottawa se rendre au College Bowl. Une victoire aux dépens des Axemen d'Acadia lors de l'Atlantic Bowl a pavé la voie à cette participation. S'ils n'ont pas battu les Golden Bears, les Gee-Gees ont vu leur pilote, Cam Innes, être choisi l'entraîneur en chef par excellence.

▶ FOOTBALL PROFESSIONNEL AMÉRICAIN

Les surprises ont été nombreuses lors de la saison régulière de là Ligue nationale de football. Il faut tout d'abord souligner l'absence des Steelers de Pittsburgh des séries éliminatoires. Vainqueur des deux derniers Super Bowls et de quatre des six dernières classiques de championnat, les Steelers n'ont pu faire mieux que d'obtenir une troisième position dans leur section. C'est la première fois depuis 1971 qu'ils n'ont pas participé aux séries d'après-saison.

Les Eagles de Philadelphie et les Falcons d'Atlanta ont été les formations de la Conférence nationale avec les meilleurs fiches (12-4). Ils ont remporté respectivement les championnats des sections est et ouest. Les Vikings du Minnesota ont été couronnés champions dans la section centrale. Toutes les équipes participant aux séries éliminatoires venant de la Conférence américaine ont eu des fiches identiques de 11 victoires et cinq défaites. Les Bills de Buffalo, les Browns de Cleveland et les Chargers de San Diego ont été les champions des trois sections. Les Cowboys de Dallas et les Rams de Los Angeles dans la Conférence nationale ainsi que les Oilers de Houston et les Raiders d'Oakland dans la Conférence américaine ont également obtenu une participation aux séries de fin de saison.

Earl Campbell des Oilers de Houston a été le meilleur porteur de ballon de la Ligue Nationale pour une troisième année d'affilée. Il a franchi la distance de 1 934 verges soit la meilleure performance depuis les beaux jours de O.J. Simpson en 1973. La recrue Billy Sims des Lions de Détroit a bien tiré son épingle du jeu amassant des gains de 1 303 verges sur des jeux au sol. Les receveurs de passes des Chargers de San Diego ont retenu l'attention car trois d'entre eux ont atteint le plateau des 1 000 verges par la voie des airs. Aidés par le puissant bras de Dan Fouts, John Jefferson,

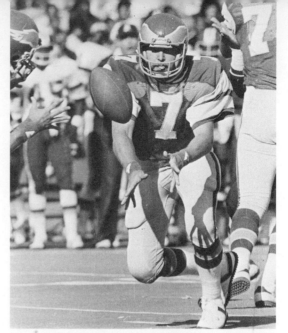

Le quart des Eagles de Philadelphie Ron Jaworski a dirigé ses coéquipiers à une fiche de 12-4.

Charlie Joiner et Kellen Winslow ont établi cette nouvelle marque. Le quart des Chargers a passé sur une distance de 4 715 verges pour connaître une deuxième saison d'affilée de 1 000 verges et plus. Brian Sipe des Browns de Cleveland a également atteint ce plateau.

▶ FOOTBALL UNIVERSITAIRE AMÉRICAIN

Les partisans des Bulldogs de l'Université de la Georgie sont fiers de leur équipe. Elle a été la seule formation au football universitaire américain à ne pas subir la défaite en saison régulière, compilant une fiche de 11-0-0. Leurs succès de 1980 sont d'autant plus remarquables que la saison précédente, ils avaient présenté une fiche de 6-5. La tenue de leur as porteur de ballon Herschel Walker qui a amassé des gains de 1 616 verges est une des causes primordiales de ce revirement de situation. Walker a terminé au troisième rang pour l'obtention du trophée Heisman, attribué annuellement au joueur par excellence du football universitaire américain.

George Rogers de l'Université de la Caroline du Sud a remporté ce trophée. Durant la saison régulière, Rogers a gagné 1 781 verges sur des jeux au sol et il a conservé une moyenne remarquable de 6.0 verges par portée. Hugh Green, un ailier défensif de l'Université de Pittsburgh, a terminé deuxième.

George Rogers de l'Université de la Caroline du Sud a remporté le trophée Heisman.

CLASSEMENT FINAL DE LA LNF

CONFERENCE AMERICAINE

Section Est

	G	P	N	Moy.	PP	PC
Buffalo	11	5	0	.688	320	260
N.-Angl.	10	6	0	.625	441	325
Miami	8	8	0	.500	266	305
Baltimore	7	9	0	.437	355	387
Jets N.Y.	4	12	0	.250	302	395

Section Centrale

	G	P	N	Moy.	PP	PC
Cleveland	11	5	0	.688	357	310
Houston	11	5	0	.688	295	251
Pittsburgh	9	7	0	.563	352	313
Cincinnati	6	10	0	.375	244	312

Section Ouest

	G	P	N	Moy.	PP	PC
San Diego	11	5	0	.688	418	327
Oakland	11	5	0	.688	364	306
Denver	8	8	0	.500	310	323
Kansas City	8	8	0	.500	319	336
Seattle	4	12	0	.250	291	408

CONFERENCE NATIONALE

Section Est

	G	P	N	Moy.	PP	PC
Philadelphie	12	4	0	.750	384	222
Dallas	12	4	0	.750	454	311
Washington	6	10	0	.375	261	293
St-Louis	5	11	0	.313	299	350
Giants N.Y.	4	12	0	.250	249	425

Section Centrale

	G	P	N	Moy.	PP	PC
Minnesota	9	7	0	.563	317	308
Détroit	9	7	0	.563	334	272
Chicago	7	9	0	.437	304	264
Tampa Bay	5	10	1	.344	271	341
Green Bay	5	10	1	.344	231	371

Section Ouest

	G	P	N	Moy.	PP	PC
Atlanta	12	4	0	.750	405	272
Los Angeles	11	5	0	.688	424	289
San Francisco	6	10	0	.375	320	415
N. Orléans	1	15	0	.063	291	487

LIGUE CANADIENNE DE FOOTBALL
CLASSEMENT FINAL

Section Est

	G	P	N	PP	PC	PTS
Hamilton	8	7	1	332	377	17
Montréal	8	8	0	356	375	16
Ottawa	7	9	0	353	393	14
Toronto	6	10	0	334	358	12

Section Ouest

	G	P	N	PP	PC	PTS
Edmonton	13	3	0	505	281	26
Winnipeg	10	6	0	394	387	20
Calgary	9	7	0	407	355	18
C.-B.	8	7	1	381	351	17
Saskatchewan	2	14	0	284	469	4

Champion de la Coupe Grey : Edmonton

Jack Nicklaus, au cours du championnat des États-Unis qu'il remporta pour la quatrième fois. En 1980, Nicklaus fut vainqueur, pour la cinquième fois, du tournoi PGA.

GOLF

PROFESSIONNEL		AMATEUR	
	Individuel		**Individuel**
Maîtres	Severiano Ballesteros	**États-Unis**	Hal Sutton
Omnium américain	Jack Nicklaus	**États-Unis (dames)**	Julie Simpson Inkster
Omnium canadien	Bob Gilder	**Grande-Bretagne**	David Evans
Omnium britannique	Tom Watson	**Grande-Bretagne (dames)**	Anne Sander
PGA	Jack Nicklaus	**Canada**	Greg Olson
Série mondiale	Tom Watson	**Canada (dames)**	Edwina Kennedy
Omnium américain (dames)	Amy Alcott		
PGA (dames)	Sally Little		
	Équipe		**Équipe**
Coupe du monde	Canada	**Coupe Curtis**	États-Unis

GYMNASTIQUE

Quarante athlètes venus de 15 pays différents ont participé au championnat de gymnastique *America Cup*, disputé à New York en mars 1980. Deux Américains ont dominé cette rencontre. Tracy Talavera, 13 ans (à gauche, sur la poutre), obtenait le meilleur résultat au classement individuel et gagnait 3 autres épreuves, tandis que Kurt Thomas, 23 ans (ci-dessous, au cheval d'arçons), remportait le classement individuel et quatre autres épreuves, tout en se classant premier ex-æquo dans une cinquième.

HOCKEY

La glorieuse incertitude du sport n'est pas une vaine expression. Si besoin était, la victoire surprise des Islanders de New York en coupe Stanley viendrait nous le confirmer. Admis dans la LNH il y a huit ans seulement, les Islanders sont la deuxième équipe d'expansion qui ait réussi à s'emparer du titre qu'envient les champions de hockey professionnel.

Après la victoire de New York dans le premier match de la série finale, Philadelphie devait prendre une éclatante revanche en s'adjugeant le deuxième match par 8 à 3.

Toutefois les Islanders surent réagir avec panache en remportant les deux matches suivants à domicile sur des scores de 6 à 2 et 5 à 2. Menés 3 victoires à 1, les Flyers ne devaient cependant pas baisser les bras et, jouant avec l'énergie du désespoir, ils remportaient le cinquième match par 6 à 3. La sixième rencontre allait être d'une grande intensité. Menés 4 à 2 au cours de la troisième période, les Flyers comblaient leur retard et obligeaient les Islanders à disputer une période supplémentaire. Finalement, 7 minutes 11 secondes après le début de la prolongation, Bob Nystrom mettait un terme aux espoirs des Flyers ainsi qu'à la saison de hockey en marquant le but qui donnait le titre aux Islanders.

Il s'agissait du deuxième but de la partie pour Nystrom qui devait faire preuve d'une grande efficacité en marquant un total de 9 buts au cours des éliminatoires. Le titre de joueur le plus utile à son équipe pendant les éliminatoires devait toutefois revenir à Bryan Trottier dont les 29 points comptés en séries éliminatoires constituaient un nouveau record de la LNH.

À l'issue du championnat, rares étaient ceux qui accordaient aux Islanders la moindre chance de gagner la coupe. Ils avaient terminé la saison régulière avec une fiche de 39 victoires, 28 défaites et 13 nuls pour un total de 91 points, ce qui les plaçait au cinquième rang des 21 équipes de la ligue. De leur côté, les Flyers avaient terminé la saison régulière en tête de classement avec une fiche de 48-12-20 leur assurant un total de 116 points. Ils avaient en outre établi un nouveau record : 35 matches consécutifs sans défaite (25 victoires, 10 nuls) entre le 13 octobre et le 7 janvier.

Les séries éliminatoires allaient toutefois révéler les progrès réalisés en fin de saison par l'équipe new-yorkaise. Elle éliminait successivement les Kings de Los Angeles par 3 victoires à 1, les Bruins de Boston par 4 victoires à 1 et les Sabres de Buffalo par 4 victoires à 2 pour accéder à la série finale.

Les Canadiens de Montréal, champions en titre pour la quatrième année consécutive, avaient perdu tout espoir de prolonger leur règne en se faisant éliminer 4 victoires à 3 en quart de finale par les North Stars du Minnesota.

Ils allaient ensuite subir la loi des Flyers qui les éliminaient par 4 victoires à 1 en demi-finale.

Les Islanders et les Flyers se disputèrent âprement la coupe Stanley, qui revint à New York par 4 victoires à 2.

Wayne Gretzky, des Oilers d'Edmonton,
a remporté deux trophées :
le Hart et le Lady Byng.

LIGUE NATIONALE — CLASSEMENT FINAL

CONFÉRENCE CLARENCE CAMPBELL

Division Lester Patrick

	G	P	N	Pts
Philadelphie	48	12	20	116
Islanders de N.Y.	39	28	13	91
Rangers de N.Y.	38	32	10	86
Atlanta	35	32	13	83
Washington	27	40	13	67

Division Connie Smythe

	G	P	N	Pts
Chicago	34	27	19	87
St-Louis	34	34	12	80
Vancouver	27	37	16	70
Edmonton	28	39	13	69
Colorado	19	48	13	51
Winnipeg	20	49	11	51

CONFÉRENCE PRINCE DE GALLES

Division James Norris

	G	P	N	Pts
Montréal	47	20	13	107
Los Angeles	30	36	14	74
Pittsburgh	30	37	13	73
Hartford	27	34	19	73
Détroit	26	43	11	63

Division Charles Adams

	G	P	N	Pts
Buffalo	47	17	16	110
Boston	46	21	13	105
Minnesota	36	28	16	88
Toronto	35	40	5	75
Québec	25	44	11	61

Coupe Stanley : Islanders de New York

MEILLEURS JOUEURS

Trophée Calder (recrue)	Raymond Bourque, Boston
Trophée Smythe (éliminatoire)	Bryan Trottier, Islanders de New York
Trophée Hart (le plus utile)	Wayne Gretzky, Edmonton
Trophée Lady Byng (esprit sportif)	Wayne Gretzky, Edmonton
Trophée Norris (joueur de défense)	Larry Robinson, Montréal
Trophée Ross (compteur)	Marcel Dionne, Los Angeles
Trophée Vézina (gardiens de but)	Robert Sauvé et Don Edwards, Buffalo

Hanni Wenzel (Liechtenstein) a remporté le championnat du monde de ski féminin, tandis que son frère, Andreas, gagnait chez les hommes.

PATINAGE

PATINAGE ARTISTIQUE

Championnats du monde

Hommes	Jan Hoffman, Allemagne de l'Est
Femmes	Anett Poetzsch, Allemagne de l'Est
Couples	Marina Chersekova / Sergei Shakrai, U.R.S.S.
Danse	Kirsztina Regoeczy / Andras Sallay, Hongrie

Championnats américains

Hommes	Charles Tickner
Femmes	Linda Fratianne
Couples	Tai Babilonia / Randy Gardner
Danse	Stacey Smith / John Summers

PATINAGE DE VITESSE

Championnats du monde

Hommes	Hilbert van der Duim, Pays-Bas
Femmes	Natalya Petruseva, U.R.S.S.

SKI

CHAMPIONNATS DE LA COUPE DU MONDE

Hommes	Andreas Wenzel, Liechtenstein
Femmes	Hanni Wenzel, Liechtenstein

CHAMPIONNATS AMÉRICAINS DE SKI ALPIN

	Hommes	Femmes
Descente	Dave Irwin	Cindy Nelson
Slalom	Steve Mahre	Christin Cooper
Slalom géant	Peter Monod	Christin Cooper
Combiné	Jim Kirby	Christin Cooper

CHAMPIONNATS CANADIENS DE SKI ALPIN

	Hommes	Femmes
Descente	Ken Read	Laurie Graham
Slalom	Peter Monod	Lynn Lacasse
Slalom géant	Peter Monod	Ann Blackburn
Combiné	Cesare Percini	Ann Blackburn

Les cosmos de New York ont remporté 3 à 0 la coupe de soccer 1980 contre les Strikers de Fort Lauderdale. Giorgio Chinaglia (à droite) a été nommé le joueur le plus utile à son équipe.

SOCCER

CLASSEMENT FINAL — LIGUE NORD-AMÉRICAINE DE SOCCER

CONFÉRENCE NATIONALE

Division de l'Est

	G	P	BP	BC	Pts
New York	24	8	87	41	213
Washington	17	15	72	61	159
Toronto	14	18	49	65	128
Rochester	12	20	42	67	109

Division centrale

	G	P	BP	BC	Pts
Dallas	18	14	57	58	157
Minnesota	16	16	66	56	147
Tulsa	15	17	56	64	139
Atlanta	7	25	34	84	74

Division de l'Ouest

	G	P	BP	BC	Pts
Seattle	25	7	74	31	208
Los Angeles	20	12	61	52	174
Vancouver	16	16	52	47	139
Portland	15	17	50	53	133

CONFÉRENCE AMÉRICAINE

Division de l'Est

	G	P	BP	BC	Pts
Tampa Bay	19	13	61	50	168
Ft. Lauderdale	18	14	61	55	163
N.-Angleterre	18	14	54	56	154
Philadelphie	10	22	42	68	98

Division centrale

	G	P	BP	BC	Pts
Chicago	21	11	80	50	187
Houston	14	18	56	69	130
Détroit	14	18	51	52	129
Memphis	14	18	49	57	126

Division de l'Ouest

	G	P	BP	BC	Pts
Edmonton	17	15	58	51	149
Californie	15	17	61	67	144
San Diego	16	16	53	51	140
San Jose	9	23	45	68	95

Coupe de soccer 1980 : Cosmos de New York

Le nageur américain Bill Barrell a établi un nouveau record mondial au 200 mètres quatre nages.

NATATION

RECORDS MONDIAUX ÉTABLIS EN 1980

DISCIPLINE	TITULAIRE	TEMPS
	Messieurs	
200 mètres nage libre	Rowdy Gaines, É.-U.	1 min 49 s 16
400 mètres nage libre	Peter Szmidt, Canada	3 min 50 s 49
1 500 mètres nage libre	Vladimir Salnikov, U.R.S.S.	14 min 58 s 27
100 mètres papillon	Par Arvidsson, Suède	0 min 54 s 15
200 mètres papillon	Craig Beardsley, É.U.	1 min 58 s 21
200 mètres quatre nages	Bill Barrett, É.-U.	2 min 03 s 24
	Dames	
100 mètres nage libre	Barbara Krause, All. de l'Est	0 min 54 s 79
100 mètres dos	Rica Reinisch, All. de l'Est	1 min 00 s 86
200 mètres dos	Rica Reinisch, All. de l'Est	2 min 11 s 77
100 mètres brasse	Ute Geweniger, All. de l'Est	1 min 10 s 11
100 mètres papillon	Mary T. Meagher, É.-U.	0 min 59 s 26
200 mètres papillon	Mary T. Meagher, É.-U.	2 min 06 s 37
200 mètres quatre nages	Petra Schneider, All. de l'Est	2 min 13 s 00
400 mètres quatre nages	Petra Schneider, All. de l'Est	4 min 36 s 29

Evonne Goolagong Cawley remporta le tournoi de Wimbledon, neuf ans après sa première victoire.

TENNIS

Deux rencontres exaltantes auront marqué la saison de tennis 1980. Il s'agit des finales du tournoi de Wimbledon en Angleterre et de l'Omnium des États-Unis. Fait remarquable, ces deux finales ont opposé les deux mêmes joueurs : le Suédois Björn Borg et l'Américain John McEnroe.

Leur premier affrontement eut lieu en juillet sur le court central de Wimbledon. Borg s'imposa en cinq sets (1-6, 7-5, 6-3, 6-7, 8-6), battant ainsi le record qu'il avait établi l'année précédente. Il remportait en effet le titre des simples messieurs du tournoi de Wimbledon pour la cinquième fois consécutive.

Borg et McEnroe devaient se retrouver en finale de l'Omnium des États-Unis en septembre au Centre national de tennis de New York. McEnroe, 21 ans, prenait une splendide revanche et conservait le titre qu'il avait conquis en 1979. Il battit Borg en cinq sets (7-6, 6-1, 6-7, 5-7, 6-4) au cours d'une partie acharnée qui dura quatre heures. Pour la première fois en quatre ans, Borg perdait un match disputé en cinq sets. Il voyait aussi le titre de l'Omnium des États-Unis lui échapper une fois de plus.

Chez les dames, les titres des simples du tournoi de Wimbledon et de l'Omnium des États-Unis devaient respectivement revenir à l'Australienne Evonne Goolagong Cawley et à l'Américaine Chris Evert Lloyd.

Neuf ans après avoir remporté son premier titre des simples dames de Wimbledon, Evonne Goolagong Cawley battait Chris Evert Lloyd en finale (6-1, 7-6). Martina Navratilova, après avoir gagné les deux dernières années, s'inclinait en demi-finale devant Chris Evert Lloyd.

Après avoir enlevé le titre des simples dames des championnats de France et d'Italie, Chris Evert Lloyd devait également reprendre la couronne de l'Omnium des États-Unis qu'elle avait détenu de 1975 à 1978. En finale, elle battit la Tchèque Hana Mandlikova en trois sets (5-7, 6-1, 6-1). La veille, elle avait éliminé la jeune championne sortante Tracy Austin, 17 ans, (4-6, 6-1, 6-1).

TOURNOI DE TENNIS

	Omnium d'Australie	Omnium de France	Wimbledon	Omnium des États-Unis
Simples messieurs	Guillermo Vilas, Argentine	Björn Borg, Suède	Björn Borg, Suède	John McEnroe, É.-U.
Simples dames	Barbara Jordan, É.-U.	Chris Evert Lloyd, É.-U.	Evonne Goolagong Cawley, Australie	Chris Evert Lloyd, É.-U.
Doubles messieurs	Peter McNamara, Australie/ Paul McNamee, Australie	Victor Amaya, É.-U./ Hank Pfister, É.-U.	Peter McNamara, Australie/ Paul McNamee, Australie	Bob Lutz, É.-U./ Stan Smith, É.-U.
Doubles dames	Judy Chaloner, Nouvelle-Zélande/ Dianne Evers, Australie	Kathy Jordan, É.-U./ Anne Smith, É.-U.	Kathy Jordan, É.-U./ Anne Smith, É.-U.	Billie Jean King, É.-U./ Martina Navratilova, É.-U.

Coupe Davis : Tchécoslovaquie

L'athlète américaine Mary Decker a établi un nouveau record mondial du mille.

ATHLÉTISME

RECORDS MONDIAUX ÉTABLIS EN 1980

DISCIPLINE	ATHLÈTE	RECORD
	Messieurs	
1 000 mètres	Sebastian Coe, Grande-Bretagne	2 min 13 s 4
1 500 mètres	Steve Ovett, Grande-Bretagne	3 min 31 s 4
1 mille	Sebastian Coe, Grande-Bretagne	3 min 48 s 8
400 mètres haies	Edwin Moses, É.-U.	47 s 13
Saut en hauteur	Gerd Wessig, All. de l'Est	2,35 m
Saut à la perche	Wladyslaw Kozakiewicz, Pologne	5,78 m
Lancer du javelot	Ferenc Paragi, Hongrie	96,72 m
Lancer du marteau	Yuri Sedykh, U.R.S.S.	81,80 m
Décathlon	Guido Kratschmer, All. de l'Ouest	8 649 pts
	Dames	
100 mètres	Lyudmila Kondratyeva, U.R.S.S.	10 s 87
800 mètres	Nadyezhda Olizarenko, U.R.S.S.	1 min 53 s 50
1 500 mètres	Tatyana Kazankina, U.R.S.S.	3 min 52 s 47
1 mille	Mary Decker, É.-U.	4 min 21 s 7
100 mètres haies	Grazyna Rabsztyn, Pologne	12 s 36
400 mètres haies	Karin Rossley, All. de l'Est	54 s 28
Lancer du poids	Ilona Slupianek, All. de l'Est	22,45 m
Lancer du disque	Maria Vergova, Bulgarie	71,81 m
Lancer du javelot	Tatyana Biryulina, U.R.S.S.	70,08 m
Pentathlon	Nadyezhda Tkachenko, U.R.S.S.	5 083 pts.

SPORTS :
FLASH D'INFORMATION

Déçus de ne pouvoir participer aux Jeux olympiques, les nageurs américains purent néanmoins participer à leur propre compétition, en Californie. Les différentes épreuves eurent lieu en août, juste après les Jeux olympiques, ce qui permit aux Américains de comparer leurs résultats aux temps réalisés à Moscou. D'après leurs performances, les nageurs américains auraient remporté 10 des 22 épreuves olympiques individuelles. Chez les hommes, Craig Beardsley *(à droite)*, du New Jersey, établit un nouveau record du monde aux 200 mètres papillon.

Les athlètes des 25 pays ayant opté pour le boycottage des Jeux olympiques s'affrontèrent lors d'une réunion internationale d'athlétisme organisée en juillet à Philadelphie. La Canadienne Diane Jones Konihowski *(ci-dessous, à droite)* devait s'imposer au pentathlon. On la voit ici coude à coude avec l'Allemande de l'Ouest Cornelia Swisk lors du 100 mètres haies.

N RELAYS   PENN RELAYS

C'était son premier marathon, mais Alberto Salazar (ci-dessus, à droite) a démontré qu'il était un coureur de fond de classe mondiale. Originaire du Massachusetts, cet athlète de 22 ans a établi un nouveau record du parcours de 26 milles 385 verges (42,195 km) en remportant le marathon de New York disputé en octobre. La Norvégienne Grete Waitz s'est classée première chez les femmes en améliorant son propre record.

En avril 1980, Bill Rodgers, grand favori de la foule, s'est adjugé le marathon de Boston, l'épreuve de fond sur route la plus célèbre du monde. Il remportait ainsi sa troisième victoire consécutive dans cette épreuve, la quatrième au total. Jacqueline Gareau de Montréal, Québec, vainqueur du classement féminin, porte fièrement la couronne de laurier de la victoire.

Lynn Swann, le receveur de passes des Steelers de Pittsburgh, est célèbre pour ses prises de balle acrobatiques et élégantes. Ses exploits ont largement contribué aux quatre victoires remportées par les Steelers en finale du Super Bowls. Swann affirme que les cours de danse qu'il a suivis lorsqu'il était tout jeune expliquent en grande partie ses prouesses athlétiques. Le ballet est une excellente école de vitesse, d'équilibre et de coordination — qualités indispensables à un bon receveur de passes. Les cours de danse n'ont pas seulement contribué à faire de Swann un excellent joueur de football, ils lui ont également inculqué un véritable amour de la danse qu'il pratique d'ailleurs encore.

Depuis sa création, en 1851, les États-Unis n'ont jamais perdu la Coupe de l'America. Cette année-là, le yacht *America* remportait une régate disputée autour de l'île de Wight en Angleterre. Depuis, les yachts américains ont battu tous les bateaux venus disputer la coupe de l'America. De nos jours, les régates se déroulent dans la baie de Newport, Rhode Island. En septembre 1980, le yacht américain *Freedom* (*à droite*) a victorieusement défendu la coupe en écrasant *Australia* par quatre victoires à une.

En 1978, Ben Abruzzo, Larry Newman et Maxie Anderson furent les premiers à traverser l'Atlantique en ballon. En mai 1980, Anderson, 45 ans, devait reprendre l'air avec un nouveau coéquipier, son fils Kris, 23 ans, pour tenter de traverser d'une seule traite l'Amérique du Nord en ballon. Ils décollèrent donc de Fort Baker en Californie à bord du Kitty Hawk pour se poser, quatre jours plus tard, en Gaspésie.

Le 20 juin 1980, à Montréal, deux des meilleurs boxeurs du monde s'affrontèrent dans un combat sans merci de 15 reprises. L'enjeu : le titre mondial des poids Welter. Le Panaméen Roberto Durán (à gauche) devait ravir le titre à l'Américain Sugar Ray Leonard (à droite) sur décision serrée mais unanime des juges. Le 25 novembre, les deux boxeurs s'affrontèrent à nouveau, mais à La Nouvelle-Orléans cette fois. Leonard devait reconquérir son titre après l'abandon très controversé de Durán au cours de la 8e reprise. (Le 2 octobre s'était également déroulé un combat important entre Larry Holmes et Muhammad Ali. Ce dernier avait décidé de remettre les gants pour tenter de reprendre le titre mondial des lourds. Pendant 10 reprises Holmes se joua littéralement d'Ali qui préféra abandonner avant le début de la 11e reprise.)

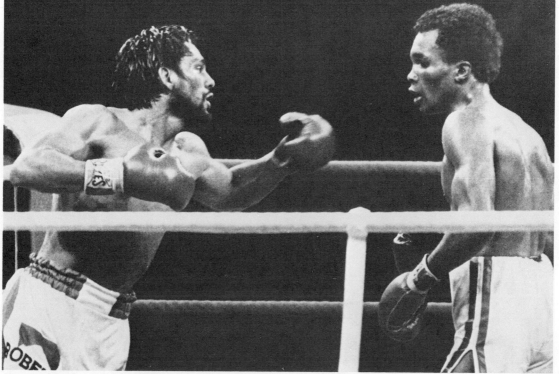

DES SCULPTURES QUI COURENT

Certaines ressemblent à des insectes, d'autres à des oiseaux, d'autres encore à des manèges ou à des extraterrestres. Mais elles ont toutes en commun la faculté de courir et toutes sont réunies à Ferndale en Californie pour une course automobile. Course si étrange, d'ailleurs, que personne ne tient vraiment à savoir qui en sortira vainqueur. C'est la course des sculptures cinétiques de Ferndale.

Récemment, lors d'une course, quatre enfants, qui avaient de 3 à 12 ans, ont conduit un engin très bizarre. Construit surtout avec des tuyaux métalliques, ce dernier ressemblait à un squelette de dynosaure, rouge et monté sur roues. Les conducteurs l'avaient baptisé « Le pas pressé » pour indiquer sans doute la vitesse à laquelle il avançait en ville. Il suffisait de tirer ou de pousser certains éléments de l'engin pour le faire avancer. « Le pas pressé » remporta trois prix, celui de la meilleure conception artistique, celui de la meilleure conception technique et celui de la meilleure conception d'ensemble.

Les conditions d'admission à la course des sculptures cinétiques ne sont pas du tout rigides. Y sont admis les engins de toutes tailles et de toutes formes, à la seule condition qu'ils ne soient pas dotés d'un moteur. L'énergie humaine est le seul moteur acceptable et les candidats ne sont pas autorisés à poser le pied au sol.

Depuis 1969, cette course a lieu tous les ans, le jour de la Fête des mères. Une plaisanterie est à l'origine de cette course peu ordinaire. Un jour, un sculpteur de Ferndale, Hobart Brown, regarda le tricycle de son fils et jugea qu'il était laid. Il décida alors d'y ajouter quelques décorations et deux roues supplémentaires. Il en résulta un grand engin ondulé qu'il nomma « pentacycle », en raison de ses cinq roues (*penta* signifie cinq en grec). Ce fut la première sculpture cinétique, à mi-chemin entre l'art et le véhicule.

Pendant que Hobart Brown mettait au point son engin, un de ses voisins lui déclara qu'il pouvait construire une sculpture cinétique supérieure à ce pentacycle. Hobart le prit au mot et l'exhorta à la construire. Il l'invita ensuite à disputer une course avec lui « sur la Grand-Rue de Ferndale, le jour de la Fête des mères ». La rumeur se propagea suffisamment vite pour que plusieurs habitants de la ville se mettent eux aussi à construire des sculptures cinétiques. Et c'est ainsi que, le jour dit, une douzaine de participants se présentèrent à la course.

Hobart Brown ne gagna pas la course. Le Grand Prix revint à « Tryonix », tortue géante

L'énergie humaine est la seule puissance acceptée pour déplacer ces sculptures cinétiques :Le pas pressé . . .

en papier mâché. Cet engin pouvait éjecter de l'eau et cracher de la vapeur et pondre un œuf à pois par son tuyau d'échappement.

La course finie, Hobart Brown décida qu'il fallait organiser une course semblable l'année suivante. C'est ainsi que naquit la course de la Fête des mères. Depuis, tous les ans, de nouveaux engins font leur apparition. Leurs noms vous donneront une idée de leurs formes parfois inédites : Vélocipède aux ailes d'argent, Fleur mécanique, Sous-marin jaune, Tyrannosaure rouillé, Mésange rachitique. Rares sont les sculptures qui vont vite. En général, elles ne sont pas faciles à conduire et tombent en panne facilement. Le fait suivant vous en dira long sur leur lenteur : selon une règle de la course, un véhicule ne peut gagner de prix s'il ne franchit pas trois pâtés de maisons en deux heures.

En 1974, une nouvelle course vint s'ajouter à la première, comme pour prolonger la trop brève course des « trois pâtés de maisons ». Cette course, qui dure trois jours, se court sur 55 kilomètres. On lui a donné le nom de « Grande course de fond des sculptures cinétiques de Ferndale ». Cette longue course exige le passage de dunes de sable et la difficile traversée de la baie de Humboldt et de la rivière Eel. Les engins doivent donc non seulement rouler, mais flotter. En 1980, les nouveaux venus s'appelaient Palourde perlière, Orignal-mobile et Dépression nerveuse.

... et Gomme à mâcher mobile.

... **Problème complexe** ...

205

L'HISTOIRE VIVANTE

En 1980, la ville de Boston fêta le 350e anniversaire de sa fondation. Cette lithographie de Currier & Ives représente la ville en 1848.

Les festivités qui marquèrent l'anniversaire de la fondation de Boston commencèrent par l'entrée dans le port d'une flottille de voiliers.

BOSTON : LE BERCEAU DE LA LIBERTÉ

Par une douce journée du printemps 1980, une flottille de voiliers pénètre dans le port de Boston. En tête, on reconnaît la frégate *USS Constitution*, surnommée affectueusement Old Ironsides, le plus ancien vaisseau de la marine américaine. Dans son sillage glissent quelques-uns des voiliers les plus célèbres qui parcourent encore les mers. Il y a là le voilier espagnol *Juan Sebastian de Elcano* et le *Danmark*, bateau-école de la marine danoise. Leurs mâts vernis soutiennent les voiles gonflées par le vent alors que les marins s'affairent à la manœuvre du gréement. Les bateaux-pompes marquent leur entrée dans le port en lançant des geysers d'eau, le canon tire une salve d'honneur sous le regard de quelque 2 000 000 de personnes qui se pressent le long des quais et des docks ou qui jouent les acrobates sur les toits environnants pour assister au spectacle.

Cette scène n'est pas sans rappeler la manifestation qui s'était déroulée en 1976 dans le port de New York pour le bicentenaire des États-Unis. En 1980, c'est le 350ᵉ anniversaire de la fondation de Boston (Massachusetts) que l'on célèbre.

La parade de bateaux organisée le 31 mai ne fut que le prélude de manifestations qui durèrent tout l'été avec des défilés, des concerts en plein air, des expositions spéciales et un pique-nique géant organisé dans Boston Common, le plus vieux parc de la ville.

Les Bostoniens sont fiers du rôle qu'a joué leur ville dans l'histoire des États-Unis. Ils ne manquent pas de rappeler qu'on présente souvent Boston comme le « Berceau de la Liberté », le point de départ de la guerre d'Indépendance.

Oliver Wendell Holmes, un Bostonien qui fut magistrat à la Cour suprême des États-Unis, alla encore plus loin en baptisant Boston « le centre de l'Univers ». Lorsqu'il fit cette déclaration, il y a près de cent ans, il exagérait à peine. À cette époque-là en effet, les activités portuaires, manufacturières et culturelles de Boston en faisaient l'un des grands centres du monde.

Depuis, Boston a eu des hauts et des bas. Au cours des années 40 et 50, la ville a connu une période de déclin. Toutefois, au cours des vingt dernières années, la mise sur pied d'importants programmes d'expansion urbaine a entraîné la construction de nouveaux immeubles et de centres commerciaux. Parallèlement, de nombreuses rues et maisons historiques ont été rénovées. Aujourd'hui, Boston est à nouveau une ville florissante.

▶ BOSTON, VILLE HISTORIQUE

Boston fut fondé en 1630 par un groupe de Puritains anglais qui avaient fui les persécutions religieuses dont ils étaient victimes en Angleterre.

Encouragés par des récits qui présentaient la Nouvelle-Angleterre comme une région aux vastes richesses naturelles (fourrures, poissons et terres fertiles), ils fondèrent la *Massachusetts Bay Company*. Cette société s'était donnée comme objectif d'explorer et de coloniser la Nouvelle-Angleterre.

Le 20 septembre 1630, un groupe de Puritains vint s'établir dans une péninsule vallonnée dominant la rivière Charles. Cet emplacement leur avait plu car la rivière se jette dans un port naturel. Ils baptisèrent leur colonie Boston pour la simple raison que beaucoup d'entre eux étaient originaires d'une ville anglaise appelée Boston.

Les Puritains étaient des gens stricts qui croyaient aux vertus du travail. Ils se révélèrent d'excellents marins et d'habiles commerçants.

Les Puritains étaient en outre d'un caractère indépendant et audacieux. Ils furent les premiers à s'opposer aux lourdes taxes imposées aux colonies par le Parlement britannique. Leur mouvement de protestation tournant à la violence, le gouvernement britannique décida d'envoyer des troupes pour rétablir l'ordre.

La présence des troupes britanniques ne fit qu'envenimer la situation. En mars 1770, les soldats britanniques ouvrirent le feu sur la foule au cours d'une violente confrontation. Cinq Bostoniens furent tués lors de cet incident, que l'on connaît désormais sous le nom « Le massacre de Boston ».

Quelques années plus tard, en 1773, un groupe de Bostoniens déguisés en Indiens se glissèrent à bord de navires marchands britanniques et jetèrent à la mer leur chargement de thé. Ils voulaient ainsi exprimer leur mécontentement à l'encontre du Parlement britannique qui avait décidé de prélever un impôt sur le thé, leur boisson préférée.

La « Tasse de thé de Boston » fut l'un des nombreux épisodes qui devaient conduire aux premiers affrontements de la guerre d'Indépendance. En avril 1775, des troupes britanniques en garnison à Boston furent envoyées à Concord avec mission de s'emparer d'armes et autres approvisionnements cachés par les patriotes américains. Ces derniers furent toutefois prévenus à temps par Paul Revere qui partit à cheval pour donner l'alarme.

Le lendemain, le 19 avril, une armée de miliciens américains engagea un combat sanglant avec les troupes britanniques à Lexington et à Concord. Les Britanniques durent se replier sur Boston qui fut bientôt assiégé par les rebelles américains.

En juin, les Américains occupèrent Breed's Hill qui, située près de Bunker Hill, dans la péninsule de Charlestown, domine la ville. Le 17 juin, l'armée britannique se lança à l'assaut des fortifications américaines sur Breed's Hill.

« Le massacre de Boston » (mars 1770) illustré par Paul Revere.

Tableau représentant la bataille de Bunker Hill (17 juin 1775). Les Britanniques (en rouge) partent à l'assaut de la péninsule de Charlestown, tandis que Charlestown est ravagée par un incendie déclenché par un bombardement naval.

La bataille fit rage toute la journée et par deux fois le tir meurtrier de la milice américaine repoussa les assaillants. Finalement, à court de munitions, les Américains durent abandonner leurs positions. Ce fut pour les Britanniques, qui perdirent plus de 1 000 hommes, une amère victoire.

En mars 1776, les troupes américaines commandées par le général George Washington érigèrent des fortifications sur Dorchester Heights et chassèrent les Britanniques. Ces derniers quittèrent le port le 17 mars.

Une fois l'indépendance proclamée, Boston devint un important centre de commerce. Au début du XIXᵉ siècle, les navires marchands de Boston assuraient le transport du rhum, du tabac et du poisson sur toutes les mers du globe.

Dès le milieu du XIXᵉ siècle, Boston s'était également imposé comme l'un des centres culturels des États-Unis. Quelques-uns des écrivains américains les plus célèbres vécurent à Boston ou dans ses environs immédiats. Parmi les principaux, citons Ralph Waldo Emerson,

Henry David Thoreau, Nathaniel Hawthorne et Louisa May Alcott. Avec tous ces grands noms de la littérature, il était tout naturel que Boston devienne un centre de l'édition.

Bien avant la guerre de Sécession, les Bostoniens étaient déjà antiesclavagistes. C'est à Boston que William Lloyd Garrison publia un journal de lutte contre l'esclavage, *The Liberator*, et que le roman de Harriet Beecher Stowe, *La case de l'oncle Tom*, fut publié pour la première fois.

Boston fut également un pôle d'attraction pour les immigrants. Des milliers d'Irlandais que la faim et la misère chassaient de leurs pays s'installèrent à Boston. Au tout début, ils durent se contenter d'emplois de domestiques ou de manœuvres mal rémunérés. Toutefois, dès le début du XXᵉ siècle, les enfants et les petits-enfants de ces immigrants se lancèrent dans les affaires et dans la politique. John F. Fitzgerald, grand-père du président John F. Kennedy, fut élu maire de la ville à deux reprises entre 1906 et 1914. C'est au cours de ses mandats qu'on assista à la modernisation du port de Boston, à la réorganisation de l'administration locale et à d'autres améliorations sur le plan municipal.

De tout temps, Boston a été célèbre pour la qualité de ses établissements scolaires. L'enseignement public aux États-Unis a démarré à Boston avec la fondation de la Public Latin School en 1635. Harvard, la première université américaine, devait être fondée un an plus tard. Boston possède d'autres universités remarquables : l'université de Boston, le Massachusetts Institute of Technology, l'université féminine Radcliffe, affiliée à Harvard, et l'université Northeastern.

Les Bostoniens sont également fiers du fait que deux présidents américains contemporains étaient originaires de leur ville. Le premier fut Calvin Coolidge qui dirigea le pays de 1923 à 1929. Le second fut John F. Kennedy, n° 1 américain de 1961 jusqu'à sa mort survenue dans des circonstances tragiques en 1963. Boston est en outre la ville natale d'Edward Brooke, le premier Noir élu au Sénat américain.

Les touristes qui partent à la recherche du riche passé de Boston peuvent commencer leur visite par une promenade le long de Freedom Trail, la piste de la liberté. Il s'agit d'un chemin de briques rouges qui serpente sur 2,4 kilomètres à travers le centre et les quartiers du nord de la ville.

Chemin faisant, ils découvrent Faneuil Hall,

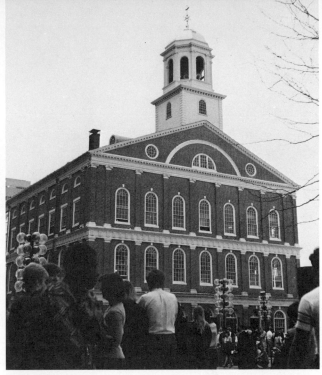

Faneuil Hall

classé monument historique, où les premières générations de Bostoniens dénoncèrent la tyrannie du roi George III et de son gouvernement. Ils passent à l'ombre du beffroi de l'église Old North Church d'où un signal lumineux fut adressé aux patriotes pour les prévenir de l'arrivée des Britanniques. Parmi les autres lieux dignes d'intérêt, citons le cimetière Old Granary Burial Ground où se trouvent les tombes de Samuel Adams, John Hancock et de nombreux autres patriotes américains; la maison de Paul Revere qui est également la maison la plus ancienne de Boston; et l'Old South Meetinghouse, bâtiment dans lequel fut préparé le raid de « La Tasse de thé de Boston ».

Où qu'on dirige ses pas à Boston, on côtoie continuellement le passé. Si les Bostoniens se tournent résolument vers l'avenir, ils n'en manifestent pas moins un vif désir de préserver leur patrimoine historique. Déjà ils se préparent à célébrer le 400e anniversaire de leur ville. Comme devait le déclarer Kevin White, maire de Boston : « Il est important que chaque Bostonien participe à une telle manifestation au moins une fois dans sa vie afin de mieux définir sa propre identité et celle de sa ville. »

HENRY I. KURTZ
Auteur de *John and Sebastian Cabot*

Au milieu du XIXe siècle, Boston était un important foyer culturel. De nombreux écrivains célèbres se retrouvaient au *The Old Corner Book Store* (ci-dessous) pour discuter de leurs œuvres.

QUI SONT LES « PEARLIES » DE LONDRES ?

La vie des Londoniens est semblable à celle de tous les habitants de grandes villes. Ils travaillent, entretiennent leurs maisons et essaient de se reposer et se détendre les fins de semaine et les jours de fête.

Pour certains d'entre eux, pourtant, ces jours de congé sont différents. Comme par magie, ils deviennent rois et reines, parés de vêtements étincelants, brodés de milliers de perles éclatantes.

Il s'agit des *Pearlies*, ces fiers gardiens d'une tradition vieille de près d'un siècle. Leur histoire remonte à la fin du siècle dernier, au temps des marchands des quatre saisons. Leur costume, couvert de boutons de nacre, est à l'origine du nom *Pearlies*.

Les marchands des quatre saisons faisaient leur négoce dans les rues de Londres. Pour attirer l'attention d'acheteurs éventuels, ils portaient des costumes originaux, souvent garnis de boutons aux couleurs vives. Ils menaient une vie dure et laborieuse et ils étaient très pauvres. Ils essayaient pourtant d'aider les gens encore plus nécessiteux qu'eux. Il n'était pas rare qu'ils organisent des parades, dans leurs costumes de fête, afin de recueillir des fonds pour les hôpitaux et autres organisations charitables de leur quartier.

Un jour, un jeune homme du nom d'Henry Croft participa à l'une de ces parades. Élevé dans un orphelinat, Croft avait appris à coudre et il décida de se faire un costume tout à fait original pour la parade. Il couvrit complètement ses vêtements de boutons de nacre.

Les marchands en furent enchantés et Croft fut bientôt connu sous le nom de Roi des Perles. Les marchands ne tardèrent pas à adopter son idée et commencèrent eux aussi à décorer leurs vêtements de nombreux boutons.

Croft décréta que chaque district de Londres deviendrait un Royaume Pearly, sous la tutelle d'un roi et d'une reine. On élut les premiers monarques et ceux-ci transmirent leur titre à leurs descendants. Quand un roi et une reine n'avaient pas d'enfants, on élisait un nouveau couple royal.

Il y eut à une époque des centaines de *Pearlies* à Londres. Puis leur nombre se mit à diminuer. Après la Seconde Guerre mondiale, de nombreuses familles de *Pearlies* déménagèrent en banlieue. Les supermarchés remplacèrent les voiturettes des marchands des quatre saisons. Les boutons de nacre, à une époque abondants et bon marché, devinrent rares et coûteux.

De plus, les jeunes descendants des familles de *Pearlies* n'avaient plus très envie de maintenir la tradition. De nos jours, il ne reste plus qu'une trentaine de *Pearlies*.

Ces derniers *Pearlies* font partie de la Guilde des *Pearlies* et travaillent dur pour sauvegarder leurs traditions. Ils revêtent leurs costumes scintillants lors de danses, de défilés de mode, de fêtes populaires et de certaines activités de bienfaisance à Londres.

Les enfants des souverains participent souvent, eux aussi, à ces activités. Ils portent le titre de prince ou princesse et ont leur propre costume.

À l'occasion, même les chiens font partie de la fête; ils arborent des vêtements et des colliers de perles et gambadent joyeusement autour de la famille royale.

Chaque *Pearly* crée son propre costume. Il couvre complets, chemises, robes, cravates et chapeaux de boutons de nacre. Il faut 20 000 boutons pour réaliser un complet. La robe d'une reine est couverte de 30 000 boutons, son manteau de 60 000. Comme vous l'imaginez, il faut des mois pour coudre les boutons et, une fois fini, un costume peut peser jusqu'à 30 kilogrammes.

Les boutons sont cousus en forme de fleurs, de bateaux, de cloches, de cœur et d'autres dessins compliqués. Chaque famille *Pearly* a son propre emblème. Celui des Morris, par exemple, reproduit des colombes. On reconnaît les Arrowsmith à leurs papillons. Au dos du costume, on trouve le nom du « royaume » du *Pearly*, que ce soit Whitechapel, Hampstead, Lambeth ou un autre.

Les *Pearlies* modernes, tout comme leurs prédécesseurs, ne sont pas rétribués. L'argent qu'ils recueillent va directement à des organisations de bienfaisance. Ainsi, au cours des ans, ils ont rapporté des milliers et des milliers de dollars aux nécessiteux, aux malades et aux invalides.

JE VIRE À TOUT VENT

Fera-t-il beau ou mauvais ? La radio, la télévision ou le journal vous donneront les plus récentes prévisions. Il y a un siècle, par contre, si un fermier ou un marin voulait savoir le temps qu'il ferait le lendemain, il devait se contenter de ses propres prévisions.

Depuis l'Antiquité on utilise la girouette pour prévoir le temps. Cet instrument courant, qui orne de nombreux toits, indique par son orientation la direction du vent. Grâce à ce renseignement, on peut souvent prévoir le temps qu'il fera car à certains vents correspondent certains temps.

Au cours des siècles, la girouette a joué d'autres rôles, devenant tour à tour symbole de pouvoir ou symbole religieux, enseigne de marchands ou de négociants, ou encore objet d'art décoratif unique en son genre.

▶ LES GIROUETTES DE L'ANCIEN CONTINENT

On ignore qui a inventé la girouette. Ce que l'on sait, en revanche, c'est qu'au Ier siècle avant J.-C. l'astronome grec Andronicus en construisit une à Athènes, qui était très réputée. Elle était montée sur une structure octogonale (qui a huit côtés) appelée la Tour des Vents. La girouette représentait Triton, dieu marin, mi-homme, mi-poisson, tenant une baguette à la main. Quand le vent soufflait, Triton se déplaçait jusqu'à ce que sa baguette indique la direction du vent. Par la suite, on prit comme modèle la girouette d'Andronicus, d'où son importance et ce pour deux raisons : elle indiquait la direction du vent et elle alliait l'utilité à la beauté.

Les Romains, comme les Grecs, connaissaient la girouette. Sous l'Empire romain, la girouette se répandit en Europe. Le coq et la bannière, deux modèles qui furent conçus en Europe au Moyen-Âge, survivent aujourd'hui. Les nobles, qui seuls avaient le droit de posséder des bannières et des pennons, choisirent la girouette-bannière. Placée sur le donjon du château, elle indiquait le rang de son propriétaire.

Les girouettes en forme de coq, par contre, avaient un caractère religieux. Au IXe siècle, l'Église catholique romaine ordonna que chaque église soit couronnée d'un coq. Les artisans médiévaux allièrent donc le pratique à l'esthé-

La girouette en forme de coq naquit en Europe au Moyen-Âge. C'est d'ailleurs le symbole national de la France.

tique et conçurent des girouettes en forme de coq. Elles devinrent bientôt si populaires que le terme « girouette » passa à l'usage pour décrire quelqu'un qui change constamment d'avis.

Cessant d'être l'apanage des nobles et de l'Église, les girouettes en forme de coq, de banderole, de flèche simple ou de conception plus élaborée, commencèrent à apparaître au-dessus des boutiques et des commerces, ainsi que chez les gens du peuple. La girouette en tant qu'objet d'art connut cependant son heure de gloire en Amérique du Nord, tout particulièrement aux États-Unis, aux XVIIIe et XIXe siècles.

▶LES GIROUETTES D'AMÉRIQUE

Les forgerons et les sculpteurs américains laissèrent libre cours à leur imagination et créèrent de superbes girouettes, dont les formes allaient de la vache au voilier, en passant par le cheval et la sirène. Nombre de ces girouettes étaient uniques en leur genre. En 1742, par exemple, on plaça sur le Faneuil Hall de Boston une gigantesque sauterelle de cuivre doré. Elle avait été fabriquée par Shem Drowne, lequel fut probablement le premier artisan américain à gagner sa vie en concevant et en fabriquant des girouettes.

Les autres modèles n'étaient guère moins originaux. Une morue en bois surmontait l'atelier de chaudronnier de Paul Revere. Mount Vernon, le domaine de George Washington, arborait une colombe tenant dans son bec un rameau d'olivier, symbole de la Paix. On retrouvait dans les villes côtières des modèles évoquant la mer. Étables, bergeries et porcheries s'identifiaient facilement grâce à leurs girouettes. Les habitants de l'ouest de la Pennsylvanie et de New York affectionnaient particulièrement les girouettes représentant des Indiens d'Amérique. Une façon bien à eux de faire savoir aux Indiens qu'ils voulaient établir avec eux des relations amicales.

Au cours du XIXe siècle, alors qu'un sentiment patriotique animait les Américains, tous les hôtels de ville du pays étaient surmontés de figures d'aigles et de la déesse de la liberté, Columbia. Le cheval, animal essentiel pour les travaux des champs et comme moyen de transport, servit de modèle à de nombreuses girouettes. Qu'il soit cheval de trait, de selle ou de course, il galopait sur plus d'une maison

Une curieuse girouette : la sauterelle en cuivre qui, depuis 1742, orne le Faneuil Hall de Boston.

En Amérique du Nord, la girouette en tant qu'objet d'art connut son heure de gloire aux XVIIIe et XIXe siècles.

Dans les villes du littoral, des girouettes en forme de sirène ou de poisson rappelaient la proximité de l'océan.

En Pennsylvanie et dans l'État de New York les girouettes représentant des Indiens étaient très courantes.

et plus d'une étable.

C'est aussi au XIXe siècle que l'on pensa à la girouette pour indiquer sa profession. Le pilon et le mortier étaient souvent l'enseigne de l'apothicaire, le pharmacien de l'époque. On reconnaissait la gare à sa girouette en forme de locomotive, alors qu'une pompe à incendie ornait le toit de la caserne des pompiers.

Les artisans qui fabriquaient ces girouettes étaient souvent des menuisiers ou des forgerons itinérants qui vendaient leurs marchandises dans les tavernes le long des routes ou en faisant du porte à porte. La plupart des girouettes étaient plates, taillées dans du bois ou façonnées dans de la tôle. Toutefois, on en trouvait aussi en trois dimensions. Ces dernières étaient fabriquées en martelant de fines feuilles de cuivre dans des moules, chaque partie de la sculpture en ayant un. On soudait

Une girouette en forme de locomotive annonçait la gare.

Le cheval est une source d'inspiration courante pour les fabricants de girouettes car il symbolisait le travail et le transport.

ensuite les pièces les unes aux autres et, souvent, on terminait le chef-d'œuvre en le dorant.

Dès le début du XXᵉ siècle, presque toutes les girouettes étaient fabriquées en série dans des usines. Elles perdirent de leur originalité et de leur raffinement de conception. Elles conservèrent pourtant leur popularité. De nos jours, quelques artisans les fabriquent encore à la main, en suivant les méthodes d'autrefois.

Les météorologistes se servent encore de girouettes mais ils sont également équipés d'instruments qui mesurent la vitesse du vent et enregistrent automatiquement les données.

On trouve encore des girouettes du temps jadis sur le toit des maisons, des églises ou des hôtels de ville. Un nouveau destin les attend. Les collectionneurs se les arrachent et les musées d'artisanat ont en exposition quelques très beaux spécimens.

On plaçait les girouettes en forme de vache sur les étables.

LE 75e ANNIVERSAIRE DE LA SOCIÉTÉ AUDUBON

Quelque part aux États-Unis, de jeunes étudiants suivent un cours inhabituel. Ils ne sont pas assis dans une salle de classe à écouter passivement un professeur. Ils apprennent en agissant.

Ce groupe d'étudiants, composé d'élèves d'écoles secondaires et d'étudiants d'universités, voyage dans tous les États-Unis. Leur salle de classe est un autobus. L'environnement naturel leur sert de livres.

Pendant les neuf mois que durent leurs études, ces étudiants parcourent environ 32 000 kilomètres. Ils campent en pleine nature, préparent leurs propres repas et acquièrent sur le vif des connaissances relatives à la terre, à ses richesses et à sa faune.

Les étudiants participent à un stage Audubon, parrainé par l'Institut de projets d'expéditions de la Société nationale Audubon. Depuis 1979, l'institut organise deux stages de ce genre par année scolaire.

Tous les anciens participants affirment que l'expérience est passionnante. Ils ont exploré Martha's Vineyard avec des géologues et des pêcheurs de baleines professionnels. Ils ont traversé en canoë les Everglades de Floride avec un groupe d'écologistes. Ils ont travaillé en étroite collaboration avec des pêcheurs de homards du Maine et des fermiers de Pennsylvanie et ils ont effectué des fouilles en Arizona mettant au jour d'anciens vestiges pueblos.

Ce projet d'études exceptionnel n'est qu'un des nombreux événements éducatifs organisés par la Société nationale Audubon, société dont les objectifs sont la protection de la nature et la conservation de l'environnement. En 1980, la société a fêté son 75e anniversaire. Depuis sa fondation, elle a organisé plus de 1 300 conférences avec projections de films dans 200 villes américaines.

La Société nationale Audubon a été fondée en 1905, mais le mouvement qui l'a précédée remonte aux années 1890, période durant laquelle des milliers d'oiseaux furent décimés. Les amis des animaux estimaient qu'on tuait environ 5 000 oiseaux par an. On les tuait pour

Ces jeunes gens participent à un stage Audubon dans les _Badlands_ de Californie.

La Société nationale Audubon doit son nom au naturaliste américain John James Audubon, qui devint célèbre grâce à ses magnifiques reproductions d'oiseaux.

leurs plumes dont on ornait les chapeaux et les robes des dames.

Plus les massacres se multipliaient, plus l'indignation des amis des animaux grandissait. Ceux-ci se réunirent bientôt pour lutter contre ce fléau et, en 1896, ils fondèrent la Société Audubon du Massachusetts, première d'une succession d'autres. Cette société avait pour but de « décourager l'achat et le port de plumes d'oiseaux sauvages de toutes sortes afin d'assurer la protection de ces oiseaux ».

Les sociétés Audubon se répandirent rapidement dans d'autres États, et, le 4 janvier 1905, les sociétés de 35 États fusionnèrent pour former l'Association nationale des sociétés Audubon pour la protection de la faune et des oiseaux sauvages. Cette association, qui devint plus tard la Société nationale Audubon, a pris le nom de John James Audubon, naturaliste américain, célèbre pour ses magnifiques peintures d'oiseaux.

Au fil des ans, la Société Audubon a connu un essor remarquable. Elle compte aujourd'hui 430 associations et quelque 400 000 membres. La société gère 73 refuges d'oiseaux aux États-Unis. Nombre de ces refuges se situent dans les grandes régions peuplées d'oiseaux rares ou d'oiseaux menacés de disparition. Le plus petit d'entre eux, à Long Island (New York), fait seulement 3,6 hectares, tandis que le plus grand, situé dans les grands maré-

cages de la côte de Louisiane, s'étend sur plus de 10 500 hectares.

Au départ, les sociétés Audubon voulaient surtout protéger les oiseaux victimes des chasseurs en créant des sortes de réserves où ils pourraient vivre en paix. En s'accroissant, la société a ajouté de nouvelles activités à ces premiers objectifs. Aujourd'hui, la société essaie de sensibiliser les gens au problème de la protection de la nature dans son ensemble : vie animale, mais aussi forêts, plantes, richesses naturelles. Voici quelques-unes de ces activités.

● Encourager les recherches visant à améliorer nos méthodes de protection de l'environnement.

● Parrainer la création de centres écologiques où adultes et enfants pourraient acquérir une meilleure connaissance de la nature.

● Collaborer avec les représentants du gouvernement central et des États pour ratifier des lois protégeant l'environnement et les richesses naturelles.

● Appuyer les recherches relatives à de nouvelles sources d'énergie sans danger pour l'environnement.

Soixante-quinze ans après sa création, la Société nationale Audubon reste donc fidèle à son premier but (protection des oiseaux et de la faune sauvages), tout en jouant un rôle actif dans les luttes écologiques modernes.

219

LES 75 ANS DE L'ALBERTA
ET DE LA SASKATCHEWAN

Il arrive toujours un moment, semble-t-il, où le présent se fait l'écho du passé. Ainsi, pour les provinces canadiennes de l'Alberta et de la Saskatchewan, 1980 a été une occasion toute particulière de faire une rétrospective de 75 années et de renouer avec le début du siècle. La fondation des deux provinces, à partir de districts des Territoires du Nord-Ouest, remonte en effet à septembre 1905. Pour célébrer cet anniversaire, l'Alberta, qui compte plus de 2 000 000 d'habitants, et la Saskatchewan, qui en a près de 1 000 000, organisèrent tout au long de l'année festivals, concerts, rencontres sportives, séances théâtrales, expositions artistiques, foires artisanales, réunions communautaires, banquets et rodéos.

Pour donner au Canada et au monde entier une image du passé, du présent et du futur de leur province, les habitants de l'Alberta et de la Saskatchewan choisirent trois grands thèmes : héritage historique, célébration publique et perspectives d'avenir.

▶ LA PRAIRIE

Le Manitoba, à l'est, la Saskatchewan, au centre, et l'Alberta, à l'ouest, sont les trois provinces de la prairie canadienne. Cette large plaine, qui s'élève doucement vers l'ouest jus-qu'aux montagnes Rocheuses, était couverte par des vastes glaciers il y a environ 10 000 ans. Peuplée depuis l'époque du recul des glaciers vers le pôle nord, cette région était le domaine des Amérindiens — Pieds-Noirs, Blood, Cree des Plaines et autres tribus — avant que les Européens ne l'explorent.

Venus faire du commerce, les Européens échangeaient, contre des outils en métal et d'autres objets, les fourrures qui étaient très recherchées dans leur pays d'origine. En 1670, le roi Charles II d'Angleterre conféra à la Compagnie de la Baie d'Hudson le droit officiel de faire commerce dans la région. Les agents de cette compagnie furent probablement les premiers Blancs à pénétrer en territoire indien.

Des postes de traite et des petits peuplements apparurent au fur et à mesure que prospérait le commerce des fourrures. Les négociants entretenaient généralement des relations amicales avec les Indiens et vivaient souvent dans leurs villages; il arrivait parfois qu'ils épousent une Indienne. On donna le nom de « métis » aux enfants nés d'un couple Indien et Européen.

Un autre groupe, celui de la Compagnie du Nord-Ouest, était lui aussi établi dans la région. La rivalité qui l'opposait à la Compa-

Les vastes plaines de l'Alberta et de la Saskatchewan attirèrent de nombreux agriculteurs et éleveurs.

Les premiers Européens à s'installer dans la région furent des trappeurs.

gnie de la Baie d'Hudson était si intense que des hostilités éclataient souvent entre les employés des deux camps. Cette concurrence acharnée prit fin en 1821, quand les deux adversaires fusionnèrent, sous la raison sociale de Compagnie de la Baie d'Hudson. En 1870, le gouvernement canadien acquit de la Baie d'Hudson le territoire connu sous le nom de « Terre de Rupert ». La région qui constitue aujourd'hui l'Alberta et la Saskatchewan devint ainsi une partie des Territoires du Nord-Ouest.

▶LES COLONS

À partir de 1872, pour favoriser la migration vers les nouveaux territoires, le gouvernement canadien offrit gratuitement des terres aux colons qui étaient prêts à aller s'établir comme fermiers dans les prairies. Mais la colonisation posa de graves problèmes, celui du commerce illégal de l'alcool que pratiquaient, avec les Indiens, les négociants venus des États-Unis par exemple. Pour faire régner l'ordre, le gouvernement forma la Police Montée du Nord-Ouest, qui établit son premier poste important à Fort Macleod en 1874.

Dans les années 1870, le gouvernement canadien signa avec les tribus indiennes une série de traités par lesquels elles abandonnaient leurs terres aux colons et acceptaient d'aller vivre dans des réserves. Les fermiers qui faisaient de l'élevage aux États-Unis furent parmi les premiers à venir s'établir sur ces terres. Par la suite, des colons arrivèrent dans la région, après avoir généralement parcouru de longues distances dans des chariots couverts. La population de la région resta cependant éparse, et ce jusqu'à l'arrivée du chemin de fer Canadien Pacifique à Calgary, en 1883.

La construction de cette ligne transcontinentale, commencée dans les années 1870 et achevée en 1885, facilita la migration des colons et permit aux fermiers et aux éleveurs de l'Ouest d'écouler leurs produits vers les marchés extérieurs. Mais elle alarma les Métis et les Indiens de la Saskatchewan qui, pour vivre, chassaient le bison, piégeaient le gibier à fourrure et pêchaient dans les lacs et les rivières. Comprenant que la division des terres en fermes et en ranches menaçait leur genre de vie encore semi-nomade, les Métis et les Indiens se révoltèrent contre le gouvernement canadien en 1885, alors que la construction du chemin de fer était presque terminée. Le soulèvement échoua et Louis Riel, qui avait organisé la résistance, fut pendu.

Dans les années 1890, le gouvernement entreprit une immense campagne publicitaire pour inciter les Canadiens des provinces de l'Est, ainsi que les étrangers, à venir s'établir dans les plaines. Les annonces du gouvernement, qui promettaient aux futurs colons de riches pâturages et de bonnes terres à blé, connurent un vif succès. Elles provoquèrent une arrivée massive d'immigrants des États-Unis, de Grande-Bretagne, d'Allemagne, de Scandinavie, d'Ukraine et d'autres pays d'Europe. Les colons originaires d'une même région ou d'un même pays s'établirent souvent à proximité les uns des autres sur leurs nouvelles terres, sauvegardant ainsi les traditions de leur pays natal.

Les premiers colons vivaient de l'élevage et de la culture du blé et exportaient une grande partie de leurs produits à l'étranger. Ils habitaient des maisons très rustiques, parfois construites avec de simples murs de terre. Petit à petit, sous l'influence des colons, la région se transforma. Au XXᵉ siècle, des ranches, des fermes, des villages et des villes, qui avaient leurs églises, leurs écoles et leurs journaux, s'égrenaient dans la longue plaine. Des rangées d'élévateurs à grains se dressaient près des stations ferroviaires et servaient à emmagasiner les abondantes récoltes de blé.

▶LES PROVINCES

En 1888, les colons obtinrent le droit d'élire une Assemblée législative représentant les Territoires du Nord-Ouest. En 1905, le gouvernement canadien passa une loi pour former officiellement la Saskatchewan et l'Alberta, première étape vers l'autonomie des deux provinces. Le gouvernement décida à l'époque de continuer à gérer les richesses naturelles et les terres non exploitées, mais de dédommager les provinces par des paiements annuels en espèces. Cette entente resta en vigueur jusqu'en 1930, date à laquelle le gouvernement céda finalement le contrôle aux provinces.

La province de la Saskatchewan fut baptisée du nom que les Cree avaient donné au cours d'eau principal de la plaine : « Rivière rapide ». Régina, qui d'un simple arrêt de chemin de fer, était d'abord devenue capitale des Territoires du Nord-Ouest, fut élevée au rang de capi-

Lac La Biche (peinture de Frederic Remington), L'un des peuplements actifs de l'Alberta.

La Police montée du Nord-Ouest fut la première force de police organisée dans les Plaines de l'Ouest.

tale provinciale de la Saskatchewan.

L'Alberta tient son nom de Louise Caroline Alberta, fille de la reine Victoria et épouse du marquis de Lorne, ancien gouverneur général du Canada. Après bien des débats, les Albertains décidèrent qu'Edmonton serait la capitale de la province.

Depuis leur fondation, l'Alberta et la Saskatchewan n'ont pas cessé d'évoluer et de prendre de l'expansion. Les produits agricoles, en particulier le blé et le bétail, restent la source principale de revenus de la Saskatchewan. Mais l'exploitation minière et l'industrie occupent maintenant une place importante dans son économie. En Alberta, la mise en valeur des gisements pétroliers qui suivit la première grande découverte de pétrole, à Leduc, en 1947, transforma profondément la vie de la province. Le pétrole de l'Alberta est maintenant acheminé par oléoduc vers Montréal, à l'Est, vers Puget Sound, à l'Ouest, et vers la Californie, au Sud. L'essor de l'industrie pétrolière a permis l'implantation de nombreuses autres industries.

Louis Riel, chef de la Rébellion de 1885.

Jeu de cartes turc datant du XIIᵉ siècle et se composant de quatre enseignes ou couleurs, les deniers, les coupes, les épées et les bâtons.

TRÈFLE, CARREAU, CŒUR, PIQUE

Il y a environ 1 000 ans qu'on joue aux cartes dans le monde mais personne ne connaît avec certitude leur origine. On a retrouvé en Turquie des cartes datant du XIIᵉ siècle. Ces cartes étaient plus grandes que celles que nous utilisons à l'heure actuelle et elles se composaient de quatre « couleurs » : deniers (pièces de monnaie), coupes, épées et bâtons. Des cartes identiques ont fait leur apparition en Italie et en Espagne près de 200 ans plus tard.

Les cartes à jouer se sont ensuite répandues en Allemagne et en France. Grâce à l'invention de l'imprimerie en Allemagne, il ne fut plus nécessaire de peindre les cartes à la main. Les jeux allemands comportaient également quatre « couleurs », les grelots, les feuilles, les glands et les cœurs. Ces couleurs sont encore utilisées dans certains jeux bien particuliers. Ce sont les Français qui inventèrent les couleurs que nous connaissons aujourd'hui, les trèfles, les carreaux, les cœurs et les piques. La simplicité des formes adoptées et la décision de ne conserver que quelques têtes devaient assurer la popularité des cartes françaises.

Ces enseignes allemandes, cœurs, feuilles, grelots et glands, subsistent encore dans certains jeux de cartes.

Pour toutes les cartes sans tête, les Français se contentèrent d'une illustration simple représentant la « couleur ». Ce procédé étant beaucoup plus économique, les cartes françaises ne tardèrent pas à envahir le marché.

Les Français furent à l'origine d'une autre innovation. Les premières cartes européennes étaient fabriquées à l'intention des familles royales et étaient donc souvent décorées de personnages de cour. Toutefois, les jeux de cartes ne comportaient pas de reine. Et ce parce qu'une partie de cartes était comparable dans les esprits de l'époque à un combat guerrier. Il était par conséquent impensable que les femmes y prennent part. C'est donc aux Français que la reine doit sa place dans les jeux de cartes. De nos jours encore, un roi et deux valets sont les seules têtes de certains jeux italiens, espagnols et allemands.

Les cartes françaises franchirent la Manche et les Anglais ne tardèrent pas à s'en inspirer. Avec leurs illustrations de personnages en costumes copiés sur ceux que portait la noblesse anglaise aux XVe et XVIe siècles, les jeux de cartes modernes ressemblent beaucoup aux jeux anglais d'il y a 200 ans. Depuis 1850, les cartes n'ont guère subi que deux importantes transformations. Naguère, les cartes étaient illustrées de personnages représentés en pied. Une fois la donne effectuée, les joueurs avaient tendance à retourner leurs cartes dans le bon sens et risquaient ainsi de révéler en partie leur jeu. On remédia à ce problème en ne montrant que le buste du personnage, en haut et en bas de la carte.

L'autre innovation importante aura été l'adoption de l'index aux coins des cartes. Les coins des premières cartes ne comportaient aucun indice de leur valeur si bien que, pour voir son jeu, un joueur devait tenir ses cartes très écartées. Grâce à l'index, la couleur et la valeur de la carte sont indiquées dans les coins. Les joueurs peuvent donc tenir leurs cartes en éventail bien serré. Peut-être est-ce précisément parce que cet index nous fournit les renseignements dont nous avons besoin que nous ne prêtons pas attention aux détails des illustrations.

La prochaine fois que vous ferez une partie de cartes, prenez la peine d'observer les détails. Vous verrez, par exemple, que, si toutes les reines tiennent des fleurs, il y en a une, en revanche, qui tient un sceptre. Laquelle ?

Jeu de cartes moderne fabriqué en Allemagne. La reine est miss Piggy et le roi, Kermit la grenouille.

LES CARTES ET LE CALENDRIER

Il existe entre le jeu de cartes actuel et le calendrier des analogies surprenantes :

Les quatre couleurs représentent peut-être les quatre saisons. Chaque couleur se compose de 13 cartes. Or, s'il est vrai que le calendrier fait état de 12 mois, la lune effectue 13 révolutions autour de la Terre en un an. Il y a 52 cartes dans un piquet de cartes et 52 semaines dans une année.

Si on fait le compte des symboles de couleurs représentés au centre des cartes, dans les coins et à côté des têtes, on obtient le total de 348. À ce nombre ajoutons 4 (le nombre de couleurs) et 13 (le nombre de cartes dans chaque couleur) et nous obtenons 365, soit le nombre de jours dans une année. On peut même ajouter le joker pour les années bissextiles !

Cartes françaises datant de 1550. Les Français introduisirent la reine dans les jeux de cartes.

LA BÉATIFICATION DE TROIS FONDATEURS DE L'ÉGLISE CANADIENNE

Le dimanche 22 juin 1980, dans la basilique Saint-Pierre de Rome, quelques centaines de Canadiens participaient à la cérémonie de béatification par le pape Jean-Paul II de trois des leurs. Il s'agissait de Monseigneur François de Montmorency Laval, de Mère Marie de l'Incarnation et de Kateri Tekakwitha.

Parmi les pèlerins qui assistaient à la cérémonie, on remarquait des Amérindiens en costume traditionnel venus de toutes les régions de l'Est du Canada, une délégation gouvernementale, ainsi que des prêtres, des religieux et des religieuses.

▶ FRANÇOIS DE MONTMORENCY LAVAL

François de Montmorency Laval naquit à Montigny-sur-Avre le 30 avril 1623 dans une des plus vieilles familles de la noblesse française. Et bien qu'ils appartiennent à l'aristocratie, ses parents n'étaient pas très fortunés. Dès son plus jeune âge, François de Laval se destina à la prêtrise. Le premier degré de cléricature, la tonsure, lui fut donné à 8½ ans, peu après son entrée chez les Jésuites au collège de La Flèche. Il devait y rester de 1631 à 1641 et y étudier la littérature et la philosophie, deux matières dans lesquelles il excellait. En 1641, il se rendit à Paris pour étudier la théologie au collège de Clermont. Il dut malheureu-

sement interrompre ses études et reprendre la direction du domaine familial à la suite de la mort de deux de ses frères. Il retourna cependant à Paris et fut ordonné prêtre en 1647.

Ce n'est qu'en 1657 que le roi Louis XIV, dans une lettre au pape, présenta son candidat à l'évêché de Québec, le père François de Laval. Après de nombreuses difficultés, il s'embarqua à La Rochelle et atteignit Québec le 16 juin 1659.

François de Laval est donc le premier évêque du pays et le fondateur de l'Église canadienne. Il fut vicaire apostolique de la Nouvelle-France de 1659 à 1674, puis évêque de Québec jusqu'à sa retraite en 1688. On lui reconnut tout de suite de grandes qualités : sens de l'organisation, grande piété, sens apostolique. Il combattit avec force l'exploitation des Amérindiens par les Européens; il consolida l'enseignement et dota la colonie d'établissements de soins et de paroisses. C'est cependant sur le plan religieux qu'il força l'admiration. Il mena une vie austère, dépouillée, se consacrant à soulager les malades et les déshérités. Il fit du Séminaire de Québec le centre religieux de toute la colonie, centre qui pourvoyait aux besoins de tous les prêtres qui y étaient affiliés. Devant cette immense œuvre, il fit toujours preuve d'une grande modestie. Lorsqu'il s'éteignit à Québec en 1708, toute la colonie pleura celui qu'elle considérait déjà comme un saint.

▶ MARIE GUYART, DITE MÈRE MARIE DE L'INCARNATION

Marie Guyart naquit à Tours en 1599. Dès son plus jeune âge, son caractère se révéla; elle était très équilibrée, aussi bien prête pour des expériences mystiques que pour des exploits d'ordre pratique. En ce sens, elle est très représentative de la première moitié du XVIIe siècle, époque à laquelle le courage chevaleresque et le bon sens formaient une synthèse harmonieuse.

À 17 ans, elle se maria pour ne pas contrarier ses parents. Deux ans plus tard, elle était veuve avec un enfant de 6 mois. Elle s'occupa de l'éducation de son fils Claude jusqu'à ce qu'il ait douze ans. Puis elle le confia à sa sœur,

et réalisa son vieux rêve, celui de consacrer sa vie à Dieu. Elle entra alors chez les Ursulines à Tours. Huit ans plus tard elle eut une vision : Dieu lui faisait visiter un immense pays entre-coupé de montagnes et de vallées. « C'est le Canada que Je te montre », expliqua alors Dieu. « Tu dois y aller et y construire une de-meure pour Jésus et Marie. » À la suite de cette apparition, elle rencontra Mme de Chauvigny de la Peltrie, qui avait elle-même très envie de partir évangéliser les petits Indiens et qui avait fait vœu de consacrer sa fortune à la fon-dation d'un couvent en Nouvelle-France.

Elles arrivèrent à Québec le 1er août 1639. Marie de l'Incarnation ne devait jamais retour-ner dans son pays natal mais elle entretint tou-jours une correspondance suivie avec son fils.

Dès son arrivée à Québec, elle prouva qu'elle était une femme d'affaires. Elle s'inté-ressa vivement à la vie économique de la colo-nie, et intendants, gouverneurs et notables ve-naient la consulter sur des sujets d'ordre tem-porel. Mais la mission de Marie de l'Incarna-tion était surtout d'éduquer les petites Françai-ses et Indiennes. Le pensionnat que les Ursuli-nes fondèrent ne cessa, au fil des ans, de s'a-grandir. Elle s'occupa également d'évangéliser les Indiens. Elle apprit même l'algonquin et rédigea des dictionnaires et un catéchisme en iroquois. Jusqu'à sa mort, survenue en 1672, elle poursuivit son action tout en se consacrant à la contemplation.

▶KATERI TEKAKWITHA

Kateri Tekakwitha est la première Indienne à avoir été béatifiée. Née en 1656 à Aurieville (New York) d'une mère algonquine chrétienne et d'un père mohawk païen, Kateri Tekakwi-tha fut victime à trois ans de la petite vérole, maladie qui la laissa presque aveugle et qui emporta ses parents. Elle fut alors recueillie par son oncle, le chef du village et un ennemi déclaré de la foi chrétienne.

En 1666, les villages mohawk furent entière-ment détruits par une expédition punitive fran-çaise. Après cette défaite, les Mohawks deman-dèrent que des missionnaires leur soient en-voyés. À l'automne 1675, Kateri rencontra un missionnaire, le père Jacques de Lamberville, et lui exprima son désir d'être baptisée. La céré-monie eut lieu à Pâques de l'année suivante et la jeune Indienne reçut le nom de Kateri.

Sa conversion au christianisme fit d'elle une cible de persécutions. En 1677, elle réussit à s'enfuir et se réfugia à la mission Saint-Fran-çois-Xavier au sud de Montréal. À cause de ses grandes vertus, elle fut autorisée à faire sa communion solennelle la même année.

La force spirituelle de Kateri reposait sur son extraordinaire pureté de corps et d'esprit, ainsi que sur la charité qu'elle dispensait à tous. Elle aurait aimé fonder une communauté de sœurs indiennes, mais en fut dissuadée par le père de Lamberville. En 1679, le jour de la fête de l'Annonciation, elle fit vœu de chas-teté perpétuelle. On comprend alors aisément pourquoi on l'a appelée « le lys de la Mo-hawk ». Atteinte de tuberculose, Kateri mou-rut à 24 ans au début de l'an 1680 en pronon-çant les noms de Jésus et de Marie.

Catherine tekakouita Iroquoise du Saut S. Louis de Montreal en Canada morte

JEAN-PAUL SARTRE (1905-1980)

Sartre est mort, et tout l'Occident intellectuel porte son deuil.

Sartre avait connu une enfance tranquille, dans un sixième étage parisien, parmi les livres et les lubies de son grand-père : son père était mort peu de temps après sa naissance. Sa condition de demi-orphelin pesa sur toute sa jeunesse, de même qu'un physique peu harmonieux. Le courage et l'intelligence permirent cependant au jeune homme d'assumer son destin et de le transformer par l'écriture.

Ce fut alors une prodigieuse épopée intellectuelle et littéraire. Ayant peu de goût, au départ, pour la philosophie, Sartre devint l'un des penseurs les plus importants de son siècle. L'enseignement presque marginal de Hegel, joint à sa connaissance des pensées de Husserl et de Heidegger, fut le fondement de son interrogation sur l'existence (*L'Être et le Néant*, 1943). Identifié à l'existentialisme, Sartre ne resta pas prisonnier de cette étiquette et se rapprocha du marxisme (*Critique de la raison dialectique*, 1960). Il refusa cependant d'asservir sa pensée au dogme stalinien et revint, dans son dernier grand ouvrage (*L'Idiot de la famille*, 1972), magistrale étude sur Flaubert et son époque, à une approche plus souple du phénomène humain.

Mais Sartre n'est pas que philosophe. Il est d'abord, par vocation, un écrivain, et son œuvre romanesque compte parmi les plus importantes de la littérature française du XXᵉ siècle (*La Nausée*, 1938; *Le Mur*, 1939; *Les Chemins de la liberté*, 1945-1949). Le récit autobiographique où il raconte son enfance (*Les Mots*, 1964) est considéré, peut-être à tort, comme son chef-d'œuvre : on peut lui préférer *la Nausée*, ou telle ou telle de ses pièces. Car Sartre est encore, par son théâtre « de situations », le créateur du style nouveau sur la scène, où le réalisme et un sens dramatique certain se mettent au service d'une intelligence aiguë des grandes questions éthiques et politiques, pendant la Résistance et l'après-guerre (*Les Mouches*, 1943; *Huis clos*, 1945; *Les Mains sales*, 1948; *Le Diable et le Bon Dieu*, 1951; *Les Séquestrés d'Altona*, 1960).

Essayiste souvent génial, directeur de la revue *les Temps modernes* où il est secondé, comme dans toutes les entreprises de son existence depuis 1929, par la compagne de sa vie, Simone de Beauvoir, Sartre marqua aussi profondément la critique littéraire et l'idéologie de son temps qu'il en avait marqué la philosophie et l'expression romanesque ou théâtrale. Les dix tomes des *Situations*, où sont recueillis ses principaux articles et interviews; ses études sur Baudelaire, Genêt, Mallarmé, sans oublier Flaubert, ont ouvert de nouvelles avenues à la réflexion sur l'homme et aux méthodes d'analyse des textes et de l'histoire.

Depuis Rousseau, on compte peu d'écrivains, en France, qui aient modifié aussi considérablement l'intelligence du réel. On lui décerna, en 1964, le prix Nobel de littérature et il le refusa, par fidélité à ses principes. Il mourut presque aveugle. Ce grand théoricien de la liberté, toute sa vie, fut un esprit libre. Par cela, il restera longtemps, pour les hommes, un exemple.

ANDRÉ BROCHU
Université de Montréal

Jean-Paul Sartre et Simone de Beauvoir au cours d'une réception en 1958.

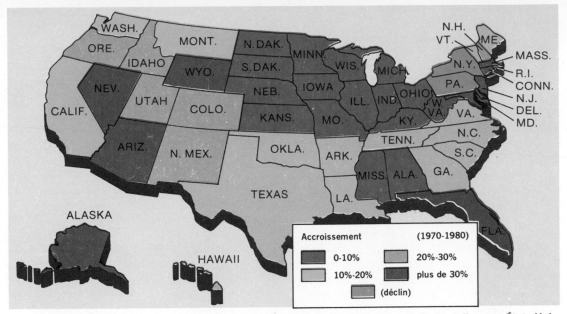

En 1980, un recensement général eut lieu aux États-Unis.

QU'EST-CE QU'UN RECENSEMENT ?

Selon le dictionnaire, un recensement est « le dénombrement détaillé des habitants d'un pays ». Comme cela semble assommant ! En fait, les renseignements rassemblés au cours d'un recensement moderne racontent une histoire fascinante sur la population d'un pays — qui sont les gens, d'où ils viennent, comment ils vivent et travaillent. Des recensements réguliers témoignent de façon vivante de la croissance économique et des changements survenus dans un pays pendant une certaine période.

Il y a bien longtemps que l'on pratique des recensements. Certains historiens pensent qu'il existait une forme de recensement en Chine 3 000 ans avant J.-C. L'Ancien Testament mentionne un dénombrement de soldats chez les Hébreux en 1 500 avant J.-C., et Babylone, la Perse, l'Égypte, la Grèce et Rome font toutes état, occasionnellement, de certains décomptes de population et de propriétés.

C'est probablement le Canada qui peut revendiquer l'établissement du premier recensement moderne, lequel fut entrepris en 1666 par Jean Talon, le grand Intendant de la Nouvelle-France. De nos jours, l'usage fait des renseignements fournis par le recensement s'est considérablement accru. En premier lieu, il permet aux gouvernements démocratiques de reconsidérer les circonscriptions électorales de manière à bien prendre note des changements de population et de faire en sorte que chacun soit justement représenté au Parlement. Au-delà de ça, un gouvernement, à tous les niveaux, se réfère au recensement pour décider des programmes qui doivent être entrepris. Le monde des affaires se sert également des résultats d'un recensement pour déterminer, par exemple, l'implantation d'une nouvelle usine ou bien la création d'un nouveau supermarché.

En 1980 eut lieu un recensement aux États-Unis. Plus de 80 millions de questionnaires furent distribués, sur lesquels figuraient quelque 3,5 milliards de questions.

Au Canada (où le recensement est quinquennal depuis 1956 et obligatoire depuis 1971) un recensement aura lieu en 1981. Bien entendu, l'entreprise n'a pas tout à fait la même envergure qu'aux États-Unis. Dans ces deux cas, pourtant, les renseignements obtenus sur chaque individu habitant le pays fourniront une image vraiment détaillée de la vie nord-américaine.

QUI EST LE COUPABLE?

Tout le monde adore les histoires à suspense. La plupart des lecteurs de romans policiers essaient d'ailleurs de trouver le coupable. Mais sont-ils de bons détectives ? Pourraient-ils découvrir l'auteur d'un crime s'ils avaient à le faire ? C'est une croisière transatlantique qui, en 1980, donna à quelques enthousiastes du suspense l'occasion de répondre à ces questions. Parallèlement, la même année, une détective adolescente, du nom de Nancy Drew, faisait la une des journaux. Elle fêtait le 50e anniversaire de son premier dossier.

▶ MYSTÈRES SUR MER

En avril 1980, le *MS Sagafjord* quittait la Floride pour Gênes, en Italie. À son bord se trouvaient plus de 300 passagers parmi lesquels quelques invités de marque. Ces derniers comprenaient un officier de police londonien, un ancien agent du Bureau fédéral d'investigations (FBI), deux détectives privés, un auteur de romans policiers et un homme qui voyageait incognito. Les invités très spéciaux procurèrent aux passagers un divertissement assez inhabituel. Ils firent des conférences sur des sujets comme « Comment filer un suspect », « Quelques trucs de légitime défense pour personnes maladroites », et « 10 choses amusantes à faire avec de l'arsenic ». Ils montrèrent aux passagers comment déchiffrer un message codé, inventer des déguisements, contrefaire sa voix et monter un alibi.

Un soir eut lieu le Bal de l'Inspecteur : chacun devait y venir habillé comme son détective préféré. Le meilleur costume gagnait un imperméable, identique à ceux que portent presque tous les détectives de fiction. Le gagnant fut Miss Marple.

Ce qui ravit néanmoins le plus les passagers furent sans doute les énigmes qu'ils durent résoudre. Le passager incognito s'était, bien sûr, embarqué sous un faux nom. Les passagers devaient essayer de l'identifier et, pour cela, ils pouvaient se servir d'un détecteur de mensonges et d'un équipement de prises d'empreintes digitales.

Deux meurtres furent également commis. Ce n'étaient pas, bien sûr, de *vrais* meurtres, mais c'était vraiment très ressemblant. Pour chaque meurtre, il y avait au moins cinq suspects, des indices importants et des prix pour tous ceux qui arrivaient à résoudre les énigmes.

Le premier meurtre eut lieu sur le pont du navire. Georges Larose se reposait dans un transat lorsque quelqu'un « l'étrangla » à l'aide d'une écharpe de soie rose. La deuxième victime était l'adorable Hermione Bonenfant. Elle fut « assassinée » dans la piscine du bateau — devant cinq témoins !

Les passagers-détectives eurent un mal fou à élucider ces énigmes. Les suspects mentaient

Au cours d'une croisière transatlantique inhabituelle, les passagers eurent l'occasion de mettre à l'épreuve leurs talents de détective.

En 1980, la célèbre détective Nancy Drew célébra le 50e anniversaire de son premier dossier.

UNE DÉTECTIVE ADOLESCENTE

Nancy Drew eut 18 ans en 1980, année où l'on fêta également son ... cinquantième anniversaire. Nancy est un personnage de roman qui fut créé en 1930 par Edward Stratemeyer. Il écrivit trois histoires policières dont cette jeune fille intelligente et à l'esprit indépendant était l'héroïne. Ces trois premiers livres furent réécrits par sa fille, Harriet Stratemeyer Adams. Cette dernière ne s'en tint pas à ce seul exercice, elle en écrivit 55 autres. Harriet Adams signe ses livres sous le pseudonyme de Carolyn Keene.

Dans les tous premiers livres, Nancy n'a que seize ans. Elle en a maintenant dix-huit et peut ainsi « conduire » dans tous les Etats américains. (Dans certains États, en effet, il faut avoir au moins dix-huit ans pour passer son permis de conduire.) Nancy n'a pas tellement changé au fil des ans. Sa voiture est, bien sûr, plus moderne et elle suit la mode, mais ses valeurs morales sont restées les mêmes.

Harriet Adams déclare : « Nancy est un peu comme ma fille et, au cours des années, elle m'est devenue très proche. De plus, comme elle n'existe que dans ma tête, elle fait exactement ce que je lui dis de faire. Elle ne me contrarie jamais : nous menons l'enquête et trouvons les coupables ensemble.»

Harriet Adams truffe ses histoires d'incidents qui surviennent dans sa vie, dans celle de ses enfants et petits-enfants. « Je glane ce qui se passe autour de moi », dit-elle. « Ensuite, j'amplifie l'action en imaginant ce qui aurait pu se passer si ... Ainsi, en Afrique, j'ai vu un jour un babouin sur le point d'arracher sa perruque à une dame. J'ai crié pour l'arrêter. Par la suite, je me suis servie de l'incident dans une de mes histoires mais là, je l'ai laissé faire pour embarrasser une jeune femme ennuyeuse.»

Les histoires de Nancy Drew sont lues dans le monde entier. Elles ont été traduites en douze langues dont le français, l'espagnol, le danois, le hollandais, le japonais, l'hébreu, le malais et l'islandais.

On demande très souvent à Harriet Adams quel est le secret d'un bon livre. « C'est très simple », dit-elle. « Captez l'intérêt de votre lecteur dès la première page et, surtout, ne le laissez jamais faiblir.»

231

L'AÉRODROME DU VIEUX RHINEBECK

Le crépitement des armes à feu se mêle au grondement des moteurs à hélices. Un triplan allemand rouge vif, un Fokker, zèbre le ciel, ses deux mitrailleuses vomissant des flammes. Loin devant lui, un Sopwith Pup britannique vire et revire nerveusement, tentant d'échapper à l'avion ennemi. Pendant un moment, il semble que l'avion britannique soit en difficulté. Mais, soudain, dans un violent élan, il reprend de la vitesse, vire sur l'aile et effectue un tour complet. La manœuvre réussit : c'est le Fokker qui se trouve maintenant en mauvaise posture. Le pilote britannique dirige son biplan trapu vers la queue de l'avion de chasse allemand et ouvre le feu.

Le moteur du Fokker crache et tousse. Une fumée noire s'échappe de son fuselage. Soudain, l'avion allemand pique et disparaît derrière une colline.

Le redoutable « Baron noir de Rhinebeck » a — une fois de plus — été abattu.

Au sol, les spectateurs applaudissent à tout rompre : la bataille aérienne entre les deux avions de chasse n'est qu'un spectacle. Les avions tirent des balles à blanc, la fumée noire n'est que de la poussière de charbon. Il s'agit d'une fête aérienne qui a lieu tous les dimanches, de mai à octobre, sur l'aérodrome du Vieux Rhinebeck, dans l'État de New York aux États-Unis.

Cette fête aéronautique est organisée par un musée d'histoire contemporaine unique en son genre. Il expose des avions datant du début du siècle jusqu'aux années 30. On peut y admirer de frêles avions, les premiers qui menèrent les hommes à la conquête du ciel. Quelques-uns de ces vieux avions sont authentiques. Parmi eux, un Curtiss JN4H 1918, plus connu sous le nom de Jenny, fut le premier avion américain qui servit à l'entraînement militaire; on l'utilisa également comme courrier. Il y a là aussi un authentique Blériot type XI, l'un des premiers monoplans français. Il fut dessiné par Louis Blériot, l'aviateur français qui, le premier, traversa la Manche.

La plupart des avions, néanmoins, comme le triplan Fokker piloté par le « Baron noir » et le Sopwith Pup, sont des reproductions très précises. Certains ont été entièrement reconstruits par les équipages mêmes des anciens avions et par des pilotes amateurs qui travaillent à l'aérodrome. Parmi ces reproductions on trouve un Hanriot 1910, ancêtre des avions français, et un Avro 504 K 1916, avion de chasse britannique.

L'aérodrome du Vieux Rhinebeck fut fondé il y a environ 20 ans par Cole Palen, qui, lui-même, construisit ou rénova nombre d'avions exposés au musée. Vers la fin des années 50, Cole Palen acheta une ferme abandonnée dans la vallée de l'Hudson, traça une piste d'envol et commença à donner régulièrement quelques spectacles.

Au début, très peu de gens se déplacèrent. Aujourd'hui, les choses ont changé et l'aérodrome est devenu un lieu très fréquenté : environ 4 000 touristes s'y pressent les jours de fête aérienne. En été, il y a deux spectacles diffé-

À l'aérodrome du Vieux Rhinebeck, la majorité des avions — comme le Fokker DR-1 au premier plan — sont des reproductions exactes d'avions de jadis.

Pour ceux que l'aviation tente, de courts vols sont organisés dans un Pitcairn Mailwing 1929.

rents. Le samedi a lieu une reconstitution de l'époque de Lindbergh, vers les années 30, au cours de laquelle on peut assister à différentes acrobaties aériennes.

Le dimanche, cependant, est plus spectaculaire. Le public vit à l'heure de la guerre de 1914-1918 où des héros comme le vaillant comte Guillaume de la Gentilhommière et l'adorable Désirée l'amour, sortis tout droit des romans à l'eau de rose, sont aux prises avec le méchant Baron noir de Rhinebeck. Avec ces arlequinades comme toile de fond, les spectateurs ont l'occasion de voir en action des avions de la Première Guerre mondiale et peuvent ainsi découvrir quelques aspects des débuts de l'aviation.

Les avions britanniques piquent sur l'ennemi et bombardent les forces du Baron noir rassemblées dans un village allemand reconstitué le long de la piste.

Au sol, un tank allemand a engagé le combat contre un authentique char d'assaut français. Un officier allemand au casque pointu fonce sur sa moto tout autour du champ d'atterrissage : il essaie d'abattre les avions anglais à l'aide d'une mitrailleuse montée sur son « side-car ».

Au cours des atterrissages et des décollages un commentateur donne des renseignements sur la façon dont fonctionnent les biplans, appareils lents mais maniables. « Ces vieux avions », dit-il, « n'avaient ni frein ni manette des gaz. Le pilote n'avait pas 36 solutions pour contrôler sa vitesse : il appuyait sur un bouton pour couper les gaz, puis rappuyait sur le bou-

ton en espérant que le moteur redémarre. Cela finissait parfois par une descente en piqué. »

Le bombardement du village allemand par un énorme Avro 504 K constitue le clou du spectacle. Le Baron noir, furieux, se glisse alors dans son triplan Fokker et se lance à la poursuite de l'Avro. (Ce triplan est la réplique exacte de celui que pilotait l'as de l'aviation allemande, le baron von Richthofen, le célèbre « Baron rouge » de la guerre de 1914).

Bientôt, un troisième avion se joint au combat : on fait rouler un Sopwith Pup sur le terrain. L'équipage au sol le fait démarrer en tournant son hélice. L'avion est ensuite guidé le long de la piste avant de s'envoler.

En quelques minutes, le combat s'engage. Au début, le Baron noir semble avoir le dessus mais le Sopwith Pup réagit et le Baron noir va finalement mordre la poussière — sous les acclamations de la foule.

Ceux qui veulent réellement prendre part à l'aventure peuvent effectuer un vol de 15 minutes à bord d'un Pitcairn Mailwing 1929. Les passagers portent le même équipement que le pilote : casque en cuir souple et lunettes de protection. Ils survolent alors les bois et les champs des environs.

Voici donc ce qui constitue la fête aérienne à l'aérodrome du Vieux Rhinebeck. Là, les vieux avions en bois et en toile revivent, pilotés par des hommes audacieux en bottes de cuir et écharpes en soie comme du temps du Baron noir et de Charles Lindbergh.

HENRY I. KURTZ
Auteur de *John and Sebastian Cabot*

LE MONDE DES JEUNES

Réservé aux enfants : un terrain de jeux situé dans le Monde de la Mer, à San Diego, où vous pouvez « nager » dans un océan de boules de plastique multicolores.

Renaissance, par Shelly Stoft, 17 ans, Reseda, Californie

JEUNES PHOTOGRAPHES

Sur ces pages, des fleurs venues de l'au-delà surgissent d'une maison délabrée. Un tigre change de robe. Des baies d'un rouge ardent sont emprisonnées dans de la glace et un arbre se transforme par la magie de la géométrie. Ces photos ont en commun une qualité saisissante : le soin minutieux avec lequel elles furent pensées et prises.

Elles ont aussi autre chose en commun : toutes remportèrent un prix au concours de photographie Kodak de 1980, qui est réservé aux étudiants américains et canadiens. Quels sont les conseils que semblent donner ces jeunes vainqueurs ? Trouvez un bon sujet pour votre photo. Faites des photos intéressantes. Armez-vous de patience lorsque vous les prenez. Entraînez-vous jusqu'à ce que vous arriviez à prendre une photo parfaite.

L'arbre aux diamants, **par Bill Wood, 16 ans, South Bend, Indiana**

Larmes de Paradis, **par Devin Lushbaugh, 15 ans, High Point, Caroline du Nord**

Un tigre coloré, par Joni Dwyer, 18 ans, Aurora, Colorado

Coucou, c'est nous ! par Jeff Sedlik, 17 ans, Reseda, Californie

L'auberge du désert,
par Perry Kuklin,
17 ans, Reseda, Californie

Sans nom, par Kathy Kovacs, 17 ans, Aurora, Colorado

JEUNES À LA UNE

En 1980, Billy Hsieh, qui n'a que 13 ans, fut le plus jeune joueur à gagner le titre de maître à vie, le rang le plus élevé en bridge-contrat. Ce titre ne revient qu'aux joueurs qui accumulent plus de 300 points lors d'un tournoi — exploit qui demande généralement 8 à 10 ans d'entraînement. Billy, qui fréquente une école secondaire à New York, dépassa les 300 points au bout de quatre ans. Il a appris à jouer au bridge-contrat en assistant aux leçons que son père donnait à son frère aîné.

Désirée Ruhstrat commença à jouer du violon à 3 ans. Elle fit ses débuts officiels avec l'Orchestre symphonique de Chicago à 6 ans. En 1980, à 11 ans, elle jouait en soliste avec l'Orchestre symphonique de Denver et projetait de faire une tournée de concerts en Europe. Désirée, qui vit au Colorado, est élève de sixième année et adore la natation, le soccer et le basket-ball. Elle joue du violon au moins 6 heures par jour. Son intention est de participer dans quelques années au célèbre concours Tchaïkovski à Moscou.

Le prince Hiro du Japon atteignit sa majorité en 1980 et la famille impériale célébra l'événement par une cérémonie remontant à 1 300 ans. Le jour de son vingtième anniversaire, en février, Hiro fut ceint d'une couronne de soie noire. Un carrosse tiré par des chevaux le conduisit au mausolée du Palais impérial à Tokyo où il annonça sa majorité aux esprits de ses ancêtres. Enfin, on lui décerna le Grand Cordon de l'Ordre suprême du chrysanthème. Le prince Hiro, qui est étudiant à l'université Gakushuin, est le petit-fils de l'empereur Hirohito et montera sur le trône après son père, le prince héritier Akihito. Bien que cette fonction soit à l'heure actuelle purement symbolique, la cérémonie reflète l'importance des traditions séculaires au Japon.

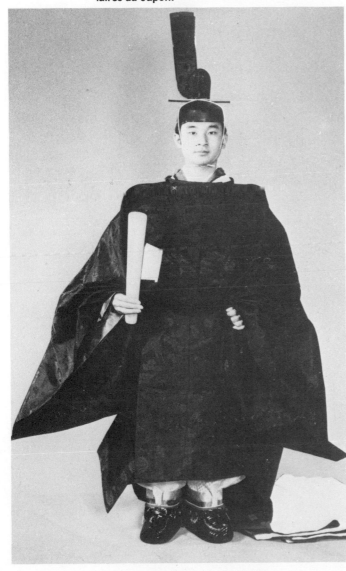

En 1980, un étudiant de New York, Michael Morris, a publié en exclusivité une entrevue de l'ex-président américain Richard Nixon. C'était le premier entretien que Nixon accordait depuis plus d'un an. Le jeune Michael se rendit à bicyclette jusqu'à la résidence des Nixon et remit une demande d'entrevue à un agent du Service secret. Quelques jours plus tard, Nixon l'appela au téléphone pour l'inviter. Pendant la demi-heure que Michael passa en compagnie de Nixon, ils discutèrent politique et basket - ball.

La jeune Torontoise Tracey Wainman, 12 ans, établit un record en 1980 : elle fut, en effet, la plus jeune patineuse artistique à participer à des championnats du monde de cette discipline. Cette année les championnats se déroulèrent en Allemagne de l'Ouest. Son but est d'obtenir une médaille d'or aux Jeux olympiques d'hiver de 1984. Tracey s'entraîne activement tous les matins à partir de 6:30 heures avant d'aller à l'école puis elle patine encore pendant 3 heures, une fois les cours terminés. Pendant ses heures de loisirs, elle adore lire, regarder la télévision et jouer au baseball.

Vous êtes probablement convaincu qu'une réunion d'actionnaires est la chose la plus assommante qui soit : tous ces gens en complet foncé marmonnant des paroles sérieuses sur des sujets financiers . . . Pourtant, ce genre de réunion est plutôt animé à la compagnie Irwin Toys, l'une des plus grosses fabriques de jouets au Canada : 15 pour cent des actionnaires ont en effet moins de 18 ans. Lors d'une rencontre du Club des jeunes actionnaires en juin à Toronto, le menu se composait de hamburgers et de crème glacée et des centaines d'échantillons étaient exposés. Les jeunes actionnaires, cependant, ne font pas que s'amuser. Ils s'intéressent vivement aux affaires de la société et posent aux cadres des questions ardues concernant les ventes et les frais généraux.

TRACEE TALAVERA :
UNE INCROYABLE ACROBATE

Tracee Talavera, une jeune gymnaste américaine, est en train de monter au firmament des stars. Et aucune déception ne semble altérer ses dons et son courage.

Cette athlète, qui mesure 1,50 mètres, occupa pour la première fois le centre de la scène sportive lors de la Coupe américaine de gymnastique qui eut lieu à New York en mars 1979. À la surprise de tous, Tracee y remporta les épreuves à la poutre et aux barres asymétriques et se classa troisième au classement individuel. Elle se comporta si bien que son entraîneur voulut la faire participer aux championnats du monde en décembre. Elle entra dans l'équipe américaine mais ne put prendre part à la compétition parce qu'elle n'avait que 12 ans, un an de moins que l'âge requis.

Tracee fut très déçue mais continua à s'entraîner intensément. En mars 1980, elle participa à la Coupe américaine pour la seconde fois. Cette fois-ci, elle remporta la victoire au classement individuel, battant ainsi certains des meilleurs athlètes du monde. Elle excella aux barres asymétriques, à la poutre — d'une largeur de 10 centimètres — sur laquelle elle effectua des pirouettes audacieuses et aux exercices au sol.

Tout en s'entraînant pour la Coupe américaine, Tracee vit s'amenuiser ses espoirs de participer aux Jeux olympiques de Moscou 1980; en avril, le gouvernement américain annonça son intention de boycotter les Jeux d'été. Aucun athlète américain ne partit pour Moscou et, une fois de plus, Tracee fut profondément déçue.

En décembre 1981, elle aura atteint l'âge requis pour les championnats du monde et il semble que rien ne pourra arrêter l'incroyable petite gymnaste. On attend d'elle une performance exécutée avec la grâce et l'énergie qui lui sont coutumières. Peut-être même ajoutera-t-elle un autre record à son palmarès.

C'est en 1972 que Tracee eut, pour la première fois, l'idée de devenir championne de gymnastique, en admirant à la télévision, en compagnie de sa sœur aînée Coral, les exploits de la Soviétique Olga Korbut. Tracee n'avait alors que 5 ans mais elle et sa sœur se précipitèrent dans le jardin pour essayer d'imiter la

championne olympique. Les deux petites filles prirent alors régulièrement des cours de gymnastique. Lorsque Tracee eut 9 ans, sa famille pensa qu'il serait préférable pour les deux petites filles de vivre au centre d'entraînement de gymnastique à Eugene, Oregon. Le centre se trouve à 9 heures de voiture de la maison des Talavera, à Walnut Creek, Californie. Le régime de l'école était très dur : aussi Coral abandonna-t-elle six mois plus tard et elle se dirigea vers la danse. Tracee, elle, resta au centre d'entraînement, travailla dur et ne vit sa famille qu'aux vacances.

Tracee aime la gymnastique et l'intérêt profond qu'elle ressent pour cette discipline lui permet de progresser d'une année à l'autre. Surtout, regardez-la aux Jeux olympiques de 1984. Il se peut que ses pirouettes la conduisent tout droit à la médaille d'or.

SCOUTISME

Dans le cadre d'un programme spécial appelé Nature et Voiliers, les scoutes des États-Unis ont étudié en mai 1980 la faune et la flore marines et terrestres. Les Cadettes et les Senior Scoutes ont passé deux semaines à bord du voilier d'entraînement *Young America*. Elles se sont partagé les tâches, faisant le quart, appareillant, cuisinant pour la troupe. Cette expédition faisait partie d'une série de programmes appelée Grandes Possibilités.

Les scouts du Canada ont eux aussi parrainé plusieurs excursions et événements au cours de l'année, notamment une expédition en canoë sur des rivières turbulentes du nord de la Saskatchewan.

Le grand couturier Oscar de la Renta a créé pour les scouts des États-Unis de nouveaux uniformes. Ces derniers, conformes à l'allure traditionnelle des scouts, sont havane et vert olive pour les scouts et bleu marine pour les louveteaux. Le tissu dans lequel ont été taillés les uniformes est d'un entretien facile et d'une solidité à toutes épreuves.

Les scoutes américaines ont eu aussi de nouveaux uniformes en 1980. Sur cette photo, des scoutes et des Brownies de Washington, D.C., arborent leur nouvelle tenue à la Maison Blanche. Au cours de la réception, que présidait madame Carter, on a dévoilé de nouveaux insignes et une nouvelle récompense, la médaille d'or des scoutes.

Les bases « Grande Aventure » donnent l'occasion aux scouts américains âgés de 14 ans et plus d'explorer la nature. Chaque année, plus de 6 000 jeunes s'y rendent pour y faire de la voile, du canoë, de la plongée et des randonnées.

Pour la deuxième année consécutive, la troupe de louveteaux de Sandy, en Utah, a remporté le Concours de la forme physique. L'équipe de trois membres du groupe 353 s'est classée première parmi plus de 100 000 jeunes qui entrèrent dans la compétition aux niveaux local, régional et national. Ces trois concurrents ont accumulé un total de 1 991 points, battant le record précédent, dans les quatre compétitions du concours : flexions du bassin, tractions, sauts en longueur et lancer de la balle.

Les guides du Canada ont célébré leur 70e anniversaire en 1980. On voit ici des guides, des Pathfinders, des Rangers, des Cadets et des bénévoles participant à une réception organisée au quartier général de Toronto. Le thème de cette fête était « Soixante-dix ans d'engagement » au service de la communauté.

John Gelinas de Scarsdale, dans l'État de New York, s'est distingué en 1980 en devenant l'un des rares scouts à remporter tous les insignes de mérite. Âgé de 18 ans, Gelinas a obtenu son 121e et dernier insigne en ski nautique. L'apiculture et l'élevage des lapins ont été, selon lui, les épreuves les plus difficiles.

JOYEUX ANNIVERSAIRE, DISNEYLAND

Disneyland, l'un des parcs d'attractions les plus célèbres au monde, a fêté en 1980 son 25e anniversaire. Lorsqu'il ouvrit ses portes, le 17 juillet 1955, à Anaheim en Californie, on se rendit vite compte que cet endroit était unique au monde. Quant à la fête qui eut lieu à Disneyland, en 1980, à l'occasion de ses 25 ans, ce fut l'une des plus longues et des plus somptueuses de tous les temps. C'est Walt Disney, le célèbre dessinateur et metteur en scène, « père » des adorables personnages des dessins animés Mickey, Donald, Dingo et Pluto, qui créa Disneyland.

Disney avait l'habitude d'emmener, tous les samedis, ses filles Diane et Sharon jouer dans un parc. Là, elles faisaient jusqu'à 30 ou 40 tours de manège, pendant que leur père, s'ennuyant à mourir, mangeait des cacahuètes assis sur un banc. Ceci se passait vers les années 30. C'est là qu'il se mit à imaginer le genre de parc où lui *aimerait* passer ses samedis : un endroit où parents et enfants pourraient s'amuser ensemble. Ce ne serait pas un vulgaire parc de jeux, ce serait un parc féerique !

Les divers thèmes. Disneyland est fait de 7 « pays » ayant chacun un thème différent. On peut ainsi voyager dans le temps, dans l'espace, ou tout bonnement au royaume de l'imagination. Voici les différents endroits que l'on peut visiter : (1) La Grand-Rue États-Unis est une reconstitution détaillée de la rue principale d'une petite ville des États-Unis entre 1890 et 1910; (2) Le Pays imaginaire où les contes de fées préférés de votre enfance prennent vie; (3) Le Pays de l'aventure vous invite à une croisière à travers la jungle; (4) Au « Far-West », vous monterez à bord du train « La montagne de tonnerre » qui, au cours de son périple, se jette la tête la première dans une avalanche; (5) La Cité de demain vous fait découvrir le monde étrange de l'avenir; (6) Place de la Nouvelle-Orléans vous permet de retrouver le charme français de la Nouvelle-Orléans au siècle dernier; (7) et enfin, le Pays des Ours — thème nouveau peuplé de merveilleux ours automates, animés par le procédé électronique appelé « audio-animatronique ». C'est ce procédé qui permet aux nombreux personnages de Disneyland de bouger et de parler.

L'anniversaire. En 1980, il y eut tous les jours un grand défilé à Disneyland, en l'honneur de ses 25 ans. Le défilé était conduit par Mickey (le petit personnage qui rendit Walt Disney célèbre) qu'entouraient ses amis Donald, Dingo et Pluto. Ils étaient tous quatre suivis par une fanfare, une troupe à cheval et l'orchestre de Disneyland; tous les membres de cette parade étaient habillés des couleurs célébrant l'anniversaire, argent, bleu et blanc.

Derrière l'orchestre venaient les sept thèmes représentés à Disneyland. La Grand-Rue États-Unis présentait les *Keystone Kops,* ces sergents de ville maladroits des films muets faisant la joie de Charlie Chaplin ou Buster Keaton, un tramway muni d'une cloche et un quatuor de garçons-coiffeurs. Le Pays de l'aventure était représenté par une troupe de danseurs tahitiens, des éléphants, des singes et quelques personnages du film *Le livre de la jungle.* Place de la Nouvelle-Orléans présentait frère Ours, compère le Renard et Jeannot Lapin, suivis par un orchestre de jazz et un cabriolet tiré par des chevaux. Le Pays des Ours envoya un trio d'ours-automates, membres du dynamique orchestre « Le jamboree des Ours ». Du Far-West, défilèrent deux diligences et 12 danseuses de french-cancan sorties tout droit de la revue « Le fer à cheval en or ». La Cité de demain envoya des patineurs à roulettes disco ainsi qu'un orchestre rock-disco. Enfin, du Pays imaginaire, parvint, montée sur des roues, la réplique exacte du château de la Belle au bois dormant, et le clou du spectacle : le carrosse de Cendrillon, tiré par six poneys blancs comme neige. Clôturant la pa-

Walt Disney, le créateur de Disneyland.

rade, venait une sorte d'orgue à vapeur, celui-là même qui avait participé au défilé d'ouverture de Disneyland.

Mais même sans anniversaire, un séjour à Disneyland est une fête magnifique car cet endroit est réellement un royaume féerique.

L'un des clous du défilé d'anniversaire fut le carrosse en cristal de Cendrillon.

énorme bouteille de lait telle qu'on les faisait jadis. Cette bouteille fait trois étages de haut et l'on y vend de la crème et du yogourt glacés.

Le musée occupe trois étages de l'édifice en briques. On y trouve de nombreux objets que les enfants sont invités à observer et à toucher. Voici quelques-uns des objets les plus farfelus ou insolites.

Le pupitre de géant est douze fois plus grand qu'un pupitre ordinaire. Les accessoires — téléphone, crayon, trombones, buvard, tasse à café et règle — ont une taille en conséquence. Les enfants peuvent marcher sur le pupitre, sauter sur les boutons du téléphone ou essayer d'écrire avec le gigantesque crayon.

La section de ville est la reproduction d'un croisement de rues. On peut y faire marcher les feux de circulation. On peut aussi descendre dans un bassin collecteur d'égouts. Vu de l'extérieur, ce bassin de brique et de mortier ressemble à une immense ruche. Bien qu'on ne construise plus ce genre de bassin, on en trouve encore quelques-uns dans de vieilles villes comme Boston. Dans la « section de ville » se trouvent aussi une voiture et une maison qui ont été « sectionnées » en deux : on peut voir ainsi la façon dont elles ont été assemblées.

La maison de grand-père et grand-mère est la réplique d'une demeure victorienne à trois étages. Au grenier, vous pouvez coudre sur une machine à coudre ancienne. Il y a des malles, remplies de vieux vêtements que vous pouvez essayer. Au rez-de-chaussée, vous pouvez lire un vieux livre ou écouter une vieille radio encombrante dans un petit salon confortable. Un tour à la cuisine vous permettra de découvrir comment les gens faisaient la cuisine et lavaient la vaisselle au début du siècle. Dans l'atelier de grand-père, amusez-vous avec de vieux outils.

La maison japonaise est la maison authentique d'un artisan japonais de Kyoto. Cette maison à deux étages, construite il y a environ 150 ans, fut complètement démontée, expédiée à Boston et remontée au musée. C'est une maison de six pièces, salle de bains, cuisine et entrée. Un petit jardin orné de plantes et de statues agrémente le tout. Des expositions et des programmes spéciaux renseignent les visiteurs sur la vie à Kyoto. Des objets exposés sur des supports rotatifs expliquent comment on fait les nouilles, les tatami (tapis), les shoji (écrans de papiers) et les casseroles. Au festival de la Journée des Enfants, riche en couleurs, on peut

MUSÉE POUR ENFANTS

Aimeriez-vous être commentateur à la télévision, manger dans un vrai foyer japonais, fureter dans le grenier d'une vieille demeure victorienne, travailler sur une chaîne de montage ou encore descendre dans un trou d'égout ? Vous pouvez réaliser tous ces rêves en passant une journée au Musée pour Enfants de Boston, dans l'État du Massachusetts.

Ouvert en 1913, le musée a récemment été transféré dans un grand entrepôt du XIXᵉ siècle sur le bord de mer à Boston. Lorsqu'on s'approche de l'édifice en briques et en bois, la première chose qui attire l'attention est une assister à un spectacle de danses folkloriques et à une démonstration d'arts martiaux, apprendre la calligraphie et fabriquer des cerfs-volants.

Si j'étais infirme permet aux visiteurs de comprendre ce qu'est une infirmité. Là, vous vous rendez compte des mille et un obstacles auxquels se heurtent les gens qui ne peuvent pas marcher, voir ou entendre ou qui ont des difficultés d'apprentissage ou encore un handicap mental. Vous pouvez par exemple vous asseoir dans un fauteuil roulant et essayer de vous déplacer sur différents types de surfaces. Vous pouvez porter un masque qui bloque partiellement ou complètement la vue.

L'usine permet aux enfants de travailler dans une fabrique de toupies. Vous devez d'abord pointer, puis vous vous rendez à la chaîne de montage. Là, soit vous découperez des rondelles dans du carton, soit vous placerez une cheville de bois au centre de chaque rondelle. Il se peut que vous soyez responsable du contrôle de la qualité. Dans ce cas, vous devrez vous assurer que chaque toupie est faite correctement. Vous travaillerez peut-être au service d'expéditions pendant quelque temps ou encore au service des finances.

Le travail vous permet aussi d'explorer le monde des emplois. Vous pouvez être embauché dans un supermarché ou peut-être même

Sautez sur les boutons du téléphone gigantesque placé sur « le pupitre du géant ».

Explorez la « section de ville » : vous verrez comment est construite une maison.

251

Visitez « la maison de grand-père et grand-mère » et essayez les vieux vêtements oubliés au grenier . . .

. . . lisez un bon livre dans le confortable petit salon . . .

. . . et servez-vous, à la cave, des vieux outils de grand-père.

Promenez-vous dans la maison japonaise en découvrant les différents usages d'une même pièce.

dans un centre d'hygiène et de santé.

Le service des ordinateurs possède douze consoles d'ordinateurs. Les enfants peuvent les utiliser pour jouer aux morpions, à la bataille navale et à d'autres jeux identiques. « Comment ça marche » explique le fonctionnement des ordinateurs. Une « tortue » électronique navigue d'après les données fournies à l'ordinateur et un synthétiseur de parole « parle » aux visiteurs.

Nous sommes toujours là est une rétrospective de la vie des Indiens de la Nouvelle-Angleterre. On y compare leurs anciennes coutumes, au moment de l'arrivée des premiers colons, et leur mode de vie actuel. Au centre de cette section se dressent un wigwam et une habitation moderne.

D'autres secteurs du musée vous invitent soit à tourner vos propres films soit à vous servir d'outils tels un tour ou une perforeuse.

Dans le studio de la chaîne de télévision WKID, vous pouvez faire semblant d'être un reporter célèbre diffusant les dernières nouvelles, ou bien vous pouvez jouer au cameraman en vous servant de la caméra en circuit fermé. On trouve également, au musée, des expositions de jouets et de maisons de poupées. Dans la section « Sciences naturelles » on peut regarder vivre les petits animaux qui peuplent nos villes : souris, fourmis, vers et cafards.

Au musée, les enfants sont encouragés à recycler tout matériau de façon créative. Des employés du musée ramassent ce que nombre d'usines jettent : morceaux de bois, de mousse, de papier ou de plastique. Ces matériaux servent alors de matière première à certains projets scientifiques ou artisanaux.

On ne s'ennuie pas au Musée pour Enfants de Boston. Il y a tant à voir qu'un jour suffit à peine pour le visiter.

Rendez-vous dans la pièce de recyclage. Toutes sortes d'objets bons à jeter sont réutilisés.

PEINTRES EN HERBE

En 1980, ces tableaux ont fait le tour du monde à l'occasion de la Dixième Exposition internationale d'œuvres d'art enfantines. On y exposait plusieurs centaines de tableaux et de dessins, choisis parmi plus de 12 000 œuvres d'art exécutées par des enfants de 5 à 15 ans. Un jury composé de professeurs de dessin japonais sélectionnait les vainqueurs.

Les œuvres provenaient de 48 pays différents. Les critères de sélection étaient basés sur le degré d'imagination, l'originalité de l'œuvre et le sentiment de joie qui s'en dégageait.

Si vous désirez participer à cette manifestation d'art, écrivez à l'adresse suivante :
International Children's Art exhibition
2715 Columbia Street
Torrance, Californie 90503

Pièce de résistance,
par Mac Thomas Junior, 10 ans, États-Unis

Construction, **par Derek Manning, 10 ans, Canada**

Moissonneurs japonais, par Pau Ortiz, 11 ans, Espagne

La maîtresse d'école, par Eman Farouk Hasson, 10 ans, Égypte

CRÉATION

Deux oiseaux-mouches et deux espèces d'orchidées (1882-1884), de Martin Johnson Heade. Depuis des siècles, les peintres ont su capturer la magie et la beauté des fleurs, procurant ainsi au public le plaisir des yeux.

HOMMAGE À PICASSO

« Quand j'étais enfant, ma mère me disait : « Deviens soldat et tu seras général; deviens moine et tu seras pape.» Moi, je suis devenu peintre et j'ai fini par être Picasso.»

Pablo Picasso est devenu, en fait, l'artiste le plus célèbre et le plus important de son siècle. L'année 1981 marquera le centenaire de sa naissance, survenue le 25 octobre 1881 à Malaga (Espagne). Mais le monde lui a rendu hommage dès 1980 puisque deux grands événements sont déjà venus souligner cet anniversaire.

Le premier événement, c'est l'exposition qui s'est tenue au Musée d'Art moderne de New York et où étaient réunies près de 1 000 œuvres de Picasso. L'exposition comptait des dessins que l'artiste avait exécutés à 13 ans ainsi que des œuvres créées à 90 ans. L'exposition présentait également des sculptures en bois et en métal, des poteries et des poupées. Ce fut l'exposition la plus importante des œuvres de Picasso qui ait jamais été tenue. Le deuxième

événement portait sur le chef-d'œuvre politique de Picasso, *Guernica*. L'artiste peignit cette grande fresque murale en 1937, après que la guerre civile eut éclaté en Espagne. Les forces allemandes, alliées au dictateur espagnol Francisco Franco, avaient bombardé Guernica, une ville du nord de l'Espagne. Picasso exprima dans cette peinture l'horreur que lui inspira le spectacle de mort et de souffrance de la ville bombardée.

Picasso prêta sa fresque au Musée d'Art moderne, en précisant qu'elle devait être remise à l'Espagne quand un régime démocratique aurait été rétabli dans son pays. Or, en 1975, deux ans après la mort de Picasso, le dictateur Franco mourut. Le nouveau gouvernement mit sur pied un programme de réformes démocratiques et appela le peuple aux urnes. Et c'est ainsi qu'en 1980 *Guernica* fut donnée à l'Espagne.

▶ LE GOÛT DU RISQUE

Picasso commença à dessiner quand il était enfant. Sa mère disait de lui qu'il avait commencé à dessiner avant même de parler. Ses dons exceptionnels se manifestèrent très tôt, même aux yeux de son critique le plus sévère : son père, lui-même un artiste. À 13 ans, le fils surpassait le père. Celui-ci remit à son fils sa palette et ses pinceaux en déclarant qu'il ne toucherait plus jamais à une toile.

Picasso exécuta ses premières peintures dans le style académique et réaliste de son époque. Sa voie était toute tracée, mais il manifestait peu d'intérêt pour un style qu'il maîtrisait déjà. Ce qu'il voulait, c'était prendre des risques, innover, explorer.

En 1900, Picasso s'installa à Paris. Jusqu'en 1904, il produisit de nombreuses peintures, presque entièrement réalisées dans les tons de bleu, dont les personnages sont souvent des êtres pauvres et solitaires. Il abandonna peu à peu ces tonalités bleues pour entrer dans une « période rose » aux peintures plus vives et plus chaleureuses. À cette période rose succéda une série de peintures composées dans les tons de gris et de beige.

Un changement plus profond se produisit dans la peinture de Picasso. L'artiste cessa de représenter les objets sous un angle unique

Guernica, 1937

Le vieil homme à la guitare, 1903

et tenta de les montrer simultanément sous des angles multiples. Il s'agissait, pour Picasso, de dévoiler la structure de l'objet et non de le montrer tel qu'il se présente à nous dans le monde réel. C'est ce qu'on a appelé la peinture cubiste. Picasso fut, avec son ami Georges Braque, le premier peintre cubiste.

Les peintures cubistes de Picasso offrent une grande variété. Certaines relèvent du cubisme dit « analytique ». Ce sont des œuvres axées sur des formes géométriques où les objets peints prennent l'aspect de cubes, de cercles, de cônes et de triangles. Couleur et traitement des surfaces sont pratiquement inexistants. Picasso adopta plus tard un autre style, dit « cubisme synthétique », dont les *Trois Musiciens* est sans doute l'exemple le plus célèbre.

Picasso fut également le premier artiste moderne à créer des collages. Ce sont des œuvres d'art, composées en partie d'éléments du monde concret : bouts de papier, ficelles, punaises, morceaux de papier d'aluminium. En 1912, Picasso produisit un collage cubiste intitulé *Nature morte à la chaise cannée*. Un morceau de toile cirée imprimée y reproduit la cannelure de la chaise. Dans un autre de ses collages, *Bouteille de Suze*, Picasso assembla des coupures de journaux et des morceaux de papier peint.

Les sculptures de Picasso s'inscrivent également dans la lignée de ses peintures cubistes et explorent à leur manière la structure des

Trois Musiciens, 1921

Nature morte à la chaise cannée, 1912

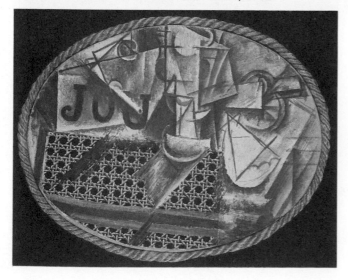

objets. Nombre d'entre elles sont plus construites que gravées ou moulées. La première « construction » de Picasso (1912) est une guitare faite de métal et de fil de fer.

Tout au long de sa carrière, Picasso subit l'influence de divers styles et époques. C'est ainsi que de nombreuses œuvres semblent s'inspirer de l'art africain, tandis que plusieurs peintures, créées vers 1920, marquent un retour au réalisme. Ces dernières œuvres ont souvent pour personnages des femmes corpulentes, d'une forte stature. Certaines peintures prennent leur source dans les légendes grecques et romaines; d'autres, comme *Maternité* évoquent la délicate beauté des chefs-d'œuvre de la Renaissance. C'est la période néo-classique de Picasso.

Picasso subit également l'influence d'autres artistes. Vers 1930, il s'intéressa aux œuvres de surréalistes qui tentaient de dévoiler le monde de l'inconscient. Cette influence s'affirme dans *Jeune fille devant une glace*, qui date de 1932. Dans ce tableau, le personnage se regarde dans une glace qui ne lui renvoie pas son image physique, mais le reflet de son monde intérieur.

Les femmes furent le thème préféré de Picasso. Il les représenta lisant, dormant, pleurant, criant, sur la plage, sur un lit, sur une chaise, devant un miroir. Picasso se plaisait également à peindre des enfants. Certains de ses portraits les plus touchants ont pour modèle son fils Paolo.

En 1949, Picasso peignit une colombe blanche pour en faire une affiche destinée au mouvement de la Paix. Cette affiche fut imprimée

Famille de paysans, d'après Le Nain, **1917-1918**

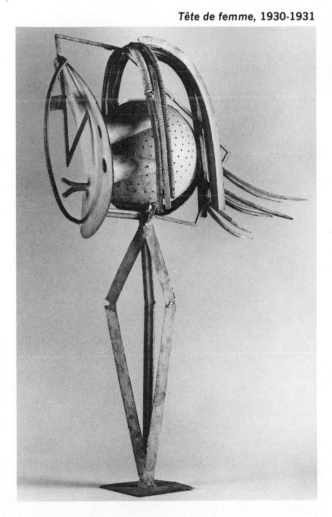

Tête de femme, 1930-1931

à des millions d'exemplaires. La colombe blanche de Picasso fit le tour de la Terre, toucha les cœurs et éveilla les esprits de millions d'individus dans le monde.

▶NI LASSITUDE, NI VIEILLISSEMENT

Jusqu'en 1950, Picasso passa le plus clair de son temps à Paris. Il s'installa ensuite dans le sud de la France où il se consacra à la céramique et à la sculpture, sans pour autant abandonner la peinture. Sa production fut étonnante. En 1969, à 88 ans, il produisit au moins 165 peintures et 45 dessins. « Peindre est mon passe-temps, disait-il. Quand je finis de peindre un tableau, j'en fais un nouveau pour me détendre.»

Si Picasso était animé d'une telle énergie, c'était peut-être parce qu'il avait tout simplement refusé de vieillir. À presque 90 ans, il déclarait en effet : « Nous avons tous l'âge que nous avons décidé d'avoir et j'ai décidé d'avoir toujours trente ans.»

Dustin Hoffman (prix d'interprétation masculine) et **Meryl Streep** (meilleur second rôle féminin) dans *Kramer contre Kramer* (meilleur long métrage).

OSCARS DE L'ACADÉMIE DES ARTS ET DES SCIENCES DU CINÉMA 1980

CATÉGORIE	GAGNANT
Long métrage	*Kramer contre Kramer*
Meilleure interprétation masculine	Dustin Hoffman (*Kramer contre Kramer*)
Meilleure interprétation féminine	Sally Field (*Norma Rae*)
Meilleur second rôle masculin	Melvyn Douglas (*Bienvenue, Mr. Chance*)
Meilleur second rôle féminin	Meryl Streep (*Kramer contre Kramer*)
Prix de la mise en scène	Robert Benton (*Kramer contre Kramer*)
Prix du meilleur film étranger	*Le Tambour* (R.F.A.)
Meilleure chanson	« It goes like it goes » (*Norma Rae*)
Meilleur long métrage documentaire	*Best Boy*
Meilleur court métrage documentaire	*Paul Robeson: Tribute to an artist*
Cinématographie	Vittorio Storaro (*Apocalypse Now*)

Dans *Que le spectacle commence*, Bob Fosse dépeint la vie frénétique d'un metteur en scène new-yorkais que sa recherche de la perfection entraîne inexorablement vers la mort.

PALMARÈS DU XXXIIIe FESTIVAL DE CANNES

CATÉGORIE	GAGNANT
Palme d'or du long métrage	*Kagemusha* de Kurosawa (Japon)
	Que le spectacle commence de Bob Fosse (É.-U.)
Prix de la mise en scène	*Constans* de Krzysztof Zanussi (Pologne)
Prix de la meilleure interprétation masculine	Michel Picolli dans *Le saut dans le vide* (Italie)
Prix de la meilleure interprétation féminine	Anouk Aimée dans *Le saut dans le vide* (Italie)
Prix spécial du jury	*Mon oncle d'Amérique* de Alain Resnais (France)
Palme d'or du court métrage	*Seaside woman* d'Oscar Grillo (G.B.)
Prix du scénario et des dialogues	*La Terrasse* d'Ettore Scola (Italie)
Caméra d'or (jeune cinéma)	*Histoire d'Adrien* de Jean-Pierre Denis (France)

JARDIN MONSTRUEUX

Imaginez que vous vous promenez dans la nature, au milieu des bois et des rochers. Fatigué, vous grimpez sur un rocher moussu et vous vous asseyez. Soudain, effrayé, vous vous apercevez que vous n'êtes pas assis sur un simple rocher, mais sur le genou d'un monstre ! Au-dessus de vous, au milieu de branches et de feuilles de lierres enchevêtrées, vous regarde un monstre au visage de pierre.

Ces étranges créatures de pierre peuplent un jardin italien situé au nord de Rome. Ce « jardin des monstres », comme on l'appelle, fut aménagé au XVIe siècle pas un prince italien nommé Vicino Orsini. Pendant des siècles, les arbres, le lierre et les buissons recouvrirent ces immenses silhouettes. Il y a seulement trente ans que l'on entreprit de tailler les arbres et d'ouvrir le jardin aux visiteurs.

Une douzaine de silhouettes indubitablement monstrueuses surgissent d'entre les arbres ou au détour des sentiers. On y trouve également quelques silhouettes moins inquiétantes, mais tout aussi fantaisistes, une pièce inclinée et un temple miniature. Presque toutes ces statues ont été sculptées dans les formes rocheuses naturelles et semblent avoir été figées dans la pierre par un coup de baguette magique. Si vous visitez le jardin, vous pourrez les toucher, y grimper et même y pénétrer.

DES SCULPTURES MINIATURES : LES NETSUKE

Les sculptures miniatures représentées dans ces pages s'appellent des netsuke (qu'on prononce « netské »). La plupart d'entre elles tiendraient dans le creux de votre main. Elles furent ciselées au Japon par des maîtres sculpteurs, surtout au cours des XVIIIe et XIXe siècles. Les dessins de certains netsuke sont si compliqués qu'un sculpteur mettait quelquefois trois mois pour en réaliser une seule.

Bien qu'à l'origine ils aient eu, comme les meubles et les bijoux, une fonction utilitaire, de nombreux netsuke sont aujourd'hui appréciés en tant qu'objets d'art.

La majorité des Japonais s'habillent à l'heure actuelle à l'occidentale. Ce ne fut cependant pas toujours le cas. Le costume japonais traditionnel se compose du kimono, sorte de robe ample, et de l'obi, une ceinture large. Comme le kimono n'a pas de poches, où les Japonais mettaient-ils donc leur argent ou leur tabac à pipe, par exemple ?

Ils résolurent le problème en les mettant dans des goussets. On passait une cordelette dans de petits trous percés dans le gousset et on attachait un netsuke à l'extrémité libre de la cordelette. Le netsuke était alors placé sur le bord supérieur de l'obi et servait ainsi de contrepoids au gousset qui, lui, pendait sous la ceinture. En outre, netsuke et gousset rehaussaient la beauté du kimono.

On ignore à quand remonte l'utilisation des premiers netsuke. Les tout premiers se caractérisaient par la simplicité de leurs motifs et peu de gens s'y intéressaient. Dès la fin du XVIIIe siècle, ceux-ci étaient devenus des objets si courants que des centaines de sculpteurs se consacraient à leur fabrication.

Presque tous les netsuke sont en bois ou en ivoire. D'autres matériaux ont également servi à leur fabrication : os, corne, coquillages, ambre, pierre, métal et porcelaine. Bien qu'il n'y ait pas deux netsuke identiques, tous ont des traits communs; ils n'ont jamais de bord coupant qui risquerait de déchirer le kimono et tout netsuke est percé de deux trous dans lesquels on enfile la corde. Ces trous se fondent souvent dans le motif et il est presque impossible de les repérer.

Les animaux sont source d'inspiration fréquente pour les sculpteurs de netsuke. Certains sont aisément reconnaissables, tels les singes, chevaux, rats, chiens, tigres, serpents, poissons, insectes ou escargots. D'autres, tels le shishi, le shokuin, le baku et le kappa, sont des animaux mythologiques légendaires.

Le shishi est un animal à poil frisé, mi-chien, mi-lion. Il symbolise le courage et la force. On représente presque toujours le mâle la

Ce netsuke évoque la légende de Chōkwarō.

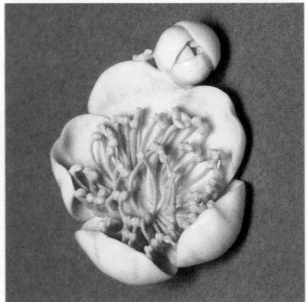

Un thème courant de netsuke : les fleurs de prunier.

gueule ouverte, alors que la femelle a la gueule fermée.

Le shokuin est une créature qui rappelle le dragon; il a un visage humain et un corps de serpent. On lui attribue le pouvoir de changer les saisons. Le baku, lui, a un long nez, comparable à une trompe d'éléphant, et un corps de lion ou de cheval. On dit qu'il se repaît de mauvais rêves.

Créature fabuleuse, le kappa vivait dans les rivières. On le représente habituellement avec une tête de singe, un corps de tortue et des pattes palmées. On mettait souvent les petits Japonais en garde contre le kappa. Si un enfant qui ne savait pas nager se noyait, on en attribuait tout de suite la responsabilité au kappa. De nombreux netsuke le montrent assis sur une tortue, cette dernière étant l'une de ses compagnes aquatiques. D'autres le représentent tenant un gros concombre.

On croyait que le kappa adorait les concombres et les Japonais en laissaient parfois le long des berges. Ils espéraient que leurs offrandes feraient plaisir au kappa, lequel, en retour, les laisserait tranquilles.

Un magnifique netsuke en ivoire représente un cheval sortant d'une gourde. Il évoque la légende de Chōkwarō, personnage religieux chinois qui vécut vraisemblablement à la fin du VIIe siècle.

Selon la légende, Chōkwarō possédait un cheval blanc qui pouvait le transporter à des

Cette créature, qui rappelle un dragon, est un shokuin.

milliers de kilomètres de l'endroit où il se trouvait en une seule journée. À la fin du voyage, Chōkwarō avait l'habitude de mettre le cheval dans une petite gourde. Quand il était prêt à repartir, Chōkwarō n'avait qu'à mouiller la gourde et la monture en sortait.

Ono no Komachi, femme poète célèbre du IXe siècle, est également une source d'inspiration de prédilection chez les sculpteurs de netsuke. Elle est parfois représentée alors qu'elle était jeune et très belle; parfois aussi quand elle était devenue vieille et laide.

Les sculpteurs de netsuke affectionnent aussi les fleurs de cerisier, de prunier et d'autres plantes, comme le chrysanthème, une des fleurs préférées des Japonais.

De nos jours, des collectionneurs de tous les pays s'arrachent les netsuke, dont beaucoup valent une fortune. Le prix d'un netsuke de bonne qualité varie de quelques centaines à plus de 20 000 $. Et leur prix de vente ne cesse d'augmenter.

Les maîtres sculpteurs du Japon fabriquent encore des netsuke. Les Japonais ne portent plus que rarement le kimono, mais ils continuent à acheter des netsuke simplement pour le plaisir de l'œil.

Le kappa, animal imaginaire vivant dans les rivières.

LA SCÈNE MUSICALE

En 1980, l'activité musicale a été marquée du signe de la variété. En effet, les groupes et les vedettes de la chanson les plus populaires semblaient n'entrer dans aucune catégorie particulière d'expression musicale. « Nous avons trois publics différents », a déclaré un porte-parole du groupe Ambrosia. « Le premier s'identifie à nous à travers *Life Beyond L.A.* qui constitue le côté progressiste de notre musique. Le second apprécie plus particulièrement l'aspect doux et sentimental aux nuances « soul » de notre musique, tel notre grand succès actuel « You're the Only Woman ». Enfin, notre troisième public considère que nous sommes un orchestre de rock 'n' roll. En fait, nous sommes tout ça à la fois ! »

Comme de multiples formations ayant connu un succès indéniable en 1980, Ambrosia a sorti des albums qui reflètent un peu chaque genre musical. Parallèlement aux artistes qu'il admire, le public, celui qui va aux concerts comme celui qui achète les disques, refuse de se laisser cataloguer. Fini le public typiquement « rock », « modéré » ou « country ». Le public 1980 est universel.

▶ **LA MUSIQUE EN VOGUE . . .**
ET CELLE QUI NE L'EST PLUS

La popularité de la musique disco qui, il n'y a pas si longtemps, faisait fureur auprès des discophiles et des danseurs, a continué de baisser. Plusieurs chanteurs ont toutefois refusé d'abandonner la sonorité disco. Ainsi, le « Call Me » de Blondie a-t-il connu un succès éclatant. De leur côté, les Spinners, qui pendant cinq ans avaient vainement cherché le « tube », ont fait leur rentrée avec leur album disco *Dancin' and Lovin'* qui comporte, entre

Variété est le mot qui convient pour décrire ce qui s'est passé dans le monde musical en 1980. Le groupe Ambrosia a enregistré des albums dans lesquels tous les genres musicaux étaient présents.

Avec « Babe », tiré de *Cornerstone*, les Styx ont concouru au succès d'un rock plus mélodieux.

autres, le grand succès « Working My Way Back to You ».

Le rock « heavy metal » était-il toujours présent ou au contraire avait-il disparu de la scène musicale ? Alors que de nombreuses suppositions venaient alimenter cette controverse, les discophiles se bousculaient chez les disquaires pour acheter *In Through the Out Door* de Led Zeppelin et *Permanent Wave* de Rush. Or il est intéressant de remarquer que ces deux albums reposent sur la rythmique lourde et persistante de la batterie et la sonorité métallique des guitares, particularités qui ont donné son caractère au rock « heavy metal ».

La sonorité nouvelle vague d'Elvis Costello et du groupe Police n'a pas semblé trouver d'écho durable chez le public. Par contre, Devo a connu un grand succès avec « Whip It » tiré de l'album *Freedom of Choice*. Parallèlement, une musique « nouvelle vague » au phrasé plus subtil nous était proposée par Tom Petty et les Heartbreakers avec « Don't Do Me Like That » tiré de l'album *Damn the Torpedoes;* par ZZ Top avec « I Thank You » tiré de l'album *Deguello;* par Pink Floyd avec *The Wall;* par Queen avec « Another One Bites the Dust »

et par Knack avec « Good Girls Don't ».

On a noté en outre, chez certaines vedettes du disque, l'adoption d'une musique pop rock plus mélodieuse. Les Eagles, avec « I Can't Tell You Why » tiré de *The Long Run,* Supertramp avec « Take the Long Way Home » tiré de *Breakfast in America,* les Styx avec « Babe » tiré de *Cornerstone* et Barbra Streisand avec « Women in Love » tiré de *Guilty,* sont à classer dans cette dernière catégorie.

De son côté, le courant « modéré » conservait toute sa popularité avec « When I Wanted You » de *One Voice* par Barry Manilow, « Him » et « Escale » (la chanson du Piña Colada) par Rupert Holmes, « Desire » tiré de l'album *After Dark* par Andy Gibb, « Longer » de l'album *Phœnix* par Dan Fogelberg et « Do That to Me One More Time » de l'album *Make Your Move* par Captain & Tennile alors que Kenny Rogers connaissait un grand succès au hit parade, en particulier avec « Lady ».

De nombreux amateurs de musique ont applaudi le retour des ballades dont les nuances de fraîcheur et de douceur s'opposent agréablement au rythme martelé de la musique disco et du rock « heavy metal ».

Michael Jackson a enregistré deux chansons à succès pendant l'année : « Don't Stop 'Til You Get Enough » et « Off the Wall », toutes deux tirées de l'album *Off the Wall*.

▶ **VIEILLES CONNAISSANCES ET NOUVEAUX SUCCÈS**

Certains groupes solidement établis sur la scène musicale ont su faire évoluer leur musique et conserver la faveur de leur public. Tel fut le cas des Rolling Stones qui ont pimenté leur style hard-rock d'ingrédients punk pour propulser *Emotional Rescue* au premier rang du hit parade. Avec son style bien particulier, Diana Ross a réussi à classer « Upside Down » au premier rang du hit parade et a connu un autre succès éclatant avec « It's My Turn », thème musical du film du même nom. Eric Clapton, virtuose britannique de la guitare, qui s'était fait connaître avec d'excellents groupes comme les Yardbirds et Cream, a sorti *Just One Night,* qui lui a valu un album d'or.

1980 a été l'année de la consécration pour trois groupes dont la popularité ne s'était jamais démentie au cours des dernières années. Les Doobie Brothers ont classé leurs « What a Fool Believes ! » et « Minute by Minute » au hit parade et leur succès leur a valu quatre prix Grammy. Kool and the Gang s'est trouvé un public sur mesure avec « Too Hot » et « Ladies Night », deux succès tirés de son album *Ladies Night.* Enfin, The Little River Band, groupe australien de loin le plus populaire à l'étranger, a ajouté un titre à sa liste de succès avec *Backstage Pass.*

Peu d'artistes ont vu leur carrière évoluer comme celle de Stevie Wonder. Il était encore adolescent lorsque, en 1963, il enregistrait son premier grand succès, « Fingertips ». Depuis lors, les albums à succès qu'il a enregistrés et les prix qui lui ont été décernés ne se comptent plus. Son œuvre la plus récente a été *Journey Through the Secret Life of Plants,* musique qu'il a composée pour le film du même nom.

Michael Jackson a ajouté deux nouveaux titres à une liste impressionnante de succès : « Don't Stop 'Til You Get Enough » et « Off the Wall » tirés du même album *Off the Wall.*

En 1980, John Lennon reprit après une longue absence le chemin des studios pour enregistrer, en solo, un album, *Double Fantasy*, dont la chanson « Starting over » eut un succès immédiat. Sans le savoir il venait de nous donner son dernier disque puisque, le 8 décembre, un inconnu l'assassinait devant sa résidence à New York. Dans le monde entier, des gens de tout âge ont pleuré la disparition de celui qui avait été l'âme des Beatles, groupe de rock qui devait tant marquer la musique populaire de notre époque.

▶ EN S'ÉCARTANT DES SENTIERS BATTUS

En 1980, certains artistes ont percé dans la chanson après avoir longtemps été actifs dans d'autres domaines de l'industrie musicale. Bernie Taupin, qui jusqu'alors avait été un fidèle collaborateur d'Elton John, a enregistré *He Who Rides the Tiger*. Le grand succès « Don't Fall in Love With a Dreamer » a été le fruit de la collaboration du compositeur Kim Carnes avec Kenny Rogers. Avec ce disque, Kim Carnes a accédé au rang de vedette de la chanson. George Benson, guitariste de jazz et de blues, n'était certes pas inconnu dans l'industrie de la musique. On se souvient que son album *Breezin'* avait été le premier long jeu de jazz à obtenir les honneurs du disque de platine. En 1980, il s'est lancé avec bonheur dans la chanson et son « Give Me the Night » devait se classer en tête du hit parade.

Ces dernières années les chanteurs canadiens Anne Murray et Gordon Lightfoot s'étaient classés parmi l'élite de la chanson nord-américaine. En 1980, Bruce Cockburn a été la révélation canadienne de la chanson. Son style caractéristique basé sur des rythmes de jazz et un accompagnement de guitare aux sonorités vibrantes est particulièrement mis en évidence dans son dernier album, *Dancing in the Dragon's Jaws*.

En 1980, Frank Sinatra a fait un retour très remarqué dans le monde de la chanson. Sa baisse de popularité enregistrée ces dernières années n'était pas due à une retraite totale puisqu'il avait continué d'enregistrer en studio. Toutefois, aucune de ses chansons n'avait trouvé d'écho auprès du grand public. En 1980, il allait frapper un grand coup en enregistrant « New York, New York », ainsi qu'un album exceptionnel intitulé *Trilogy*.

On se souvient du succès de la chanson « Something Stupid » interprétée en duo par Frank Sinatra et sa fille Nancy. En 1980, Neil Sedaka a eu recours à la même recette pour faire un best seller de « Should Have Never Let You Go » qu'il interprète en duo avec sa fille Dara. Enregistrée quelques années plus tôt en solo par Neil Sedaka, cette ballade avait été un fiasco.

George Benson, guitariste de jazz et de blues, s'est lancé dans la chanson. « Give Me the Night » devait se classer en tête du hit parade. Quant à Emmylou Harris, elle a accédé au rang de vedette grâce à *Roses in the Snow*.

▶MUSIQUE ET CINÉMA

En 1980, plusieurs grands noms de la chanson ont tenté leur chance au cinéma. John Belushi et Dan Aykroyd — anciennes vedettes de l'émission de télévision *Saturday Night Live* — ont composé la musique et été les vedettes du film *The Blues Brothers* dans lequel figurent également les excellents chanteurs de blues James Brown, Ray Charles et Aretha Franklin.

Willie Nelson, artiste anticonformiste de Nashville, a tenu la vedette du film *Honeysuckle Rose* qui retrace avec plus ou moins de fidélité divers épisodes de sa vie. Nelson est également l'auteur de la musique du film.

Paul Simon, le Simon de Simon et Garfunkel, a écrit le scénario, composé la musique et été la vedette masculine du film *One-Trick Poney*. Intitulée « Late in the Evening », une chanson du film au tempo rapide agrémenté d'in-flections Salsa s'est bien classée au hit parade.

Deux films populaires ont contribué à propulser trois personnalités du monde musical au rang de célébrités. *Fame,* film qui évoque divers épisodes de la vie dans l'école secondaire d'art dramatique de New York, a servi de tremplin vers la célébrité et la fortune à Irene Cara. Son enregistrement de la chanson, qui donne son titre au film, s'est classé pendant de longs mois parmi les dix premiers succès du hit parade. *Urban Cowboy,* avec John Travolta en vedette, a donné à John Lee l'occasion d'enregistrer son premier grand succès, « Looking for Love ». Nouveau venu dans le monde du disque, Lee avait chanté pendant de nombreuses années à Gilley's, point de ralliement des cowboys du dimanche à Houston, Texas, où eut lieu le tournage du film. Bette Midler, vedette de *La Rose*, a révélé dans ce film un talent

Bette Midler a révélé ses talents d'artiste dans *La Rose*, film qui lui a valu une nomination comme meilleure interprète féminine à Hollywood.

PRIX GRAMMY 1980

Meilleur disque	« What a Fool Believes »	The Doobie Brothers
Meilleur album	*52nd Street*	Billy Joel
Meilleure chanson	« What a Fool Believes »	Kenny Loggins, Michael McDonald
Découverte de l'année		Rickie Lee Jones
Meilleure interprète pop	« I'll Never Love This Way Again »	Dionne Warwick
Meilleur interprète pop	*52nd Street*	Billy Joel
Meilleurs interprètes pop (groupe)	*Minute by Minute*	The Doobie Brothers
Meilleure interprète de blues	« Déjà Vu »	Dionne Warwick
Meilleur interprète de blues	« Don't Stop 'Til You Get Enough »	Michael Jackson
Meilleure interprète de western	*Blue Kentucky Girl*	Emmylou Harris
Meilleur interprète de western	« The Gambler »	Kenny Rogers
Meilleure musique de film	*Superman*	John Williams
Meilleure musique de comédie musicale	*Sweeney Todd*	Stephen Sondheim
Meilleur microsillon de musique classique	*Brahms: The Four Symphonies*	Sir Georg Solti, chef d'orchestre de l'orchestre symphonique de Chicago
Meilleur enregistrement pour enfants	*The Muppet Movie*	Jim Henson

d'actrice exceptionnelle. À la suite de sa brillante performance, elle a d'ailleurs été nommée candidate à l'oscar de la meilleure interprète féminine à Hollywood. Par ailleurs, son interprétation de la chanson « The Rose » a connu un succès éclatant qui l'a placée en tête du hit parade.

En 1980, deux adaptations de comédies musicales pour le grand écran ont été un échec financier en partie compensé par le succès de la musique de ces films chez les disquaires. Ce fut le cas de *Xanadu* (avec Olivia Newton-John) et de *Can't Stop the Music* (avec le groupe Village People).

▶ QUE NOUS RÉSERVE L'AVENIR ?

La musique de Willie Nelson, Bary Manilow, Diana Ross, Natalie Cole, Carole King et Barbra Streisand laisse entrevoir une nouvelle orientation de la musique populaire. Leurs disques, ainsi que ceux de nombreuses autres vedettes de la chanson, annoncent une nouvelle période musicale plus tendre, plus mélodieuse et plus nostalgique.

Carole King, qui s'était imposée sur la scène musicale dans les années 70 en enregistrant des chansons de sa composition, telle « You've Got a Friend », a effectué un retour en arrière. Dans son nouvel album, *Pearls,* elle interprète des chansons qu'elle avait composées avec Gerry Goffin, son ex-mari, au cours des années 60. Willie Nelson, dont l'album de ballades pop des années 30 et 40 intitulé *Stardust* s'est vendu à deux millions d'exemplaires, a déclaré que l'enregistrement d'un album de ballades classiques, telles « Over the Rainbow » et « Mona Lisa », était en cours de préparation.

Les chanteurs n'auront pas été les seuls à suggérer que nous venions d'entrer dans une période de changements. Il suffit de prêter l'oreille à la musique qui les accompagne. Le règne quasi absolu de la guitare comme instrument de soutien semble révolu et c'est le piano qui s'impose de plus en plus comme l'instrument roi de la musique d'accompagnement. « Still », un des plus grands succès des Commodores, constitue un bon exemple de la nouvelle sonorité adoptée par la musique populaire. Le premier refrain de la chanson est dominé par une voix en solo soutenue par la sonorité bien détachée du piano qui reste omniprésent pendant toute la chanson, même après l'entrée en scène de l'ensemble musical.

Au bout de tant d'années, il semble bien que nous allons écouter de la musique plus simple et plus douce.

LES ARTISTES

Longtemps considérée comme une simple et charmante comédienne, Sally Field a remporté l'Oscar 1980 de la meilleure actrice, décerné par l'Académie des Arts et des Sciences du cinéma de Hollywood. Sally Field, qui est âgée de 33 ans, affirme : « Toute ma vie, j'ai voulu devenir actrice. » Elle commence par jouer dans des pièces de théâtre, alors qu'elle est à l'école secondaire. Une fois son diplôme secondaire passé, elle s'incrit à un atelier de formation pour acteurs. Elle est encore adolescente quand elle fait ses débuts à la télévision, dans le rôle d'une timide jeune fille appelée Gidget. Par la suite, elle interprète le personnage de sœur Bertrille, dans le feuilleton télévisé *La sœur volante*. Son meilleur rôle a pourtant été un rôle sérieux, celui d'une militante syndicaliste dans une filature du Sud des États-Unis. C'est le portrait de ce personnage, dans le film *Norma Rae*, qui lui a valu son oscar. Sally Field continue son apprentissage d'actrice. Bien qu'elle aime encore incarner des personnages drôles, elle participe aussi au cinéma d'aujourd'hui en jouant des rôles sérieux.

Il y a 36 ans, Monique Leyrac faisait ses débuts de comédienne en interprétant le rôle de sainte Bernadette, qui était née en 1844. En 1980, elle choisit d'incarner une autre femme, née aussi en 1844, Sarah Bernhardt. La pièce, qu'avait jouée Denise Pelletier, a été complètement réécrite par M. Jacques Beyderwellen et Monique Leyrac elle-même car, comme elle l'a dit, « je n'aimait pas cette histoire de vieille qui venait nous raconter sa vie . . . Je voulais que ce soit théâtral et aussi baroque que le personnage lui-même ». Sarah Bernhardt, comme on le sait, est une comédienne du XIXe siècle qui a séduit des foules entières partout dans le monde et dont la vie fut mouvementée. Monique Leyrac, qui ne fait qu'un avec son personnage, a présenté *la Divine Sarah* d'abord à Québec puis à Toronto et a obtenu dans les deux villes un vif succès. Le théâtre ne lui fait pas oublier qu'elle est aussi chanteuse et elle compte nous offrir un nouveau disque au printemps 1981.

Czeslaw Milosz est considéré comme l'un des plus grands poètes de ce siècle. Il était pourtant peu connu jusqu'à ce qu'il obtienne le prix Nobel de littérature, en 1980. Né en 1911, Milosz a passé son enfance en Pologne. Pendant la Seconde Guerre mondiale, il rejoint le maquis, à Varsovie, et les horreurs de la guerre se gravent dans sa mémoire à jamais : « Le tragique réel des événements a éclipsé le tragique imaginaire. » En 1960, après un séjour de dix ans en France, il part pour les États-Unis, où il enseigne maintenant à l'université de la Californie, à Berkeley. Il est l'auteur de nombreux ouvrages de poésie; ses poèmes traduisent la douleur et la colère, mais expriment aussi l'espoir et nous rappellent que la vie continue.

Luciano Pavarotti, que l'on voit ici interpréter Nemorino dans *L'Elisir d'Amore* de Donizetti, est une grande étoile de l'opéra. Les disques et les émissions télévisées de Pavarotti ont fait connaître partout sa voix de ténor, qui est l'une des plus belles au monde. Né en 1935, à Modène, en Italie, Pavarotti a commencé à chanter des œuvres d'opéra alors qu'il était tout enfant; il a fait ses débuts professionnels en 1961, en Italie. Lorsqu'il n'est pas en tournée, Pavarotti se consacre à sa femme et à ses trois filles. On dit de lui que c'est un homme amical et chaleureux. Comme en témoigne son embonpoint, son passe-temps favori est la cuisine. Il aime également, à ses moments de loisir, se livrer à la peinture et jouer au tennis.

LES FLORALIES 1980

Montréal a vu s'épanouir des fleurs venues de tous les coins du monde, au cours de l'exposition florale internationale de 1980.

L'exposition, appelée Floralies 1980, a une longue histoire derrière elle. L'idée première remonte au début du XIXe siècle en Belgique où se tinrent de grandes expositions florales intérieures. Depuis un certain nombre d'années, des Floralies ont lieu régulièrement en Europe mais celles de Montréal furent les premières organisées en Amérique du Nord.

Du 17 au 29 mai, le vélodrome olympique abrita les plantes de 21 pays, plus celles de la province de Québec. Il y avait là des fleurs coupées, des fleurs en pots, des cactus, des orchidées, des fleurs séchées et toutes sortes de décorations florales. À cette manifestation succéda l'enchantement de l'île Notre-Dame, du 31 mai au 1er septembre. Douze pays et quatre provinces canadiennes y plantèrent des jardins, reflets des créations de leurs meilleurs paysagistes. Lorsque, en septembre, l'exposition ferma ses portes, ces jardins restèrent sur l'île de façon permanente.

Les coquelicots, de Claude Monet

LES FLEURS DANS L'ART

Voir un champ de coquelicots, un rosier en fleurs ou un bouquet de jonquilles nous procure généralement un vif plaisir. Retransposées sur la toile d'un tableau, ces fleurs communiqueront un plaisir visuel comparable et nous révéleront même dans certains cas ce que nos yeux trop distraits n'auront pas vu. Les fleurs sont en effet riches de secrets et c'est peut-être pourquoi la peinture des fleurs est généralement une constante dans l'histoire de l'art.

▶ LES PEINTURES QUI REFLÈTENT LA NATURE

Les artistes n'ont pas toujours représenté les fleurs à l'image exacte de la Nature. Dans la Grèce ancienne, ils s'appliquèrent à dessiner les plantes de façon aussi réaliste et fidèle que possible. Ils diffusèrent ce style en Asie mineure où il se poursuivit. Par contre, il ne survécut pas en Europe. Ce ne fut qu'au XIVe siècle, vers la fin de l'époque médiévale, que les Européens s'attachèrent à observer vraiment les plantes.

En Europe, les herbiers furent parmi les premières œuvres à contenir de fidèles reproductions de plantes. On y décrivait généralement des plantes qui avaient, croyait-on, une valeur médicinale. Ainsi, la lavande y était conseillée pour les maux de tête, les troubles pulmonaires et les évanouissements. Les avelines (noisettes) étaient recommandées pour combattre la fièvre et les racines de pissenlits en tisane avaient la réputation d'être diurétiques. On pensait également que les soucis d'eau étaient un remède contre les rages de dents. Dans ces traités de botanique, des illustrations étaient nécessaires car le lecteur qui aurait voulu cueillir des soucis d'eau ou des pissenlits n'aurait pu reconnaître ces plantes sans l'aide de dessins précis.

Deux illustrateurs se signalèrent par leur talent : Jean Bourdichon et Albrecht Dürer.

Ci-dessus : *Trèfle rouge* par un artiste de l'école de Jean Bourdichon. À gauche : *Iris trojana* d'Albrecht Dürer.

Le Français Bourdichon (1458 ?-1520 ?) est l'auteur d'un célèbre livre de prières intitulé *Les Grandes Heures d'Anne de Bretagne*. L'ouvrage comprend plus de 350 illustrations de plantes dont chacune est nommée en français et en latin. Chaque plante y correspond à une vertu médicinale, alimentaire ou autre.

L'Allemand Dürer, contemporain de Bourdichon, est un artiste réaliste qui peint les plantes avec minutie et précision. Si Dürer peint un iris, par exemple, il tient compte des moindres détails, de la structure de la tige à la forme des feuilles et des pétales. Il exprime aussi parfaitement la vie de la plante et le mouvement de sa croissance. Un iris de Dürer ressemble étrangement à un iris vivant.

Les peintures florales ne se cantonnent pas dans les illustrations de traités. On en trouve un exemple en Jan Brueghel. Ce peintre flamand, né en 1568 et mort en 1625, était surnommé « Jean l'Aîné » ou « Brueghel Fleurs » pour le distinguer des autres artistes de la famille Brueghel. Ses peintures luxuriantes traduisent bien son profond attachement pour le monde des fleurs. Elles lui firent également connaître la gloire et la fortune. L'archiduc Albert aimait tant les peintures de Brueghel qu'il exonéra l'artiste de tout impôt et l'autorisa à étudier les plantes rares qui poussaient dans les jardins de son palais.

Les tableaux de Brueghel exigent plus qu'une rapide observation car ils sont trop riches en détails. Vous remarquez d'abord au premier plan les pivoines, les tulipes, les lis et parfois les iris. Mais, en regardant le tableau de plus près, vous apercevrez à l'arrière-plan un fourmillement de fleurs plus petites, peintes avec le même art que les fleurs du premier plan.

Les peintures de Brueghel montrent qu'il connaissait très bien la composition des fleurs. Il avait de toute évidence étudié avec minutie les plantes et pouvait les peindre sous tous les angles et à toutes les étapes de leur croissance. Les roses sont ainsi vues d'en haut, d'en bas, de profil. Les tulipes sont présentées en bourgeon ou en plein épanouissement et les lis sont montrés avec leur stigmate et leurs étamines. La représentation des tiges et des feuilles elles-mêmes, sur le plan botanique, est absolument correcte.

Fleurs de Jan Brueghel

Hibiscus, de Tani Buncho

En même temps que cette peinture réaliste s'implantait en Europe, commençait la découverte des Amériques. Les peintres naturalistes qui revinrent du Nouveau Monde aidèrent les Européens à mieux connaître ces terres lointaines. Les artistes rapportèrent de leurs voyages des croquis détaillés de plantes inconnues en Europe, comme le maïs et le tabac. Au départ, les illustrateurs se penchèrent surtout sur les plantes qui avaient un intérêt économique. Mais, au XVIIᵉ siècle, ils se mirent à découvrir et à décrire des plantes dans le seul but d'enrichir les connaissances scientifiques et la compréhension du monde végétal.

Aujourd'hui encore, on recherche des artistes capables de représenter les plantes avec exactitude. Le lien qui s'est tissé entre artistes et botanistes reste important. C'est ainsi que les musées d'histoire naturelle embauchent des artistes qu'ils envoient en expédition à l'étranger et que les éditeurs d'ouvrages de botanique font appel à des artistes dont les illustrations aideront le lecteur à identifier les plantes dans la Nature.

▶ LUMIÈRE, VIE ET SIGNIFICATION DES PLANTES

La reproduction exacte des plantes n'est pas la préoccupation de tous les peintres floraux. Certains artistes se sont davantage attachés à exprimer la vie et le mouvement des plantes en essayant de nous transmettre leurs émotions. Pour ces artistes, la simplicité importe plus que les détails. Les artistes chinois et japonais excellent dans ce genre de peinture. Certaines de leurs études sont détaillées et réalistes, mais l'ensemble de leurs œuvres s'éloignent des peintures imitant la Nature, sans cesser pourtant d'être « réelles » et vivantes. À ces artistes, il suffit de quelques coups de pinceau pour peindre une tige de bambou ou des lis tigrés caressés par le vent.

Aux XIXᵉ et XXᵉ siècles, les impressionnistes européens négligèrent également l'exactitude du détail. Ce qui les intéressait surtout, c'était de montrer comment la lumière pouvait changer l'aspect d'un objet. Comme la qualité de la lumière varie selon l'heure du jour et le temps qu'il fait, le peintre impressionniste captait toujours un moment fugitif. Les nénuphars peints par le Français Claude Monet (1840-1926) illustrent bien ce genre de peinture. Monet avait fait construire un magnifique jardin dans sa résidence de Giverny, à l'ouest de Paris. Il y installa un étang dans lequel il fit pousser des nénuphars et entreprit de peindre inlassablement ces fleurs, jour après jour, sous tous les éclairages. Bien que les nénuphars aient une forme indistincte, il est aisé de les reconnaître et de sentir la joie et l'amour que Monet a exprimés.

Certaines peintures florales ont pour unique but d'être décoratives. En Pennsylvanie, au cours des XVIIIe et XIXe siècles, quelques artistes composèrent des aquarelles. C'étaient des documents, tels des certificats de naissance ou de mariage, à l'écriture et aux dessins ornementaux. La majorité de ces aquarelles étaient décorées de fleurs aux vives couleurs. Certaines fleurs, surtout les tulipes, étaient dessinées de façon assez réaliste pour être identifiées. Les autres fleurs restaient des formes stylisées qu'on ne pouvait rattacher à aucune plante en particulier.

Les hommes ont toujours pensé que les plantes étaient chargées d'une signification symbolique. C'est ainsi que le lis est associé à la pureté et le pissenlit, plante comestible au goût amer, à la rancune. La violette est symbole d'humilité, tandis que la rose représente parfois le sang versé. Dans la religion catholique, la rose est également symbole d'amour et a souvent été associée à la Vierge Marie.

Les fleurs sont souvent présentes dans les œuvres religieuses de certains peintres européens : le pissenlit orne fréquemment des tableaux représentant la crucifixion du Christ par des maîtres allemands; les Italiens font tenir une rose à la Vierge Marie et sur un tableau de François d'Assise, à l'endroit où tombe son sang, surgissent des roses.

Pourquoi les artistes représentent-ils des roses ? Vous savez maintenant qu'il n'y a pas de réponse unique à cette question. Les raisons en sont nombreuses et varient selon l'époque et le lieu où vit l'artiste, ainsi que selon sa perception du monde.

À présent, regardez les tableaux de fleurs présentés ici et essayez d'imaginer leur créateur. Qu'est-ce que les artistes ont voulu exprimer à votre avis ? Et vous, que voudriez-vous exprimer dans une peinture florale ?

Certificat de naissance (Pennsylvanie, XVIIIe et XIXe siècles)

MONET ET LES JARDINS DE GIVERNY

Claude-Oscar Monet, l'un des maîtres de la peinture impressionniste, passa les dernières années de sa vie à Giverny, petit village français situé sur les bords de la Seine. Il y mena une vie paisible et solitaire, dans une maison de campagne entourée de hauts murs. Paris, la capitale artistique du monde, semblait fort éloignée.

Ce fut pendant ces années à Giverny (1883-1926) que Monet créa certaines de ses plus grandes œuvres. Il y peignit, entre autres, les magnifiques jardins qui entouraient sa maison.

▶ LES JARDINS D'HIER ET D'AUJOURD'HUI

Monet était très sensible à la beauté des masses de couleurs intenses. À Giverny, l'artiste, aidé par plusieurs jardiniers, installa des rangées folles de fleurs épanouies aux vives couleurs, regroupées librement en longues plates-bandes. On y trouvait également des treilles de roses, des arcs fleuris et des arbres en fleurs.

Monet acheta un terrain mitoyen et agrandit ainsi son jardin. Au milieu de ce nouveau jardin, il fit aménager un étang alimenté par un ruisseau qui traversait la propriété. Au-dessus de l'eau, se tenait un pont de style japonais, couvert de glycines, près duquel poussait un bosquet de bambous aux feuilles délicates. Des nénuphars flottaient sur l'étang. Un chaland était amarré à la rive et Monet, qui aimait peindre en pleine nature, s'en servait comme atelier.

À la mort de Monet, en 1926, ces jardins que l'artiste avait tant aimés, furent livrés aux mauvaises herbes, aux termites, aux rats et aux orties. Ce ne fut que cinquante ans plus tard que l'Académie française des Beaux-Arts entreprit de restaurer les jardins. Les responsables du projet se plongèrent dans de vieilles photographies et examinèrent plusieurs toiles de Monet afin de reproduire avec le plus d'exactitude possible la disposition initiale des groupes floraux. Le 1er juin 1980, l'ouverture officielle des jardins permit au public d'admirer ce spectacle d'une rare beauté.

Aujourd'hui, lorsqu'on passe à Giverny, on peut retrouver ce qui en faisait autrefois la beauté : l'étang, les coquelicots, les pensées, les roses et autres fleurs aux couleurs éclatantes. Et, sur l'étang, bordés de rangées d'iris,

de rhododendrons, d'azalées et de tulipes, flottent les nénuphars chers à Monet. La reconstitution est si parfaite que l'on s'attend presque à rencontrer l'artiste devant sa toile, avec sa silhouette trapue, son visage barbu, sa chemise froissée, son ample pantalon boutonné aux chevilles et ses grosses bottes de campagne.

▶ « CE QUE JE VOIS »

Monet naquit à Paris en 1840 et grandit au Havre. Artiste précoce (enfant, il faisait déjà des caricatures de ses professeurs), il décida de devenir paysagiste et, malgré la réprobation de ses parents, s'installa à Paris pour se consacrer à son art (avec sa palette et ses pinceaux). Il fit ensuite deux ans de service militaire en Algérie. Il revint fasciné par les lumières et les couleurs de ce pays. De retour à Paris en 1863, il étudia chez Charles Gleyre. Mais son style subit l'influence d'autres artistes, tels les paysagistes anglais William Turner et John Constable qu'il rencontra lors d'un séjour à Londres. De passage à Amsterdam, il découvrit également l'art des estampes japonaises. Il remarqua à la vitrine d'une boutique une collection de ces estampes aux couleurs intenses qui l'initièrent aux formes nettes et stylisées de l'art oriental.

Monet était résolu à peindre comme il l'entendait. « Je ne peins que ce que je vois », disait-il. Sa conception de la peinture l'amena à être l'un des chefs de file d'un groupe de peintres appelés impressionnistes. C'est en fait l'une de ses premières œuvres, *Impression, soleil levant* qui inspira le terme d'impressionniste. Des années 1860 aux années 1880 environ, ces peintres adoptèrent de nouvelles techniques qui rompaient avec toutes les traditions établies. En 1874, Monet organisa une exposition de leurs œuvres. Ce fut lors de cette exposition qu'un critique, reprenant le titre de la toile de Monet, qualifia ironiquement ces artistes d'impressionnistes.

Le terme fut adopté aussitôt, en grande partie parce qu'il exprimait avec justesse les objectifs des artistes. Au lieu de représenter les objets ou les scènes de façon réaliste et détaillée, ces artistes voulurent traduire l'impression globale qui se dégageait de l'objet à un moment précis. Ils voulurent également montrer comment la lumière modifiait l'aspect de l'ob-

Cette photographie de Giverny, prise en 1926, nous donne une image exacte de l'étang de l'époque.

jet et vice-versa et ils tentèrent de traduire cette subtile interaction de l'aide de petites touches de couleurs non mélangées. Ainsi, Monet n'hésita pas à peindre inlassablement le même objet sous des éclairages différents et des conditions climatiques variées.

Peindre selon son cœur, c'était souvent pour Monet vivre dans une certaine pauvreté. Comme tous les artistes impressionnistes, Monet dut lutter pour survivre. Il semblait que les amateurs et les promoteurs artistiques fussent absolument réfractaires à son art.

En 1872, pourtant, Monet rencontra un promoteur artistique ouvert aux nouvelles tendances, Paul Durand-Ruel. En même temps, il s'installait à Argenteuil avec sa femme Camille (qui inspira nombre de ses œuvres) et son fils Jean. En 1879, la mort de Camille le plongea dans une profonde tristesse et paralysa pour un temps ses activités créatrices.

Monet ne retrouva la paix qu'après son installation à Giverny et son mariage avec Alice Moschede. C'est à Giverny, au milieu de ses fleurs et de ses arbres qu'il aimait tant peindre, qu'il atteignit le summum de son art. L'étang, avec ses nénuphars et la végétation luxuriante qui l'entourait, fut une de ses sources d'inspiration les plus durables.

▶ LES NÉNUPHARS

Les nénuphars sont le thème des splendides *Nymphéas*, dernières œuvres du peintre. Bien que sa vue eût commencé à baisser vers la fin de sa vie, le peintre réussit néanmoins à capter dans ces tableaux, exécutés à la dimension d'une fresque murale, la variété presque infi-

Ce tableau, qui date de 1900, nous montre l'étang tel que Monet le « voyait ».

nie des effets de lumière à la surface de l'étang.

Dans une œuvre antérieure, appartenant à la série *Les quarante-huit paysages d'eau*, il appliqua à longs coups de pinceaux, fort étudiés, des taches de couleur opaques. Les couleurs traduisent les diverses qualités et nuances de la lumière qui baigne l'étang. Ainsi, les nénuphars exposés en plein soleil ont un chatoiement de blanc et de teintes nuancées, alors qu'ombragés par le pont japonais, ils reflètent le bleu-vert tendre de l'eau. Une photographie du même paysage, prise en 1926, année de la mort de Monet, nous montre l'étang tel qu'il se présentait aux yeux du visiteur. Ce n'est pas forcément le même étang que celui que Monet a peint puisque le peintre essayait avant tout de peindre ce que *lui* voyait : le jeu des ombres et des lumières sur l'eau, la beauté des fleurs, les branches ombragées des arbres qui longeaient les rives.

Monet survécut à tous ses amis peintres du groupe impressionniste : il vécut donc assez longtemps pour assister à la consécration des œuvres impressionnistes. Les siennes commencèrent à être appréciées au cours des dernières années qu'il passa à Giverny. Après sa mort, sa série des nénuphars fut saluée par le gouvernement français.

Le grand artiste français Paul Cézanne a dit de Monet : « Ce n'est qu'un regard, mais quel regard ! » La série des nénuphars montre bien sa ferme volonté de ne peindre que ce que ses yeux voyaient. Et, de même que les jardins restaurés de Giverny, ces peintures sont les monuments du souvenir d'un artiste exceptionnel, à l'esprit indépendant.

La plupart des acteurs de *La guerre des étoiles* ont également participé à *L'Empire contre-attaque*. De gauche à droite : Chewbacca, See-Threepio, la princesse Léia et Han Solo.

L'EMPIRE CONTRE-ATTAQUE

Han Solo, Luke Skywalker, la princesse Léia, Darth Vader. . . Ces noms vous disent-ils quelque chose ? Cela est bien possible puisque ce sont les principaux personnages d'un film qui fit beaucoup de bruit lors de sa sortie sur les écrans en 1977. Ce film, *La guerre des étoiles,* fut l'un des plus grands succès cinématographiques de tous les temps.

Il semble que *La guerre des étoiles* n'ait été que le premier volet d'une série d'aventures spatiales situées dans une galaxie très lointaine. George Lucas, auteur et metteur en scène de *La guerre des étoiles,* a en effet décidé de faire de cet important film le premier chapitre d'une histoire en neuf parties. Le second volet de ce cycle s'intitule *L'Empire contre-attaque.*

À la fin du « premier chapitre », on remet aux rebelles (Luke Skywalker, Han Solo et la princesse Léia) des médailles pour les récompenser d'avoir détruit l'astre de mort de l'Empire. Quand commence *L'Empire contre-attaque,* le maître de l'Empire, le cruel Darth Vader, revient tourmenter nos héros en envoyant ses forces détruire la nouvelle cité des rebelles, une planète glacée nommée Hoth. Han, Léia, l'anthropoïde Wookiee Chewbacca et le sympathique robot See-Threepio

parviennent à s'enfuir à bord du vaisseau spatial de Han. Après une traversée périlleuse dans un champ d'astéroïdes, puis un voyage bref et inattendu dans le corps d'un énorme monstre, les héros atterrissent à Bespin, ville suspendue dans les nuages d'une lointaine planète et gouvernée par un vieil ami de Han Solo, Lando Calrissian. Les voyageurs spatiaux pensent avoir trouvé la sécurité, mais ils s'aperçoivent bientôt qu'ils sont tombés dans un piège que leur a tendu le satanique Darth Vader.

De son côté, Luke Skywalker voyage en compagnie de son petit robot Artoo-Deetoo. Après s'être échappés de la planète Hoth, ils parviennent à Dagobah, la planète-jungle, où ils se mettent en quête de Yoda, grand maître des chevaliers Jedi, c'est-à-dire des forces du Bien. Luke finit par trouver Yoda, quoique ce soit plutôt le contraire qui se produise. Yoda essaie d'expliquer à Luke les principes des Jedi et les facultés de la Force, ce pouvoir inexplicable qui guide et protège tous les individus de Bien.

Fort de ce savoir, Luke est résolu à conquérir la Force. Mais il n'a pas vraiment fini d'assimiler les leçons de Yoda qu'il apprend que Han Solo et la princesse Léia sont à Bespin où ils courent de graves dangers. Doté de sa Force, il décide de voler à leur secours. Mais une fois parvenu dans la ville aux nuages, il se rend compte que la Force ne lui suffira pas pour combattre Darth Vader. Il lui faudra avoir foi et confiance en lui-même. Pourra-t-il triompher de ses adversaires ? La foi, la vérité et la sagesse auront-elles raison de son ennemi ?

◢ ANCIENS VISAGES, VISAGES NOUVEAUX

Le choix des acteurs n'a posé aucun problème aux producteurs de *L'Empire contre-attaque* puisqu'ils ont fait de nouveau appel aux acteurs de *La guerre des étoiles* : Mark Hamil (Luke Skywalker), Harrison Ford (Han Solo) et Carrie Fisher (princesse Léia).

Deux nouveaux interprètes font cependant leur apparition dans *L'Empire contre-attaque* : Billy Dee Williams et Frank Oz (celui-là même qui contribua à créer les personnages des « Muppets »). Billy Dee Williams joue le rôle de Lando Calrissian, maître de Bespin, la cité aux nuages. Retenez son nom car il vous réservera des surprises. Il semble tantôt servir les forces du Mal, tantôt pencher vers les forces du Bien.

Yoda, le maître Jedi, est le plus surprenant des nouveaux personnages. Mi-magicien mi-lutin, Yoda est un gnome qui dispense son enseignement aux chevaliers Jedi depuis huit siècles. Sa très petite taille (65 centimètres) ne le dérange pas et semble, d'ailleurs, ne gêner personne. C'est Frank Oz qui manipule la marionnette et lui prête sa voix.

◢ DES EFFETS TRÈS SPÉCIAUX

Les acteurs sont loin de constituer le seul intérêt de ce film. Les moments les plus captivants du film sont souvent dus aux centaines d'effets spéciaux, effets visuels et sonores absolument extraordinaires. Dagobah, la planète-jungle et Hoth, la planète glacée, les monstres glaciaires (mi-dinosaures, mi-lamas), les robots, les armes spatiales et les véhicules interplanétaires ne s'oublieront pas de sitôt.

Les trois nouvelles planètes de *L'Empire contre-attaque* sont sur le plan technique de pures merveilles. Les scènes d'extérieur à Hoth ont été tournées sur un grand glacier de Finse, en Norvège, tandis que les scènes situées dans la cité même de Hoth et dans les paysages marécageux de la planète-jungle ont été tournées dans d'immenses studios, à Londres.

De nombreux effets sonores sont inédits. Les bruits entendus sur la planète Hoth sont formés par le souffle du vent et le mugissement du ressac. Les bruits insolites qui créent l'atmosphère envoûtante de Dagobah proviennent de sons émis par des mouettes, des hirondelles de mer, des otaries et des dauphins, que l'on a enregistrés à faible vitesse. Pour obtenir les bruits des gigantesques tanks à pattes, l'ingénieur du son a mêlé des bruits venant de machines à emboutir le métal, de camions à ordures et de moteurs de derricks. Mais l'effet sonore le plus insolite est peut-être la voix de Chewbacca. C'est la synthèse de sons provenant de grognements d'ours, de cris de morse et de phoque, de rugissements de tigre et de sifflements de lézard.

Par son accueil, le public a montré que *L'Empire contre-attaque* était digne de *La guerre des étoiles* et que sa suite était déjà attendue avec impatience. Ne manquez pas le prochain épisode de cette saga de l'espace. Et, en attendant, que la Force soit avec vous !

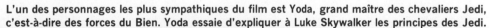

L'un des personnages les plus sympathiques du film est Yoda, grand maître des chevaliers Jedi, c'est-à-dire des forces du Bien. Yoda essaie d'expliquer à Luke Skywalker les principes des Jedi.

On a découvert des milliers de chevaux et soldats grandeur nature dans la sépulture du premier empereur chinois.

TRÉSORS DE LA CHINE ANCIENNE

Quand, en 210 avant J.-C. environ, mourut le premier empereur de Chine, Shi Huang Di, plus de 7 000 soldats et chevaux l'accompagnèrent dans l'au-delà.

Ces chevaux et soldats, disons-le tout de suite, étaient en argile. Mais s'ils n'étaient pas en chair et en os, ils semblaient étonnamment vivants. Taillée grandeur nature, chaque statue avait été modelée isolément et peinte de couleurs vives. Les artistes n'avaient négligé aucun détail : traits du visage, coiffure, vêtements, armure et jusqu'aux semelles des souliers. Ils avaient apporté le même soin à reproduire les chevaux.

Pendant plus de 2 000 ans, ces superbes statues demeurèrent dans la tombe de l'empereur et ce ne fut qu'en 1974 qu'on les découvrit. Ce fut l'une des découvertes archéologiques les plus surprenantes de l'Histoire. Nul n'avait encore vu de telles statues.

Aujourd'hui, les amateurs d'art peuvent admirer certaines de ces sculptures hors de Chine. En effet, une partie de ces œuvres (six soldats, trois chevaux et divers objets en bronze et en jade) ont été exposés en 1980, et le seront encore jusqu'à la fin de 1981, dans plusieurs musées américains.

L'exposition présente au public des œuvres d'art d'une délicatesse inouïe qui virent le jour pendant l'âge du bronze en Chine, période qui dura de 1700 à 100 avant J.-C. environ.

Les récipients en bronze, dans lesquels les nobles déposaient les offrandes qu'ils faisaient à leurs ancêtres, jouaient un rôle important dans les cérémonies religieuses. À chaque ancêtre, et selon les époques de l'année, correspondaient des offrandes différentes. Lorsque les rois ou les nobles venaient à mourir, ces vases sacrés étaient utilisés pendant la cérémonie funèbre. On les remplissait ensuite de vins et de mets et on les ensevelissait dans la tombe du défunt.

Si certains de ces objets en bronze sont très simples, d'autres au contraire sont extrêmement travaillés. Ils sont entièrement recouverts de dessins dont les plus courants sont des

Ce vase (à gauche) et ce rhinocéros (ci-dessus) ont été sculptés sous la dynastie des Chou.

présentations d'animaux. Les animaux sont parfois reproduits de façon abstraite. Il faut alors les examiner avec attention pour les identifier.

Deux récipients en particulier méritent notre admiration. L'un, taillé en forme de rhinocéros, est décoré d'un lacis de motifs qui, à l'origine, étaient incrustés d'or. L'autre, un éléphant, a une longue trompe qui s'incurve pour prendre la forme d'un dragon. Le corps, quant à lui, est décoré de formes abstraites et animales. Quelques vases portent des inscriptions commémorant des grands événements de l'histoire de Chine. Ce sont quelques-uns des premiers témoignages écrits sur une époque reculée de la civilisation chinoise.

L'exposition présente également certains objets en jade fabriqués à la même époque. Le jade, qui était la pierre la plus prisée de la Chine ancienne, servait à la fabrication de couteaux et de pièces décoratives.

Ces objets de l'âge de bronze ont beaucoup contribué à nous faire connaître et apprécier la civilisation de la Chine antique. Beaucoup de fouilles archéologiques restent encore à effectuer dans ce pays et il est probable que des œuvres d'art tout aussi admirables seront exhumées dans les années à venir.

Éléphant aux décorations compliquées et hache de cérémonie datant de la dynastie des Shang.

LA PARTICIPATION DANS L'ART

Cette exposition artistique a pris les visiteurs du musée au dépourvu en les invitant à se mettre à l'œuvre. L'exposition, qui eut lieu au Musée d'Art moderne de San Francisco en 1980, s'intitulait « La participation dans l'art ». On y présentait des peintures sur métal, œuvres du peintre californien Jananne Lassetter, et aucune n'était achevée.

Sur les murs, il y avait des paysages réalistes, des peintures abstraites faites de bandes ou de carrés multicolores, et des toiles entièrement blanches. Non loin de là étaient entreposés des découpages aimantés allant de l'insecte aux mongolfières, en passant par des formes géométriques aux vives couleurs. Les visiteurs étaient invités à terminer les œuvres en collant les morceaux sur un des paysages ou simplement sur une des toiles blanches.

Le but de Jananne Lassetter était de permettre aux gens d'apprendre comment les peintres utilisent forme, couleur, espace et échelle pour créer un tableau. Elle apprécia beaucoup les œuvres de son public. « J'ai peut-être trouvé une façon rapide de découvrir des génies », déclara-t-elle.

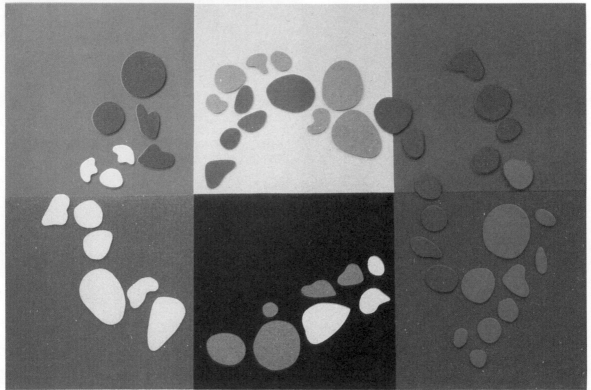

Le Voyage au royaume de la lumière, écrit par Elizabeth Winthrop et illustré par Charles Micolaycak, est un vieux conte japonais qui raconte l'histoire d'une jeune femme aveugle. Son plus profond chagrin est de ne pouvoir voir sa fille, Kiyo. Celle-ci la conduit dans un royaume magique où il n'existe ni tristesse ni cécité et là, pendant quelques heures, la jeune femme peut enfin contempler le visage de Kiyo.

CHOSES

A

LIRE

Espionne pour l'Union

Les femmes ont joué un rôle important dans l'histoire de l'espionnage. Elles ont pris part à toutes les guerres dans lesquelles les États-Unis ont été engagés depuis leur fondation. Mais ce fut surtout pendant la guerre de Sécession que l'espionnage féminin prit sa véritable dimension. De cette période, un historien a dit : « Les femmes furent d'admirables espionnes. Elles participèrent à la lutte avec un dynamisme qu'elles n'égalèrent jamais par la suite. Elles collaborèrent vaillamment, prirent de gros risques et parvinrent à réussir là où les hommes auraient sans doute échoué. »

Les femmes furent espionnes à la fois dans le Nord et dans le Sud des États-Unis. La piquante Belle Boyd et l'intelligente Rose O'Neal, qui dirigea un réseau d'espionnage sudiste à l'ombre de la Maison Blanche, travaillèrent pour le compte de la Confédération. Parmi celles qui choisirent de défendre l'*Union*, la plus remarquable reste Elizabeth Van Lew.

Elizabeth naquit et grandit dans le Sud. Son père, issu d'une famille hollandaise installée à New York à l'époque coloniale, était un homme d'affaires important. La famille Van Lew vivait dans une somptueuse demeure de Richmond, ville de Virginie qui allait devenir la capitale des Sudistes aux premiers temps de la guerre civile.

Tout portait à croire qu'une femme née et élevée dans le Sud prendrait parti pour la Confédération. Mais Elizabeth était une femme dont la volonté et l'indépendance d'esprit étaient hors du commun. Unioniste convaincue, elle considérait que ses devoirs envers son pays passaient avant son attachement à son État. Elle était, en outre, farouchement opposée à l'esclavage. Bien avant que n'éclate la guerre de Sécession, elle écrivait : « L'esclavage détruit la liberté de parole et d'opinion. L'esclavage dégrade le travail. L'esclavage est une institution cruelle et despotique, non seu-

lement à l'égard des esclaves, mais aussi de la société et de l'État eux-mêmes. »

Van Lew ne se limita pas à des protestations; elle mit en application ses principes. Ainsi, elle affranchit plusieurs esclaves qui étaient au service de ses parents et les réemploya par la suite moyennant un salaire. De plus, lorsqu'elle apprit que les parents de ses anciens esclaves allaient être vendus par leurs maîtres, elles les acheta dans le seul dessein de leur rendre leur liberté.

La sécession de l'État de Virginie de l'*Union*, en 1861, attrista profondément Elizabeth Van Lew. Elle écrivit aussitôt aux représentants de l'*Union* pour leur proposer ses services. Pendant les quatre longues et difficiles années que dura la guerre, Elizabeth Van Lew se battit pour la cause nordiste, au mépris des risques. Elle apporta le réconfort aux prisonniers de guerre nordistes détenus à Richmond et aida ceux qui s'en étaient échappés à regagner le Nord. Plus important encore : elle organisa, avec l'aide de sa mère et de partisans de l'*Union*, l'un des réseaux d'espionnage les plus solides de la guerre de Sécession. À la fin de la guerre, elle avait mis au point de si bonnes techniques d'espionnage que ses messages secrets, envoyés avec des bouquets de fleurs du jardin des Van Lew, arrivaient chaque matin au petit déjeuner au quartier général du général Ulysses Grant de l'*Union*.

Selon le général George Sharpe, chef du Deuxième Bureau de l'*Union*, les données militaires les plus importantes transmises aux forces de Grant au cours des dernières années de la guerre de Sécession, sont en grande partie dues à « l'intelligence et au dévouement de miss Elizabeth Van Lew. Pendant très longtemps, ce fut elle qui représenta le restant de pouvoir nordiste dans la ville de Richmond. »

Le texte suivant est un récit adapté de certains exploits de cette femme courageuse qui servit son pays aussi bien qu'un soldat.

Des soldats de la Confédération flânaient devant l'entrepôt de brique rouge qui tenait lieu de prison aux militaires capturés. Une femme à l'air étrange passa devant eux. Elle marchait d'un pas nerveux, la tête oscillant d'avant en arrière, comme celle d'une personne ivre ou un peu folle. Elle semblait se parler à elle-même, mais ses paroles inaudibles se perdaient dans les grandes rafales de vent.

Les soldats la regardèrent avec méfiance. Elle portait les vêtements d'une femme riche, mais sa robe de soie brochée était effilochée et son luxueux manteau de velours taché de boue. D'un bonnet déformé et trop large pour elle, s'échappaient des boucles châtaines et ses yeux d'un bleu profond semblaient, malgré leur vivacité, tournoyer sans se fixer nulle part. Elle portait un grand panier rempli de livres et de vêtements.

Étrange spectacle, pensèrent les soldats en regardant passer cette femme toute menue. Elle s'approchait maintenant de l'entrée de l'entrepôt sur la porte duquel on pouvait lire une enseigne vieillie : « William Libby & Fils, marchands de fournitures pour bateaux ». Le bâtiment de quatre étages était maintenant connu sous le nom de « Prison Libby ».

La femme fit un pas en avant comme pour pénétrer dans le bâtiment. L'un des soldats prit alors son fusil Enfield à long canon et se dirigea rapidement vers elle pour lui barrer le passage.

« Un petit instant, mademoiselle ! dit-il abruptement. Ne savez-vous pas que ce bâtiment est une prison militaire ? Vous ne pouvez entrer sans laissez-passer. »

Elizabeth Van Lew eut un léger mouvement de recul, puis redressa la tête et dit très fort : « Je sais parfaitement à quoi sert cet horrible lieu. Je suis autorisée à y entrer et en sortir comme bon me semble. Vous devez être nouveau, sans quoi vous le sauriez ! »

Et ce disant, elle sortit un papier froissé et le lui mit devant les yeux, assez près pour qu'il pût le déchiffrer. « Le porteur de ce laissez-passer est autorisé à entrer librement dans toutes les prisons militaires de la Confédération pour y soigner les soldats nordistes capturés. » Le laissez-passer était signé « Brigadier général John Winder, Grand Prévôt ».

Le soldat rabaissa son fusil et fit un pas en arrière, au moment même où un caporal apparaissait au pas de l'entrée. « Ne faites pas attention à elle, dit le caporal au soldat qui avait obstrué le passage à Elizabeth. Cette vieille toquée adore venir ici. »

Tous les soldats éclatèrent de rire. Van Lew ne prêta attention ni à la remarque ni aux rires. Elle se contenta de redresser la tête d'un air hautain et de passer devant les gardes qui se tenaient à l'entrée. Le caporal ôta sa casquette, s'inclina de façon exagérée et lui dit d'un air ironique : « Bonjour, majesté ! Bienvenue au palais Libby ! »

Poursuivie par les rires des soldats, elle monta les escaliers et pénétra dans une des grandes salles dans lesquelles étaient détenus les prisonniers. Comme d'ordinaire, l'air y était suffocant. De minces raies de lumière, passant par les barreaux des fenêtres, éclairaient les sombres visages des captifs entassés dans l'entrepôt sale.

Les prisonniers paressaient. Certains discutaient par petits groupes; d'autres étaient étendus sur le dur plancher de chêne. Il n'y

avait pas de lits à la prison Libby et les prisonniers se fabriquaient des lits de fortune avec des couvertures de l'armée, des haillons ou tout ce qui leur tombait sous la main. Plus de mille hommes étaient entassés dans le vieil entrepôt et nombre d'entre eux souffraient de malnutrition ou de graves maladies. En ce jour d'hiver 1864, comme tous les jours, certains hommes allaient mourir.

Van Lew ne pouvait les sauver tous, mais elle essayait du moins d'atténuer la souffrance de certains en leur donnant les fruits frais et les vêtements chauds qu'elle apportait à chacune de ses visites. À son passage, plusieurs soldats nordistes la saluèrent en portant la main à leur casquette. D'autres lui adressèrent de chaleureux remerciements. « Bonne journée, mademoiselle... Merci de votre visite », lui disait-on. Et encore « Merci de tout cœur pour ce que vous faites ! »

Van Lew répondait à ces remerciements par un simple hochement de tête, sans dire mot. Elle ne voulait pas, en effet, attirer l'attention des gardiens en ayant de longues conversations avec les prisonniers car elle était soupçonnée d'espionnage par les Sudistes et était étroitement surveillée par les gardiens. Hors de la prison, elle était constamment suivie par les agents secrets de la Confédération.

C'était pourquoi elle avait décidé de porter ces vêtements râpés et de se comporter de façon aussi insolite. Les méthodes de la « vieille toquée » étaient une façon intelligente de brouiller les pistes. Et, tandis qu'elle s'arrêtait pour tendre à un prisonnier un vêtement chaud, un fruit ou un livre, elle épiait un de ces signaux discrets grâce auquel elle savait que le prisonnier voulait lui transmettre un renseignement.

C'est un tel signal qu'elle décela en passant près d'un homme barbu qui portait à l'épaule les trois galons jaunes des officiers de cavalerie.

« Bonjour, capitaine Sloan, lui dit-elle. Comment allez-vous aujourd'hui ?

— Un peu mieux, mademoiselle, je vous remercie. Le docteur m'a donné un médicament contre la dysenterie et il semble faire effet. . . Vous n'auriez pas un livre à me prêter ? Il m'aiderait à passer le temps. »

Elle tendit à l'officier nordiste un recueil de nouvelles de Washington Irving. « J'espère que ce livre vous procurera quelques heures agréables », dit-elle, et elle repartit aussitôt.

En poursuivant son chemin, elle remarqua un autre prisonnier qui toussait et gémissait et que ses amis essayaient de réconforter. Lorsqu'elle demanda de quoi souffrait le prisonnier, un des officiers lui répondit : « Nous pensons qu'il a une pneumonie. Il tousse ainsi jour et nuit depuis une semaine. »

Van Lew s'offusqua. « C'est inadmissible ! Ce pauvre homme doit être hospitalisé. »

Elle fit signe à un gardien de venir. « Je vous prie de transférer de toute urgence cet homme dans un hôpital militaire. »

Le gardien prit un air fâché. « Écoutez-moi bien maintenant, mademoiselle la toquée, grogna-t-il. Vous avez peut-être la permission d'entrer dans cette prison, mais vous n'avez aucun droit de donner des ordres. D'ailleurs, je ne comprends pas pourquoi vous vous souciez tant de ces maudits Yankees. Si vous étiez une vraie femme du Sud, vous consacreriez vos efforts à réconforter nos courageux soldats. Il y a à peine assez de nourriture et de médicaments pour nos hommes qui sont dans les tranchées et qui souffrent tout autant que ces sales Yankees. »

Van Lew lui lança un regard glacial et répondit : « Si je m'avise de mentionner votre conduite insolente au colonel Winder, il vous mutera peut-être chez le général Lee, où vous pourrez voir de vos propres yeux combien souffrent nos « courageux soldats ».

Sous la menace, le gardien eut un mouvement de recul. En effet, tout le monde savait à la prison Libby que le vieux général Winder, qui était à la fois Grand Prévôt et inspecteur général des prisons militaires, était un vieil ami des Van Lew. On savait aussi comment Van Lew s'était attiré les bonnes grâces du vaniteux général en faisant des remarques flatteuses sur son apparence physique. Car, bien qu'elle eût plus de quarante ans, Elizabeth Van Lew avait gardé beaucoup de charme et savait, comme toutes les belles Sudistes, séduire les hommes.

Les gardiens se consultèrent en hâte et firent appel à un docteur qui, après avoir examiné le malade, donna l'ordre qu'on le transférât dans un hôpital militaire.

Satisfaite d'avoir eu le dernier mot, Van Lew continua à distribuer nourriture et vêtements, puis s'apprêta à quitter l'entrepôt obscur à l'air vicié (et malsain). En se rendant vers la sortie, elle retrouva le capitaine Sloan. Il lui fit signe de s'arrêter et lui rendit le livre qu'elle lui avait donné.

« Mille excuses, mademoiselle Van Lew, mais je viens de me souvenir que j'ai déjà lu ce livre. »

Van Lew prit le livre et sourit au capitaine d'un air complice.

« Je vous en apporterai un autre demain », répondit-elle en s'en allant.

Aussitôt dehors, elle pressa le pas pour se rendre à son cabriolet que gardait l'un de ses domestiques noirs. Tout en l'aidant à monter, le domestique murmura : « Mieux vaut être prudente, mademoiselle Elizabeth. Il y a un homme qui n'a pas cessé de vous observer depuis que nous sommes arrivés ici. » Et ce disant, l'homme regarda en direction du campement militaire, dressé en face de la prison.

Van Lew feignit d'arranger sa robe et se retourna discrètement de façon à voir son espion. Elle remarqua un homme aux traits durs et aux épais favoris, portant un complet foncé et un chapeau melon. Elle le reconnut aussitôt : c'était l'un des détectives sudistes qui la suivait depuis quelques semaines.

« Merci, James, dit-elle à son domestique. Et maintenant rentrons. »

Après avoir cheminé le long des rues de Richmond, le cabriolet parvint à Church Hill, nom de la belle demeure où les Van Lew vivaient depuis près d'un demi-siècle. La demeure, aux colonnes et aux portiques somptueux, était située face à la vieille église où Patrick Henry avait lancé son inoubliable cri : « Donnez-moi la liberté ou donnez-moi la mort. »

Pendant que James rangeait le cabriolet et le cheval dans l'étable, Van Lew entra rapidement dans la maison. Elle traversa le vaste vestibule aux grands lustres de cristal et pénétra dans la bibliothèque. L'espace d'un instant, des images heureuses de l'avant-guerre lui revinrent à l'esprit. À cette époque-là, les Van Lew recevaient nombre de personnes célèbres. La grande chanteuse Jenny Lind leur avait rendu visite et Edgar Allan Poe avait récité quelques poèmes de sa composition dans la pièce même où elle se tenait maintenant.

Sa mère l'attendait dans la bibliothèque. « Monsieur Haley s'est mis en rapport avec nous, dit-elle calmement. Il t'attendra ce soir à l'endroit habituel... Et la couturière est là, comme tu l'as demandé.

— Très bien... Je la ferai appeler dans un moment. Quant à M. Haley, j'espère que les nouvelles que j'ai pour lui ne le décevront pas. »

La femme menue et délicate qu'était madame Van Lew parut préoccupée.

« Franchement, Elizabeth, je pense que tu prends trop de risques. Les rebelles ont des espions partout. »

Elizabeth posa tendrement la main sur l'épaule de sa mère.

« Mère, il faut être prêtes à prendre des risques si nous voulons mettre fin à cette horrible guerre. Et maintenant, voyons les renseignements que nous donne notre ami le capitaine Sloan. »

Les deux femmes s'assirent à une petite table. Van Lew approcha une lampe à pétrole, puis sortit le recueil de nouvelles que l'officier nordiste lui avait rendu. Quelques mois plus tôt, Van Lew et le capitaine avaient établi un code qui leur permettait d'échanger des renseignements sans éveiller de soupçons.

Le capitaine devait percer d'une épingle les lettres de différents mots pris au hasard d'un chapitre du livre qu'Elizabeth lui remettait. Il devait ensuite corner imperceptiblement la première page du chapitre en question.

Van Lew et sa mère repéraient avec une loupe les petits trous, puis rassemblaient les lettres pour en faire des mots et les mots pour en faire des phrases. Peu à peu, le message se constitua : « Prisonniers nordistes de Richmond envoyés en Georgie... Nouveaux forts construits à Danville Road... Division Pickett actuellement à Petersburg... Trois régiments de cavalerie rebelles dissous par Lee car plus de chevaux... »

Le message déchiffré, Van Lew annonça : « Voilà des renseignements importants. Il me faut les transmettre à M. Haley. »

Van Lew retranscrivit soigneusement le message sur des bouts de papier. Elle fit ensuite appeler la couturière et lui demanda de coudre les papiers dans les plis de la robe qu'elle comptait porter pour son excursion nocturne.

Quand tout fut prêt, Van Lew enfila la robe. Puis elle mit des bottes de cuir, un manteau en toile et un grand bonnet qui lui donnaient l'allure d'une fermière, ce qu'elle désirait. Ceci fait, elle demanda au valet d'écurie d'atteler le cabriolet et de l'avancer jusque devant l'entrée latérale.

Un peu avant dix heures du soir, Van Lew se mit en route en direction de la ferme familiale qui se trouvait au sud de la ville. Le ciel était couvert; seuls miroitaient par intermittence une lointaine étoile ou l'éclat de la lune embrumée. Une légère pluie se mit à tomber au moment où Van Lew quitta la ville.

Ces excursions nocturnes, Van Lew préférait les faire toute seule. Cette nuit-là, pourtant, elle avait l'étrange sentiment qu'elle n'était pas vraiment seule. Quelque chose lui disait qu'on la regardait, qu'elle était suivie. De temps en temps, elle lançait un regard nerveux par-dessus son épaule, mais elle ne voyait personne. Elle ne put cependant se débarrasser de cette impression.

À environ deux milles de la sortie de la ville, Van Lew aperçut un petit feu de camp. En s'approchant, elle vit des silhouettes floues réunies autour du feu. « Une patrouille de Confédérés », songea-t-elle. Comme tout semblait être tranquille, elle se dirigea vers eux sans hésiter.

Un factionnaire s'avança pour lui barrer le passage. « Arrêtez-vous et identifiez-vous ! » lui ordonna-t-il.

« Elizabeth Van Lew, de Richmond, répliqua-t-elle. J'ai l'autorisation signée du général Winder d'entrer et de sortir librement de la ville. »

Certains soldats du campement se réunirent autour du cabriolet. Il y avait là à la fois des jeunes soldats et des hommes plus âgés car les Confédérés en étaient venus à recruter tous les effectifs possibles. Leurs uniformes gris et ocre étaient usés et rapiécés. Certains portaient les pantalons et les manteaux de soldats nordistes capturés et plusieurs étaient nu-pieds. Bien qu'opposée à la cause sudiste, Van Lew ne put s'empêcher d'éprouver un sentiment de pitié pour ces hommes qui continuaient à se battre en dépit des grandes misères qui les accablaient. Le factionnaire examina son laissez-passer et il s'apprêtait à s'écarter lorsqu'il entendit le bruit d'un galop sur la route. Van Lew regarda par-dessus son épaule et vit un homme portant un chapeau melon et des favoris mettre pied à terre et s'élancer vers eux. C'était l'homme même qui l'avait suivie dans l'après-midi.

« Ne la laissez pas s'échapper ! cria l'homme.

— Mais elle a un laissez-passer signé par le général Winder », répliqua le factionnaire.

L'homme eut un mauvais sourire. « Peu importe son maudit laissez-passer ! Je m'appelle Rusk, des Services de contre-espionnage, et j'ai également une autorisation signée par James Seddon, du Secrétariat de la défense, qui m'autorise à arrêter les espions. »

Rusk montra Van Lew du doigt d'un air menaçant. « Cette femme est une espionne à la solde de l'*Union* ! » Et ce disant, il s'élança vers elle, lui saisit brutalement le bras et la força à descendre du cabriolet.

Van Lew dégagea brusquement son bras, le visage enflammé par la colère. « Comment osez-vous porter la main sur moi ? cria-t-elle. J'exige que vous me laissiez passer ! »

L'agent du contre-espionnage resta immobile. « Ne prenez pas ces airs hautains avec moi, mademoiselle Van Lew. Je sais que vous avez un message pour vos amis Yankees et je compte bien le prouver. »

Le regard cruel, Rusk l'accula contre le cabriolet. Van Lew essaya de se dégager, mais elle ne pouvait rivaliser avec la force de son agresseur.

Certains soldats voulurent s'interposer, mais Rusk les écarta.

Soudain, une voix sévère résonna : « Lâchez cette femme ! » Van Lew tourna la tête vers la droite et vit s'avancer un officier sudiste. C'était un homme de haute taille, à la barbe soigneusement taillée qui portait au col de son uniforme les trois galons de capitaine.

« Un gentleman ne traite pas ainsi une dame », dit le capitaine. Et se tournant vers Van Lew, il s'inclina et dit : « Acceptez mes excuses pour le comportement brutal de cet homme. »

Rusk était livide. « Mais bon sang, capitaine, cette femme est une espionne et elle cache un message secret sous sa robe ! Je suis certain de ce que j'affirme. » L'officier se tourna vers Van Lew. Il lui demanda de se présenter et de lui dire ce qu'elle faisait si tard en pleine campagne. Van Lew expliqua alors avec le plus grand calme qu'elle avait coutume de se rendre la nuit à la ferme de ses parents pour en rapporter des légumes car, comme le capitaine le savait, les légumes frais étaient difficiles à trouver à Richmond.

L'officier en convint. « Mais j'ai une dernière question à vous poser, mademoiselle, poursuivit-il. Cachez-vous un message secret sous . . . excusez mon indélicatesse, sous votre robe ? »

Van Lew regarda le capitaine droit dans les yeux. « Je vous donne ma parole, monsieur, qu'il n'y a aucun papier sous mes vêtements. Mais naturellement, si vous insistez, j'ôterai ma robe. »

Le capitaine rougit. « Cela ne sera pas nécessaire, mademoiselle. Vous pouvez partir. » Et lançant un regard en direction de Rusk, il annonça sèchement : « Et si cet homme s'avise de se retrouver sur votre chemin, je le ferai ligoter, bâillonner et je le renverrai à Richmond où il sera mis aux arrêts. »

Quelques instants plus tard, Van Lew reprenait la route de la ferme. Derrière elle, Rusk continuait à s'expliquer avec le capitaine rebelle. En une demi-heure, Van Lew arriva à la petite ferme de ses parents. M. Haley, un des nombreux partisans de l'*Union* à qui elle transmettait ses messages pour le Nord, l'attendait. À l'aide d'un canif, Van Lew décousit les plis de sa robe dans lesquels était dissimulé le message. Elle ne put s'empêcher de sourire en retirant les bouts de papier. Elle se réjouit de ne pas avoir eu à mentir à l'officier sudiste qui l'avait secourue. En effet, le message était caché non *sous,* mais *dans* sa robe.

Dès que Haley eut monté son cheval et fut parti, Van Lew remplit le cabriolet de fruits et de légumes et repartit pour Richmond. Deux heures plus tard, elle était de retour chez elle. Sa mission avait réussi.

Dans les mois qui suivirent, Van Lew se livra à d'autres activités d'espionnage. Elle fit connaître au Nord la condition des prisonniers nordistes à Richmond, ce qui incita les forces de l'*Union* à envoyer à leur secours un régiment de cavalerie. La mission de secours échoua, mais l'expédition ébranla la confiance qui régnait dans la capitale de la Confédération.

Quelques semaines plus tard, plus de cent officiers nordistes s'échappèrent de la prison Libby au cours d'une des évasions les plus audacieuses de la guerre de Sécession. Van Lew était occupée à une autre mission quand la nouvelle de l'évasion lui parvint. Elle rentra précipitamment chez elle et parcourut la ville en cabriolet à la recherche des évadés. C'est ainsi qu'en se rendant chez certains partisans de l'*Union,* elle rencontra trois militaires nordistes qu'elle ramena chez elle en les dissimulant dans son cabriolet, sous des bottes de jeunes pêchers. Ils demeurèrent dans une pièce isolée jusqu'à ce qu'ils pussent quitter la ville sans danger.

En même temps, Van Lew s'attacha à étendre son réseau d'espionnage. En été 1864, le général Ulysses S. Grant, dirigeant de l'*Union,* réussit à traverser les étendues désolées et à se rapprocher de Richmond. Van Lew lui fournit alors des comptes rendus quotidiens sur les manœuvres militaires des Confédérés. Lorsqu'elle apprit que le président de la Confédération, Jefferson Davis, cherchait une nouvelle domestique, Van Lew parvint à faire engager une de ses anciennes esclaves, Mary Elizabeth Bowser, qui s'infiltra ainsi dans la Maison Blanche des Confédérés. Deux fois par semaine, à la tombée de la nuit, les deux femmes se rencontraient pour échanger des informations secrètes.

Les agents sudistes du contre-espionnage, dont le tenace Rusk, continuaient à la surveiller. Mais son intelligence venait à bout de toutes leurs ruses. Van Lew continua à se rendre à la prison Libby avec la même fréquence. Elle échangeait ses messages grâce au système des pages percées, mais aussi au moyen d'un grand plat de cuisine à double fond. À ce propos, un gardien méfiant lui demanda un jour de lui remettre le plat. Mais Van Lew, qu'on avait avertie, avait rempli le plat d'eau bouillante et l'avait transporté en le recouvrant de son châle épais. Aussi, quand le gardien prit le plat, il se brûla les mains et le lâcha en poussant un cri.

Le temps passait et les Confédérés ne cessaient de perdre du terrain. Le général William Sherman s'était emparé d'Atlanta et se préparait à sa « Marche vers la mer ». Phil Sheridan avait repoussé les forces de la Confédération hors de la vallée Shenandoah et l'amiral David Farragut avait occupé Mobile, une ville de l'Alabama. En même temps, l'armée de Grant avait assiégé Petersburg qui se trouvait à vingt milles à peine de Richmond. La Confédération n'allait pas tarder à s'effondrer.

Mais Elizabeth n'en abandonna pas pour autant ses activités d'espionnage. Un soir, elle confia une mission à son domestique James en dissimulant un message dans la semelle d'un de ses brodequins. James n'était pas parti depuis plus d'une demi-heure qu'il revenait bouleversé, porteur d'une mauvaise nouvelle : les troupes de la Confédération s'emparaient de tous les chevaux de la région à des fins militaires.

« Ils vont prendre Alexander », dit James. Alexander était le seul cheval que la famille Van Lew possédât encore.

« Non, ils ne l'auront pas, répliqua fermement Van Lew. Viens, James, nous allons lui trouver une bonne cachette. »

Lorsque les soldats de la Confédération arrivèrent à la demeure des Van Lew, Alexander avait disparu. Les troupes sudistes fouillèrent l'étable et le fumoir, mais ne trouvèrent trace du cheval.

L'un des soldats exigea qu'on lui révélât la cachette de l'animal.

« Nous savons fort bien que vous avez un cheval, mademoiselle Van Lew, dit-il. Autant nous dire où vous l'avez caché. »

Van Lew haussa les épaules. « Si vous pensez à Alexander, notre vieux cheval d'attelage, sachez qu'il est mort depuis plus d'un mois. »

Les soldats fouillèrent encore la demeure pendant plus d'une heure, puis, de guerre lasse, se résolurent à partir. Quand les troupes se furent éloignées, madame Van Lew demanda à sa fille où se trouvait Alexander.

« Venez, maman, répondit Elizabeth, je vais vous le montrer. »

Les deux femmes montèrent les escaliers qui menaient à la bibliothèque. Elizabeth ouvrit toute grande la porte avec un sourire de triomphe : le bel étalon était là, debout au milieu de la paille dont James avait tapissé le sol.

« Quel admirable cheval, dit fièrement Elizabeth. Il n'a même pas henni !

— Certes, remarqua madame Van Lew, mais il a mâchouillé quelques livres. »

Elizabeth se pencha pour ramasser ce qu'il restait d'un livre relié de cuir. « Notre Alexander est un cheval qui ne manque pas de goût, dit-elle en riant. Il vient de dévorer tout un volume de pièces de Shakespeare. »

Les derniers mois de la guerre s'écoulèrent assez paisiblement pour les Van Lew. Les lignes de Lee s'effondraient peu à peu à Petersburg. Le 2 avril 1865, on apprit que les troupes de Lee avaient finalement été expulsées de Petersburg et que les forces de la Confédération avaient ordonné l'évacuation de Richmond. Le jour suivant, les dernières troupes sudistes quittaient la capitale des Confédérés, non sans avoir mis le feu à quelques édifices publics pour empêcher les Nordistes de retrouver les dossiers de la Confédération. D'autres bâtiments furent également incendiés, si bien qu'une grande partie de la ville fut en feu.

Au beau milieu de cette déroute, Van Lew s'assigna une dernière tâche. Elle se rendit à pied au Capitole dans l'espoir de trouver parmi les décombres des documents secrets épargnés par le feu dont l'*Union* pouvait tirer profit.

Comme elle fouillait dans les décombres encore brûlants, elle s'arrêta net à la vue d'un homme dont elle reconnut aussitôt le chapeau melon. Les vêtements en désordre et le visage défait, Rusk, le détective de la Confédération, la regardait de ses yeux cruels. Van Lew recula à son approche. Un frisson la parcourut.

« J'ai pensé que vous seriez peut-être ici, mademoiselle Van Lew, dit Rusk avec un sourire mauvais. Vous voilà prise en flagrant délit, sale espionne yankee. Mais cette fois, vous ne m'échapperez pas ! »

Et tirant de sa ceinture un revolver, il avança vers elle.

« J'aurais aimé vous voir pendue, comme tout espion mérite de l'être. Mais comme le temps presse, une balle fera l'affaire. »

Les lèvres déformées par un rictus, Rusk arma son pistolet et l'éleva. Bien que paralysée par la peur, Van Lew réussit à chuchoter :

« Vous êtes fou. Les troupes nordistes seront ici d'un moment à l'autre et quand ils apprendront ce que vous avez fait, ce sera vous qu'ils pendront. »

Rusk continuait à avancer, sans prêter attention à ses paroles. Mais, soudain, Van Lew entendit des galops de chevaux et des tintements de sabre. Rusk se retourna vivement et vit un soldat de la cavalerie nordiste galoper vers eux. Le rebelle laissa tomber son pistolet et voulut s'enfuir. Il ne fut sans doute pas assez rapide car, en un éclair, les soldats nordistes le rattrapèrent et le ramenèrent de force.

« Tout va bien, mademoiselle ? » Un officier était descendu de cheval et s'était avancé vers elle. Van Lew, à qui l'émotion avait ôté l'usage de la parole, hocha la tête.

— Seriez-vous Elizabeth Van Lew ? demanda l'officier nordiste.

— Oui, répondit-elle avec effort.

— En ce cas, je suis fort heureux de vous avoir trouvée, dit l'officier avec un large sourire. Le général Grant nous a envoyés avec la mission de vous offrir protection, ainsi qu'à votre famille. Votre mère nous a dit que nous vous trouverions ici. . . Je suis heureux que nous soyons arrivés à temps. »

Il montra Rusk du doigt. « Qui est cet homme ?

— Un détective rebelle, lui répondit Van Lew. Cela faisait des mois qu'il me suivait. »

L'officier posa une main amicale sur son épaule. « Vous n'avez plus à craindre personne, lui dit-il. Richmond est maintenant aux mains des forces de l'*Union*. Vous serez bien protégés, vous et les vôtres. »

Cette nuit-là, Elizabeth dormit d'un sommeil plus profond, n'ayant plus à penser à la guerre ou à craindre les agents du contre-espionnage. Et, au réveil, quand elle ouvrit la fenêtre, elle put voir le drapeau américain flotter sur le Capitole à demi incendié.

Quelques instant plus tard, alors qu'elle prenait le thé avec sa mère, elle entendit le bruit cadencé de troupes en marche et le son triomphal d'un clairon. Toutes deux se précipitèrent sur le pas de la porte et virent les troupes nordistes célébrer leur victoire en jetant leurs chapeaux en l'air. En même temps, un groupe de militaires à cheval s'approchait de la maison.

Ils s'arrêtèrent à l'entrée de la demeure et plusieurs officiers descendirent de cheval. Il y avait parmi eux un homme de petite taille à la barbe épaisse, un mégot de cigare entre les lèvres. Il n'avait pas d'épée et portait un uniforme simple avec, sur les épaules, les trois étoiles de général.

Van Lew le reconnut aussitôt. Elle alla à sa rencontre et le salua : « Je suis enchantée de vous rencontrer, général Grant. Je suis Elizabeth Van Lew. »

Le commandant des forces de l'*Union* ôta son chapeau, lui serra chaleureusement la main et répliqua :

« Mademoiselle Van Lew, c'est pour moi un grand honneur de vous remercier de votre contribution à notre cause. Le gouvernement des États-Unis vous en est profondément reconnaissant. »

Van Lew sourit. « Ma mère et moi serions très heureuses si vous acceptiez de prendre le thé avec nous ! »

« Avec grand plaisir, mademoiselle Van Lew. »

Van Lew prit le bras du général et l'escorta jusqu'au salon. Dehors, une fanfare entamait *John Brown's Body*.

D'après HENRY I. KURTZ
auteur de *John and Sebastian Cabot*

LA SOURICIÈRE

Les affaires marchaient plutôt mal à La Rochepot ce jour-là. Jean et Julie, les jumeaux Moulin, avaient installé leur stand de limonade un peu après le déjeuner. Or, il était maintenant trois heures et ils n'avaient vendu qu'un verre de limonade.

« Personne n'a soif, grommela Jean. C'est incompréhensible avec la chaleur qu'il fait . . . Au moins trente à l'ombre !

— À ce rythme, on perdra de l'argent au lieu d'en faire », soupira Julie.

Les jumeaux n'auraient pas été aussi contrariés si l'argent qu'ils avaient investi dans les limonades avait été le leur. Mais il appartenait à la troupe scout de Jean . . . À la dernière réunion précédant les vacances d'été, M. Martin, le chef de troupe, avait remis deux dollars à chaque membre de la troupe en leur disant : « Investissez ces dollars avec circonspection et vous les verrez se multiplier. Vous apprendrez ainsi à faire fructifier votre argent. Et en automne, nous verrons lequel de vous aura le mieux réussi. Nous utiliserons les bénéfices pour faire une longue excursion d'un jour et une nuit. »

Sur le moment, le projet avait enthousiasmé Jean et sa sœur, à qui il en avait parlé, avait promis de l'aider. Mais leur première aventure financière semblait ratée et tous deux commençaient à perdre confiance.

Jean se laissa tomber sur le gazon et passa la main sur son front chaud et moite.

« On devrait prendre le tandem et aller à la piscine, au lieu de bouillir ici en plein soleil », grommela-t-il.

Julie se versa un verre de limonade et réfléchit à la proposition de Jean. Certes, il était bien tentant de fermer boutique et d'aller à la piscine sur le vieux tandem que leur père avait réparé. Le trajet serait agréable et rafraîchissant . . . Et l'eau serait plus rafraîchissante encore !

« Je pense que nous devrions encore rester un petit peu, dit finalement Julie. Il nous reste cinquante sous sur les deux dollars que nous avons dépensés en limonade. Attendons la fin de l'après-midi pour voir si nous pouvons amortir nos dépenses. »

À ce moment-là, passa leur voisin, M. Lafleur. Il tenait à la main sa serviette de représentant et s'éventait avec son chapeau.

« Une limonade, monsieur ? demanda Jean. Dix sous seulement !

— Eh bien, répondit M. Lafleur, j'en ai déjà bu trois verres cet après-midi. Mais par une journée comme celle-ci on pourrait boire la mer et ses poissons. J'en prendrais donc bien un autre. »

Jean lui tendit un verre de limonade fraîche.

« Ah, reprit M. Lafleur en se léchant les lèvres, c'est la meilleure limonade que j'aie bu aujourd'hui . . .

— Où avez-vous acheté vos autres limonades ? s'enquit Jean.

— Oh, répondit leur voisin, il y a des stands un peu partout en ville. J'en ai vu trois sur l'avenue des Pommiers et au moins six sur la Grand'rue.

— Je comprends pourquoi nos affaires vont si mal, s'écria Jean. Je parie que tous les scouts de la troupe ont eu la même idée que nous aujourd'hui. » Et il expliqua à M. Lafleur leur projet d'investissement.

M. Lafleur resta un moment songeur. « Vous devriez fabriquer une meilleure souricière, finit-il par dire.

— Que voulez-vous dire ? demanda Julie.

— Un philosophe très sage, du nom d'Emerson, a dit un jour quelque chose dans ce goût-là : « Fabriquez une souricière plus perfectionnée et tout le monde viendra s'y prendre ».

— Je crois que je comprends, dit Julie. Cela signifie que ce sont ceux qui ont un esprit novateur et des idées hors du commun qui réussissent le mieux.

— Exactement, répliqua M. Lafleur. Fabriquez une souricière

plus perfectionnée et Jean pourrait peut-être rapporter une fortune à son chef de troupe.

— Mais de quelle autre façon pouvons-nous gagner de l'argent ? demanda Jean. Nous ne sommes pas censés en gagner en faisant un travail, comme tondre des pelouses. M. Martin a dit que l'argent que nous rapporterions en automne devrait venir de l'investissement et de la fructification de nos dollars.

— Creusez-vous la cervelle, dit alors M. Lafleur. Je suis certain que vous ne tarderez pas à avoir une idée. »

Une fois leur voisin parti, les jumeaux se mirent à chercher une autre solution. Mais ils ne parvinrent pas à en trouver une seule qui fût originale.

« Il fait trop chaud pour réfléchir aujourd'hui, grommela Jean.

— Prends un autre verre de limonade, suggéra Julie.

— J'en ai assez de cette limonade, marmonna Jean. Si au moins je pouvais avoir une bonne glace à l'eau. »

À ces mots, Julie eut un large sourire. Elle se leva d'un bond et s'écria : « Hourrah ! Tu viens de me donner une merveilleuse idée pour la souricière. Nous allons vendre des glaces à l'eau, comme celles que nous faisons à la maison dans les bacs à glace.

— Tu es géniale, s'exclama Jean. Ce sera la première chose que nous ferons demain. »

Le lendemain, à la première heure, les jumeaux se lancèrent dans leur nouvelle entreprise. Tout d'abord, ils demandèrent à leur mère la permission de se servir d'une partie de son grand congélateur, permission qu'elle leur accorda. Ensuite, Julie alla chez des amis et des parents pour emprunter des bacs à glace supplémentaires, pendant que Jean se rendait au magasin pour acheter des provisions.

De retour à la maison, ils mélangèrent plusieurs poudres à limonade sucrées et parfumées. Ils versèrent ensuite les mélanges dans quelques bacs à glace, y ajoutèrent de l'eau et les mirent au congélateur. Dès que le mélange commença à durcir, ils plantèrent un bâtonnet dans chaque glace.

« Cela fait des années que nous faisons ces glaces à l'eau, dit Julie. Dommage que nous n'ayons pas pensé à les vendre plus tôt.

— Espérons seulement que nous en vendrons, dit Jean. Il ne reste plus un sou. Si nous ne réussissons pas cette fois-ci, je reviendrai les poches vides. »

En attendant que les glaces givrent, les jumeaux allèrent faire un tour en tandem. Jean, à qui c'était le tour de conduire, s'installa à l'avant et Julie, sur le siège arrière, l'aida à pédaler. Gyp, leur collie, les rejoignit au coin de la rue et les suivit en aboyant à en perdre haleine.

Les voisins saluaient en riant le trio animé qui faisait le tour du pâté de maisons. Ils aimaient voir les jumeaux Moulin piloter leur tandem; cela leur rappelait les jours anciens où les bicyclettes à deux sièges étaient encore chose commune.

Finalement, Jean et Julie remirent le tandem au garage et rentrèrent à la maison pour dîner. Après le repas, ils descendirent à la cave, en rapportèrent une glacière de pique-nique et la remplirent de glaçons ordinaires qu'ils recouvrirent ensuite de longues feuilles de papier à biscuits. Ils démoulèrent alors soigneusement les glaces et les placèrent sur les feuilles de papier. Il ne leur resta plus qu'à porter la glacière dans la cour où Jean planta une pancarte sur laquelle on lisait : « GLACE À L'EAU – DEUX SOUS ».

Peu de temps après, leurs voisines Béatrice Carrou et Martine Caillot vinrent à passer.

« Des glaces à l'eau ! s'écria Béatrice. J'en veux trois !

— Moi aussi, dit Martine. J'en ai assez de cette limonade que tout le monde vend. »

Jean servit les petites filles qui coururent aussitôt annoncer à leurs amis que les jumeaux Moulin vendaient des glaces à l'eau.

Quelques minutes plus tard, cinq autres enfants venaient en acheter. Vers deux heures trente, les jumeaux avaient vendu environ un tiers de leurs glaces à l'eau. Les ventes s'arrêtèrent alors et une heure s'écoula sans qu'aucun client ne se présentât.

« Tu crois qu'ils n'ont pas aimé nos glaces ? demanda nerveusement Jean.

— Non, répondit Julie. Je pense seulement que les ventes sont finies pour aujourd'hui dans ce secteur. Les voisins ne peuvent sans doute plus se permettre de nouvelles dépenses.

— Et pourtant, il nous reste beaucoup de glaces. Si nous ne les vendons pas, nos bénéfices vont fondre avec elles. »

Assis sous le soleil brûlant, ils attendirent le client. Et si quelques enfants s'arrêtèrent pour poser des questions, aucun n'acheta de glaces.

« Ah ! soupira Jean. Fabriquer une souricière plus perfectionnée et tout le monde viendra s'y prendre... Je n'en vois pas beaucoup de pris ! »

Jean, les coudes appuyés sur ses genoux, se mit à réfléchir.

« Si nous étions des marchands professionnels, comme ceux de la ville, tout irait si bien ! Il nous suffirait de nous promener sur un vélomoteur blanc et de faire retentir une clochette. Nous serions alors assaillis de clients. »

Le regard de Julie s'illumina soudain.

« Pas besoin de vélomoteur, s'exclama-t-elle. Nous avons le tandem !

— Il faudrait seulement y placer une clochette, s'écria Jean en se redressant. Et puis, nous avons Gyp qui fera plus de bruit que n'importe quelle clochette ! »

Et aussitôt, les jumeaux se précipitèrent au garage, sortirent le tandem et le firent rouler jusqu'à la glacière.

« À propos de glacière, on a oublié quelque chose, grommela Jean. Les congélateurs sont incorporés aux vélomoteurs... Comment allons-nous transporter cette grosse glacière sur notre tandem ?

— Il nous faudrait une petite remorque, dit Julie. Que penses-tu du vieux chariot rouge ? »

Ils se ruèrent à nouveau au garage. Jean épousseta le chariot et se mit en quête d'un morceau de corde pendant que Julie traçait à la peinture une nouvelle enseigne.

Accompagné de Gyp qui lançait ses plus beaux jappements, Jean et Julie se mirent en route : ce joyeux défilé ne pouvait manquer d'être remarqué.

Jean et Julie roulèrent lentement le long des rues de La Rochepot. Intrigués par les bruits de clochette et les aboiements, parents et enfants se précipitaient sur le pas de leur porte et éclataient de rire

en voyant les jeunes jumeaux sur ce tandem du temps jadis.

Les jumeaux s'arrêtèrent à tous les coins de rue pour vendre leurs glaces. Tous les enfants en réclamèrent et nombre de parents se laissèrent eux-mêmes tenter. Quelques mères de famille firent remarquer que c'étaient de « délicieuses glaces, peu coûteuses et assez petites pour ne pas couper l'appétit ».

De nombreux enfants demandèrent aux jumeaux s'ils allaient revenir le lendemain et Julie annonça alors avec bonne humeur : « Aux glaces à l'eau des jumeaux Jean et Julie sera ouvert tout l'été. »

Une heure plus tard, nos amis étaient sur le chemin du retour, fatigués, mais heureux. Tout en roulant, Julie annonça à Jean : « Selon mes calculs, nous avons amorti deux dollars en deux heures environ.

— Pense à ce que seront nos bénéfices en automne, s'écria Jean. Il me faudra mettre l'argent dans des sacs à patates pour les remettre à M. Martin. Sans toi, Julie, cela n'aurait pas été possible . . . Je dirai à M. Martin de quelle aide précieuse tu m'as été. »

Au moment où ils rangeaient le tandem au garage, ils aperçurent M. Lafleur qui rentrait souper chez lui. Il jeta un coup d'œil sur l'enseigne que Julie avait placée sur la glacière. « Eh bien ! les enfants, qu'est-ce que je vois, dit-il ?

— Des glaces, répondit Jean. C'est notre souricière. Voyez-vous, les gens ne sont pas venus à notre souricière. Alors nous l'avons déplacée et emportée chez les autres . . . »

M. Lafleur partit d'un grand éclat de rire. « Je dois dire que vous rendez hommage à Emerson, dit-il en étouffant un nouveau rire. Bravo, les jumeaux ! Mais, au fait, vous reste-t-il des glaces ?

— Non, répondit Julie. Mais nous vous en garderons demain. Je crois bien que nous pourrons doubler notre production. »

POÉSIE

LE PETIT VIEUX

C'était un petit vieux
Abandonné, teigneux,
Plié par le milieu,
Au front livide, aux yeux
Ternis, à barbe grise.

Son regard incertain,
Dans son œil presque éteint,
Semblait vouloir en vain
De quelque émoi lointain
Rapprocher la hantise.

Sa bouche en oraison
Faisait de vagues sons,
Tel un petit garçon
Répétant des leçons
Qu'il n'aurait pas comprises.

Dites-nous l'ancien temps,
Vos amours de vingt ans.
Il levait un œil lent
Et son vieux chef branlant
Exprimait la surprise.

C'était un petit vieux
Abandonné, teigneux,
Plié par le milieu,
Au front livide, aux yeux
Ternis, à barbe grise.

LIONEL LÉVEILLÉ

MATHÉMATIQUES

Quarante enfants dans une salle,
Un tableau noir et son triangle,
Un grand cercle hésitant et sourd
Son centre bat comme un tambour.

Des lettres sans mots ni patrie
Dans une attente endolorie.

Le parapet dur d'un trapèze,
Une voix s'élève et s'apaise
Et le problème furieux
Se tortille et se mord la queue.

La mâchoire d'un angle s'ouvre.
Est-ce une chienne ? Est-ce une louve ?

Et tous les chiffres de la terre,
Tous ces insectes qui défont
Et qui refont leur fourmilière
Sous les yeux fixes des garçons.

JULES SUPERVIELLE

SÉRÉNADE

Les aiguilles du pin, les feuilles des bouleaux
Ont parsemé ton toit où l'herbe s'est fanée.
Dors sur ton lit de paille, dors heureuse et en paix
À l'ombre des nuages que minuit a semés.

Quand l'hiver frappe à ta fenêtre,
Vêtu de blanc, ainsi qu'un prétendant,
Rêve alors un rêve qui te tienne bien chaud,
À l'abri de tes murs en bois.

Rêve du vent d'été, rêve qu'il chante et joue,
Alors qu'au-dehors mugit la tempête.
Rêve que sous la verte voûte des bouleaux
Tu reposes endormie dans mes bras.

ERIK-AXEL KARLFELDT

LE TRÉSOR

J'ai un poulain gris,
J'ai une fenêtre qui s'ouvre sur le paradis,
J'ai une poupée sans visage,
J'ai la lanterne magique pour les images,
J'ai une plume de paon blanc,
J'ai un miroir qui montre le cœur des gens,
J'ai un tapis qui mène chez l'enchanteur,
J'ai les paroles de l'enchanteur,
J'ai le livre qui explique les songes,
J'ai un signe pour les mensonges,
J'ai une boîte qui ferme avec trois secrets,
J'ai la clef de l'alphabet,
J'ai une prière qui guérit les brûlures,
J'ai des pierres douces et dures,
J'ai des coquillages qu'on entend de loin,
J'ai le plus, j'ai le moins,
J'ai le masque où se cachent les petites filles,
J'ai l'oiseau qui brille,
J'ai une chanson pour compter les joueurs du jeu,
J'ai le portrait du bon dieu,
J'ai enfermé l'ombre du troubadour,
J'ai une musique pour les sourds
Et un arc-en-ciel pour les aveugles.

CATHERINE FAULN

CHANSON

Tu m'as dit : « J'ai besoin de toi ».
Pourtant c'est toi la source, moi le caillou;
toi l'arbre, moi l'ombre;
toi le sentier, moi l'herbe foulée.

Moi j'avais soif, j'avais froid, j'étais perdue;
toi tu m'as soutenue, rassurée et cachée dans ton cœur.
Pourquoi donc aurais-tu besoin de moi ?

La source a besoin du caillou pour chanter,
l'arbre a besoin de l'ombre pour rafraîchir,
le sentier a besoin de l'herbe foulée pour guider.

RINA LASNIER

L'ARTISTE

Il voulut peindre une rivière;
Elle coula hors du tableau.

Il peignit une pie-grièche;
Elle s'envola aussitôt.

Il dessina une dorade;
D'un bond, elle brisa le cadre.

Il peignit ensuite une étoile;
Elle mit le feu à la toile.

Alors, il peignit une porte
Au milieu même du tableau.

Elle s'ouvrit sur d'autres portes,
Et il entra dans le château.

MAURICE CARÊME

SALTIMBANQUES

Dans la plaine les baladins
S'éloignent au long des jardins
Devant l'huis des auberges grises
Par les villages sans églises

Et les enfants s'en vont devant
Les autres suivent en rêvant
Chaque arbre fruitier se résigne
Quand de très loin ils lui font signe

Ils ont des poids ronds ou carrés
Des tambours des cerceaux dorés
L'ours et le singe animaux sages
Quêtent des sous sur leur passage

GUILLAUME APOLLINAIRE

LES ESCLAVES

Avec nos regards nus sur la réalité
Que ne transfigura l'arc-en-ciel d'aucun prisme,
Nous regardons marcher votre morne héroïsme
Grelottant en hiver et suant en été,

Vous, compagnes de ceux que mange la fabrique,
Vous, épouses qu'on bat, et vous, maigres catins
Sans fards dont rehausser vos pauvres sens éteints
Qu'assaille le désir brutal comme une trique.

Votre destin nous frôle, austère et grimaçant :
Nous avons vu, penchées aux trous d'or de nos portes,
Vos paupières sans cils, vos faces aux joues mortes,
O chair de notre chair et sang de notre sang !

Nous avons vu vos fronts et leurs rides précoces
Disant l'enfance sans berceau ni fiction.
La vie a fait de vous une âpre abstraction
Regardant par deux yeux remplis d'heures atroces.

Enceintes de misère, enceintes de laideur,
Vos flancs couvent l'horreur des races accroupies
Qui vivront comme vous, loin de nos utopies,
L'esclavage éternel et muet du malheur.

Tous les rêves sont morts. L'espérance est passée. . .
Ah ! tristes sœurs, pleurons sans paroles sur vous !
Vous ne saurez jamais quel geste tendre et doux
Incline sur vos cœurs meurtris notre pensée !

LUCIE DELARUE-MARDRUS

LA SERVANTE AU GRAND CŒUR

La servante au grand cœur dont vous étiez jalouse,
Et qui dort son sommeil sous une humble pelouse,
Nous devrions pourtant lui porter quelques fleurs.
Les morts, les pauvres morts, ont de grandes douleurs,
Et quand octobre souffle, émondeur des vieux arbres,
Son vent mélancolique à l'entour de leurs marbres,
Certes, ils doivent trouver les vivants bien ingrats,
À dormir, comme ils font, chaudement dans leurs draps.

CHARLES BAUDELAIRE

LA LUNE BLANCHE

La lune blanche
Luit dans les bois;
De chaque branche
Part une voix
Sous la ramée. . .

O bien-aimée.

L'étang reflète,
Profond miroir,
La silhouette
Du saule noir
Où le vent pleure. . .

Rêvons, c'est l'heure

PAUL VERLAINE

L'ÉLÉPHANT NEURASTHÉNIQUE

Un petit éléphant
(Enfin . . . assez petit)
Faisait, c'est désolant,
De la neurasthénie.

Son grand-père était gris
Et son papa aussi
Et grise sa maman
Et gris l'oncle Fernand
(Derrière comme devant)

Le petit éléphant
Faisait, c'est désolant,
De la neurasthénie,
Parce qu'il était blanc.

Il se tourmenta tant,
Se fit tant de soucis,
Qu'il cessa d'être blanc
Et devint lui aussi

Comme ses grands-parents,
Comme l'oncle Fernand
Et comme sa maman,
Tout gris, tout gris, tout gris.

OLLIVIER MERCIER-GOUIN

LE HÉRISSON

Bien que je sois très pacifique,
Ce que je pique et pique et pique,
Se lamentait le hérisson.
Je n'ai pas un seul compagnon,
Je suis pareil à un buisson,
Un tout petit buisson d'épines
Qui marcherait sur des chaussons.
J'envie la taupe, ma cousine,
Douce comme un gant de velours
Émergeant soudain des labours.
Il faut toujours que tu te plaignes,
Me reproche la musaraigne.
Certes, je sais me mettre en boule
Ainsi qu'une grosse châtaigne,
Mais c'est surtout lorsque je roule
Plein de piquants, sous un buisson,
Que je pique et pique et repique,
Moi qui suis si, si pacifique,
Se lamentait le hérisson.

MAURICE CARÊME

CHANSON BÊTE

Maman,
je voudrais être en argent.

Mon fils,
tu auras bien froid.

Maman,
je voudrais être de l'eau.

Mon fils,
tu n'auras pas chaud.

Maman,
brode-moi sur ton oreiller.

Oui, mon fils,
sans tarder !

FEDERICO GARCIA LORCA

L'ÉCUREUIL

Écureuil du printemps, écureuil de l'été, qui domines la terre avec vivacité, que penses-tu là-haut de notre humanité ?
— Les hommes sont des fous qui manquent de gaîté.
Écureuil, queue touffue, doré trésor des bois, ornement de la vie et fleur de la nature, juché sur ton pin vert, dis-nous ce que tu vois ?
— La terre qui poudroie sous des pas qui murmurent.
Écureuil voltigeant, frère du pic bavard, cousin du rossignol, ami de la corneille, dis-nous ce que tu vois par delà nos brouillards ?
— Des lances, des fusils menacer le soleil.
Écureuil, cul à l'air, cursif et curieux, ébouriffant ton col et gloussant un fin rire, dis-nous ce que tu vois sous la rougeur des cieux ?
— Des soldats, des drapeaux qui traversent l'empire.
Écureuil aux yeux vifs, pétillants, noirs et beaux, humant la sève d'or, la pomme entre tes pattes, que vois-tu sur la plaine autour de nos hameaux ?
— Monter le lac de sang des hommes qui se battent.
Écureuil de l'automne, écureuil de l'hiver, qui lances vers l'azur, avec tant de gaîté, ces pommes . . . que vois-tu ? — Demain tout comme Hier.
Les hommes sont des fous et pour l'éternité.

PAUL FORT

Parfois au fond de la nuit, il arrive
que le vent comme un enfant s'éveille,
et il descend tout seul l'allée,
à pas légers, jusqu'au village.

Il avance, tâtonne et s'arrête à l'étang
puis écoute à la ronde :
les maisons sont toutes pâles
et les chênes se taisent. . .

RAINER MARIA RILKE

L'OURS DE NOËL

En Finnmark, comté du nord de la Norvège, vivait autrefois un homme nommé Lars. Son père s'appelait Lars Larsson, ou « Fils de Lars ».

Un jour, Lars captura un gros ours polaire qu'il baptisa Freya. À la même époque, le roi de Danemark fit proclamer qu'il réaliserait tous les souhaits de celui qui lui apporterait un ours blanc apprivoisé. Cette alléchante promesse retint l'attention de Lars qui, sans tarder, mit un collier au cou de Freya, y attacha une chaîne et se mit en route pour le Danemark.

Au cours du voyage, à mesure qu'ils avançaient vers le Sud, l'homme et l'ours perdirent la notion du temps. Mais comme les jours se faisaient plus courts et plus sombres, ils purent en déduire que la nuit de Noël ne tarderait guère.

Les deux voyageurs parvinrent bientôt aux montagnes du Dovre qui étaient le domaine de trolls de toutes formes et de toutes tailles. Les trolls, disait-on, se cachaient dans les grottes obscures des montagnes et n'en sortaient que la nuit pour rôder, semer l'effroi et jouer des tours diaboliques à ceux qu'ils venaient à rencontrer.

À la sortie du col des montagnes, les deux voyageurs épuisés, affamés et transis de froid cherchèrent désespérément un abri.

Ils aperçurent alors, juste au-dessous d'eux, entre les hautes falaises, une maison en bois, brune et vernie. Une fumée bleue s'échappait de la cheminée.

« Espérons que ce soient-là de bonnes gens, dit Lars à Freya, car c'est à eux que nous allons demander l'hospitalité.

— Je préfère ma caverne de glace, grommela l'ours, mais ce sont les maîtres qui décident. . . »

Et ils descendirent vers la maison. Un bûcheron aux tristes yeux bleus leur ouvrit la porte.

« Nous nous rendons chez le roi de Danemark, dit Lars en guise d'introduction. Le roi a formulé le désir d'avoir un ours blanc apprivoisé pour Noël, exactement comme Freya, l'ours que voici.

— Vous arrivez un peu tard au Danemark pour Noël, marmonna Halvor (c'était le nom du bûcheron), car Noël, c'est demain.

— Nous accorderez-vous l'hospitalité ? demanda Lars.

— Nous ne sommes pas en sécurité nous-mêmes, marmonna l'homme, comme en se parlant lui-même. En outre, je n'ai pas l'habitude d'abriter des ours sous mon toit.

— Pourquoi ne serions-nous pas à l'abri dans votre demeure ? demanda Lars. Je vous promets que Freya sera sage comme une image... »

Sans tenir compte de cette dernière remarque, Halvor poursuivit :

« Demain, cette demeure sera la proie des trolls. Chaque veille de Noël, ils descendent de la montagne et viennent s'installer dans notre demeure pour y festoyer. Nous ne pouvons rien contre eux car ils sont bien trop puissants. Et à ces mots, le regard de l'homme s'assombrit.

— Un vieux proverbe nordique dit que les visiteurs portent chance aux hôtes qui les reçoivent, répartit Lars pour l'encourager. Nous sommes peut-être ces visiteurs-là...

— Nul ne peut chasser les trolls, dit tristement Halvor. Mais entrez vous réchauffer. »

Lars et son ours entrèrent. Près de la cheminée, une belle femme aux yeux noirs, qui semblait avoir le même âge que Halvor, filait de la laine. Elle portait une veste rouge vif à manches longues, une blouse blanche et une longue jupe bleue brodée de couleurs éclatantes.

En face d'elle, se tenait une jeune femme dont les yeux bleus rappelaient ceux de Halvor mais en moins tristes et en plus brillants. Ses cheveux blonds s'échappaient d'un bonnet blanc brodé. Elle portait un habit semblable à celui de sa mère.

« Voici ma femme Helga et ma fille Elsa », dit Halvor en présentant Lars.

À la vue de cette ravissante jeune femme, Lars sentit son cœur battre. « Si je puis débarrasser les trolls de cette maison, pensa-t-il, il me sera peut-être possible de la demander en mariage. »

Il salua les deux femmes en s'inclinant respectueusement et sur l'invitation des hôtes, les deux étrangers se rapprochèrent du feu. Et, en peu de temps, ils se sentirent enveloppés d'un merveilleux sentiment de confort. On servit à Lars une boisson aux épices et de petits gâteaux dont la seule odeur l'enivra, et Freya reçut une immense saucisse. Lars pensa qu'il venait de poser le pied au paradis.

Le regard de Lars parcourut la pièce, avec ses meubles aux vives couleurs, ses bols de cuivre étincelants posés sur les étagères et ses tapisseries murales si soigneusement tissées. Puis il demanda à ses hôtes de lui parler des trolls.

« D'aussi loin qu'il nous en souvienne, dit Halvor, des groupes de trolls descendent des grottes chaque Noël et se mettent en quête d'un lieu pour festoyer. Quoi que nous fassions, ils n'apportent, en ces jours saints, que malheur et dévastation. Les trolls empestent notre demeure. Si vous pouvez nous libérer de ce fléau, tout ce que vous nous demanderez sera vôtre...

Après maintes délibérations, tous convinrent que le bûcheron et sa famille quitteraient leur maison au matin de Noël et se rendraient au village voisin pour y passer la nuit. Lars et son ours blanc

s'installeraient alors chez le bûcheron et tenteraient d'en chasser les trolls pour toujours.

Le lendemain, le cœur lourd, Lars vit Halvor, sa femme et sa si jolie fille dévaler à skis les pentes enneigées. Lars dit alors à haute voix :

« Si je les revois un jour, ma vie sera comblée et mon bonheur assuré. » Ce à quoi l'ours répondit calmement :

« N'aie aucune crainte... Non seulement nous les reverrons, mais ils nous en seront encore reconnaissants. »

Ce jour-là, la neige tomba silencieusement, doucement, recouvrant les montagnes d'un blanc éblouissant. Les champs semblaient bleus avec, autour des sapins et des épinettes, des reflets violets. La nuit tomba vite; mais, dans la maison, le feu de la cheminée dispensait une douce chaleur. Dehors, le vent semblait geindre comme un animal égaré. Les arbres, immobiles, gémissaient doucement. Et, là-bas, sur le lac gelé, les étoiles semblaient danser. Tout respirait la paix et la foi dans la vallée et sur les versants de la montagne.

« Singulière nuit de Noël, dit Lars à Freya. Au lieu d'être chez nous à danser autour d'un arbre, à rentrer les bûches, à boire du bon vin et à se régaler avec le sanglier de Noël, nous attendons la venue des trolls dans une étrange vallée, à mille lieues de chez nous...

— C'est bien toi qui as voulu te rendre chez le roi de Danemark », grommela Freya. Et il s'endormit, le museau tout proche des tièdes cendres de la cheminée.

Lars se dirigea vers le lit à alcôve, tira le rideau et s'étendit. Il se couvrit d'une peau de renne et s'endormit bientôt dans la maison obscure et paisible.

Mais il se réveilla soudain et, assis sur le lit, tendit l'oreille : les cris, les glapissements et les hurlements de ce qui semblait être une horde d'animaux sauvages dévalaient de la montagne et venaient vers lui.

Lars regarda par la minuscule fenêtre située près du lit. Se dessinant sur la vallée baignée par le clair de lune, une horde de silhouettes sombres se ruait vers la maison. Lars sauta hors du lit et cria :

« Réveille-toi, Freya... les trolls arrivent ! »

L'ours continua à dormir. Et les hurlements se rapprochaient...

Lars tremblait de tout son corps. « Réveille-toi, Freya, répéta-t-il. Ce sont les trolls ! Et ce disant, il secoua l'ours. Celui-ci ouvrit les yeux et répliqua avec le plus grand calme :

« Pourquoi s'en effrayer ? Ignores-tu qu'un ours polaire est dix fois plus fort qu'un troll et bien plus intelligent encore ? »

Freya se dressa sur ses pattes postérieures et s'étira. Sa fourrure blanc cassé semblait occuper toute la pièce.

« Peu importent ta force et ton intelligence, s'obstina Lars. Les trolls sont les trolls... Leur force est diabolique. »

Freya se contenta de grogner et s'étendit de nouveau. Mais cette fois, il alla se placer sous la longue table située à l'extrémité de la pièce. Dehors, les hurlements se faisaient de plus en plus forts et de plus en plus frénétiques.

Les trolls cognaient maintenant à la porte. Lars se remit au lit et tira le rideau derrière lequel il allait se cacher. Au même moment, les trolls défoncèrent la porte et envahirent la maison, comme un flot de démons.

En écartant légèrement le rideau, Lars put constater que les trolls étaient d'étranges créatures mi-hommes, mi-bêtes. Il y en avait de gigantesques et de tout petits, de bossus et de pieds-bots et leurs nez étaient tantôt longs comme des piques, tantôt ronds comme des jambons. Mais tous avaient les mêmes petits yeux sataniques qui brillaient comme des charbons ardents.

Le troll le plus laid cria : « Que la sorcière apporte le festin ! » Une vieille sorcière au visage de loup pénétra alors dans la pièce, aussitôt suivie par d'autres créatures tout aussi répugnantes. Elles apportaient le festin des trolls : queues de dragon garnies d'algues marines, cœurs de loup mijotés dans du sang et autres plats qu'il serait trop horrible de décrire.

Un vieux magicien aux cornes d'élan s'assit dans un coin de la pièce et se mit à battre un tambour où étaient inscrits des signes magiques.

Les trolls se groupèrent autour de la longue table où l'on avait disposé les plats, se frottant les pattes, claquant leurs langues et caressant leurs énormes bedaines.

Ils se mirent ensuite à s'empiffrer. De les entendre gober leur nourriture et avaler leur vin, Lars sentit son sang se glacer.

Les battements du tambour s'accéléraient, devenaient plus forts. Les trolls se mirent alors à chanter. Mais c'était un chant semblable au cri des aigles et au hurlement des loups.

Et c'est ainsi que se déroula le festin. Sur son lit, Lars tremblait. Il lui semblait que ce festin durait déjà depuis plus d'une année.

Soudain, un jeune troll ramassa un os, le brandit et s'écria : « Où est le petit chien qui va ronger ce bel os ? » Et ce disant, il plongea la tête sous la table. Il en ressurgit en poussant un cri perçant : il venait de découvrir Freya, étendu sous la table.

« Regardez ! s'exclama le jeune troll, regardez mon gros chat blanc ! C'est le plus grand de Dovre ! Pourrais-je l'emmener dans ma grotte ? »

Et il chatouilla le nez de Freya avec l'os. L'ours se secoua alors et, d'un seul mouvement de son corps immense, se redressa. Du même coup, il souleva la table sous laquelle il s'était allongé et la renversa. L'ours se tenait debout et regardait autour de lui le plus calmement du monde. Bouche bée, immobiles, les trolls regardaient l'énorme bête.

C'est alors que Freya commença à rugir. Ce fut un rugissement comparable au fracas des vagues de l'Arctique se jetant sur des falaises de glace. L'écho de ces grognements se répandit bien au-delà de la maison, comme s'il n'y avait pas eu d'obstacles à leur puissance.

Freya avança alors ses lourdes pattes blanches comme pour étrangler les trolls et, comme s'ils avaient été emportés par un ouragan, les démons disparurent aussitôt en s'enfonçant dans la nuit. Courant à travers champs, grimpant les versants enneigés de la montagne, ils retournèrent se terrer dans leurs grottes.

« Eh bien, dit Freya en retournant près de la cheminée, le museau tout proche des cendres, ne te l'avais-je pas dit ? »

Lars ne dit mot. Il se contenta seulement de sauter hors du lit et de remettre un peu d'ordre dans la maison.

Le lendemain, quand le bûcheron et sa famille revinrent au logis, la maison était propre et paisible.

« Je vous avais bien dit que les visiteurs portent chance aux hôtes qui les reçoivent la veille de Noël », dit Lars en les accueillant.

Halvor, ému, lui dit alors : « Restez avec nous, vous qui nous avez libérés des trolls. »

Et Lars resta. Peu de temps après, il demanda en mariage la belle Elsa et l'épousa.

Effrayés pour le reste de leur vie, les trolls disparurent à tout jamais de la vallée où cette histoire se déroula. Quant à Freya, il retourna en Finnmark. S'il vous arrive un jour d'aller dans le Grand Nord, vous verrez peut-être ses descendants glisser sur la banquise glacée.

Histoire norvégienne tirée de
Contes et légendes scandinaves
par MARGARET SPERRY

LE CHAR A BŒUFS

Ce livre décrit la vie d'une famille de la Nouvelle-Angleterre au XIXᵉ siècle. En octobre, tous les membres de la famille remplissent un plein chariot de tout ce qu'ils ont fabriqué et ont fait pousser au cours de l'année. Le père attelle alors son bœuf et se rend au marché de Portsmouth. Il y vend sa marchandise, ainsi que son bœuf bien-aimé. Puis, avec l'argent qu'il vient d'acquérir, il achète tout ce dont la famille a besoin. Dans les mois qui suivent, ils fabriquent de nouveaux produits, élèvent de nouveaux animaux et font pousser de nouvelles cultures. Ce livre, écrit par Donald Hall et illustré par Barbara Cooney, a remporté en 1980 le prix Caldecott, pour l'excellence de ses illustrations.

LA SOMME DES JOURS

De nombreux enfants tiennent un journal dans lequel ils décrivent leurs pensées et les événements marquants de leur vie. Ce roman est le journal d'une petite fille qui s'appelle Catherine. Catherine vivait dans une ferme, près de Meredith, dans le New Hampshire, au début du XIXe siècle. Lorsque ce journal commence, elle a treize ans. Elle vit avec son père, qui est veuf, et sa jeune sœur, Son père se remarie et Catherine hérite alors d'une belle-mère et d'un demi-frère. Elle confie à son journal ses pensées sur sa famille, sa meilleure amie, sa vie à l'école. Elle raconte ses passe-temps favoris telles la production de dessins au pochoir et la confection de courtepointes. L'esclavage pratiqué dans certains États du pays trouble Catherine. Un jour, elle rencontre un esclave en fuite et lui donne une de ses courtepointes, pour lui tenir chaud. Ce livre, écrit par Joan W. Blos, reçut en 1980 le prix John Newbery, prix qui récompense « la plus importante contribution à la littérature de jeunesse américaine ».

COURTE-QUEUE

Courte-Queue est l'histoire d'une petite chatte vivant dans une ferme de la campagne québécoise. Un jour, elle met au monde quatre chatons que ses maîtres s'empressent de faire disparaître. Désespérée, elle part à leur recherche, mais sans succès. Courte-Queue donne naissance à d'autres petits chatons, mais prend bien garde à les cacher hors de la maison. Ce n'est que lorsque les petits chats risquent de mourir de froid et de faim qu'elle se décide à les ramener à la ferme, après mille et une péripéties. Courte-Queue, écrit par Gabrielle Roy et illustré par François Olivier, a reçu en 1980 du Conseil des Arts du Canada le prix de Littérature de jeunesse en langue française.

Les douze princesses qui dansaient

Il y a bien longtemps, dans un pays très, très lointain, un jeune garçon de ferme s'endormit dans la forêt. Il rêva qu'un rosier lui disait : « Pars vers l'ouest, en longeant l'arc-en-ciel, toujours vers l'ouest, et si ton courage ne faiblit pas et que tu restes sincère, ton cœur trouvera ce qu'il désire.» Le jeune garçon part et rencontre une vieille femme qui lui parle d'un pays où vivent, dans un palais d'or, douze merveilleuses princesses et un roi très triste. Le jeune garçon se rend dans ce pays, et là, résout le mystère qui cause la tristesse du roi. Le roi, devenu très heureux, offre au jeune garçon une magnifique récompense. Ce livre, qui raconte une vieille légende réécrite par Janet Lunn et illustrée par Laszlo Gal, a reçu en 1980 le prix de Littérature de jeunesse attribué par le Conseil des Arts du Canada à un livre de langue anglaise.

Le mystère du vase grec

Gabrielle Roussel jeta sur son épaule son blouson (un blouson de sport jaune sur lequel était inscrit en grosses lettres le mot « La Fontaine ») et pressa le pas pour rejoindre son cousin que semblait emporter la foule des passants.

« Ne va pas si vite, Grégoire ! Il fait trop chaud pour se presser, dit-elle, éblouie par la lumière aveuglante de ce début d'après-midi. Nous avons tout le temps puisque Jérôme nous a accompagnés en ville.

— Très bien », dit le garçon en s'arrêtant. Il l'attendit. « Si Jérôme n'avait pas été en retard pour le centre aéronautique, il nous aurait emmenés jusqu'au parc. . .

— Ton frère fait un travail intéressant, tu ne trouves pas ? dit Gabrielle en rejoignant son cousin. Est-ce qu'il dessine les plans de la grande fusée expérimentale de la Marine ?

— Non, cette mission est strictement confidentielle. Il y a des consignes de sécurité très sévères à cause des espions sans doute. . . »

Gabrielle cligna des yeux. « Des espions à Ligueil ? Voyons, Grégoire Béry, c'est ridicule. . . Oh, regarde ! Des joueurs de l'équipe de volley-ball juste devant nous ! J'espère que Suzon Laurier est en forme pour jouer aujourd'hui. L'équipe des filles en a besoin. »

Grégoire se retourna. « Il y a d'autres joueurs derrière nous.

— Oui. . . Il y a beaucoup d'animation au parc La Fontaine aujourd'hui. . . » Elle ne put achever sa phrase car un homme corpulent en complet brun venait de la bousculer.

« Oh, pardon, mademoiselle, dit-il. Je ne vous ai pas fait mal ? » L'étranger semblait sincèrement désolé.

« Non, non, répondit Gabrielle en reprenant son souffle.

— Tant mieux. . . Allez-vous aussi au parc La Fontaine ?

— Oui, répondit Grégoire. Aujourd'hui, nous disputons un tournoi de volley-ball contre les joueurs de Sainte-Eulalie. »

L'homme leur montra un paquet emballé qu'il tenait contre lui. «Écoutez, reprit-il. . . Pouvez-vous me rendre un service ? Porter un cadeau à un ami. C'est sur votre chemin; mon ami habite en face du parc. . . »

Gabrielle hésita. « Je ne sais pas. . .

— Voyez-vous, j'ai eu un contre-temps et je crains de manquer mon avion en allant chez lui. . . » Il releva la tête et plissa les yeux en scrutant le ciel comme pour chercher son avion. Puis, malgré la chaleur, il ramena son chapeau de paille brun sur ses sourcils broussailleux et fixa Gabrielle dans les yeux.

« Il me semble que nous pourrions y aller, dit Grégoire, plutôt hésitant.

— Vous me rendriez un service inestimable. Mon ami habite Allée des Cèdres, juste en face du parc. Je n'ai pas le numéro, mais vous reconnaîtrez la maison à ses roses moussues. J'y suis passé ce matin.

— Des roses moussues ? Qu'est-ce que c'est ?

— Oh, des petites fleurs de toutes les couleurs : rouge, jaune, orange et rose. . . Vous ne pouvez pas vous tromper. » Il leur tendit le paquet. « C'est un vase grec pour son anniversaire. Je suis sûr que vous en prendrez soin. . . »

L'homme parlait à la hâte, tout en observant le visage de chaque passant de ses yeux étranges, comme délavés. Il plongea la main dans sa poche et en retira un billet de banque. Regardant autour de lui encore une fois, il donna précipitamment le billet et le paquet à Grégoire.

Le garçon voulut lui rendre le billet. « Nous ne voulons pas d'argent », dit-il. Mais l'homme avait déjà disparu. « Quel type bizarre ! murmura Grégoire.

— Pauvre homme... Il semblait préoccupé à l'idée de rater son avion. » Gabrielle pressa le pas. « Allons-y. Débarrassons-nous de cette course avant que les jeux ne commencent. »

En quelques minutes, ils parvinrent à la rue donnant sur le parc. Gabrielle vérifia le nom de la rue : « Allée des Cèdres. Ça ne doit pas être loin », dit-elle.

Gabrielle s'arrêta devant le jardin spacieux d'une maison vert foncé à trois étages. « Cela ressemble à des plates-bandes de fleurs », dit-elle. La maison était décorée de motifs en bois tarabiscotés et aux couleurs fanées. Un balcon l'entourait.

Grégoire semblait incrédule. « Peut-être, dit-il, mais ces plantes ont une sorte de tige rouge et un sommet vert. Ce ne sont pas les couleurs dont l'homme parlait.

— C'est vrai », reconnut Gabrielle.

Étouffant de chaleur, ils longèrent les terrains vagues broussailleux et les jardins soignés qu'ils examinèrent un à un.

« Et voilà la dernière maison, dit Grégoire lorsqu'ils arrivèrent au bout de la rue. Je n'ai pas vu de fleurs... »

Gabrielle se pinça les lèvres. « Il a bien dit qu'il les avait vues ce matin. Crois-tu qu'on les aurait coupées ?

— Comment veux-tu que je sache ? Mieux vaut s'arrêter de chercher. De toute façon, Suzon nous appelle. Tu la vois ? Elle est juste en face... Le match va commencer...

— On s'en occupera plus tard. Mets la boîte sur la table de pique-nique et recouvre-la avec nos blousons pour plus de sécurité. »

Après le match, Grégoire s'assit sur le banc de la table pour lacer ses espadrilles.

« Quel tournoi ! On a eu de la chance : toutes nos équipes ont gagné !

— Et quelle victoire ! » Gabrielle enfila son blouson, puis regarda autour d'elle : la nuit commençait à tomber. « Nous sommes les derniers à partir. Dépêchons-nous !

— Oui, il se fait tard. Qu'est-ce qu'on fait pour le paquet ?

— J'ai parlé à Suzon Laurier pendant que tu jouais. Sa mère fait du jardinage. Nous avons compris ce qui est arrivé aux fleurs. Je sais exactement où est la maison.

— Ah bon ! C'est laquelle ?

— Celle qui est si tarabiscotée.

— Alors débarrassons-nous de cette tâche au plus vite. » Il prit le paquet en le faisant tanguer.

« Attention, Grégoire ! »

Le paquet tomba. « Pourvu que tu n'aies pas brisé le vase, dit Gabrielle.

— Il doit sûrement être bien protégé.

— Peut-être. Ouvrons-le pour vérifier ! »

Grégoire se gratta la tête d'un air perplexe. « Je ne sais pas, Gaby. Quelque chose me dit que cet étranger n'aimerait pas qu'on l'ouvre.

— Mais il faut vérifier... Et si le vase s'était cassé ? » Grégoire haussa les épaules et posa le paquet sur la table. Il dénoua soigneusement la solide ficelle et défit l'emballage extérieur.

« Laisse-moi t'aider », dit Gabrielle en soulevant le couvercle de la boîte. « Il est vraiment bien protégé. » Elle retira une à une les bandes de papier de soie vert pâle, les empila sur la table et parvint finalement à l'objet.

Grégoire se rapprocha. « Ça va ? »

Sans mot dire, Gabrielle lui tendit la boîte : le vase n'était plus qu'un amas de morceaux d'argile rouge éparpillés comme les pièces d'un casse-tête.

« Oh ! mon Dieu... Je ne voulais pas le faire tomber. Penses-tu que l'on puisse le recoller ? »

Gabrielle fit signe que non. « On n'a aucune chance. Il faudra lui dire que nous l'avons brisé. On pourra même le rembourser...

— Si c'est ce qu'on appelle un vase grec, fit soudain Grégoire, je suis prêt à me pendre.

— C'est ce qu'a dit l'homme.

— Je sais, mais regarde bien... C'est un vulgaire petit pot comme on en fait par milliers. On peut en acheter un autre et le remplacer sans qu'il s'en rende compte. »

Gabrielle refusa : « Non. Nous devons lui dire la vérité et lui proposer de le rembourser. Il comprendra. Aide-moi à le réemballer. »

Grégoire ramassa une bande de papier de soie verte. «On a oublié ce morceau.

— Trop tard : j'ai déjà tout remis en place. Jette-le dans une poubelle.

— Il n'y en a pas par ici. » Il le mit dans sa poche. « Partons ! » Et ils se dirigèrent vers la maison.

« Tu es sûre que c'est la bonne maison, Gaby ?

— Sûre et certaine. Je t'expliquerai plus tard. »

Ils s'engagèrent rapidement dans l'allée cahoteuse. La vieille maison toute sombre avait un air sinistre que même la lueur cuivrée du soleil couchant ne semblait pouvoir illuminer. Grégoire appuya sur le bouton de la sonnette. Ils entendirent une forte sonnerie, puis plus rien...

« Il n'y a personne, dit Grégoire en faisant le geste de repartir.

— Qu'est-ce qu'on fait avec le paquet ? Attends... Je vais sonner une deuxième fois.

— Inutile ! Il n'y a personne... »

Mais, au même instant, la porte s'ouvrit en grinçant. Surpris, les deux adolescents levèrent les yeux : sur le pas de la porte, se dessinait une maigre silhouette.

« Bon . . . soir, bredouilla Gabrielle. Un de vos amis nous a demandé de vous remettre ce paquet. »

L'homme les dévisagea de ses petits yeux. « Comme c'est aimable à vous, dit-il à voix basse. Entrez; je m'appelle Trémert, dit-il en prenant le paquet.

— Je vous remercie, dit rapidement Grégoire, mais nous devons rentrer.

— Monsieur Trémert, dit Gabrielle, nous devons vous dire qu'il

est arrivé un petit accident au vase. Mais nous sommes prêts à le remplacer. . .

— Un accident ? » Une ombre passa sur son visage.

« Grégoire a fait tomber la boîte et. . .

— Votre ami nous a dit que c'était un vase grec, interrompit Grégoire, mais c'est un simple pot de fleurs. . . »

L'homme écarquilla les yeux, d'un air alarmé.

« Vous l'avez ouvert ? demanda-t-il.

— Oui, répondit Gabrielle.

— J'ai fait tomber la boîte et nous avons voulu voir si le vase était cassé, dit Grégoire en guise d'explication.

— Nous ne comprenons pas pourquoi votre ami a parlé d'un vase grec alors qu'il s'agit simplement d'un pot de fleurs emballé dans un étrange papier vert, dit Gaby. Pensez-vous que c'est un faux ?

— Comment le saurais-je ? » dit l'homme en coupant court aux propos de Gabrielle. Puis sa voix se radoucit. « Nous devons en parler plus longuement. Entrez, dit-il en souriant.

— Merci, monsieur Trémert, mais. . . » Gabrielle s'interrompit : elle venait de voir le reflet métallique d'un horrible canon de revolver dirigé vers elle.

« Cela ne peut être vrai, songea Gabrielle. C'est simplement un de ces jouets d'enfant avec lesquels Grégoire s'amusait autrefois. » Mais il suffisait de regarder l'homme pour comprendre qu'il n'était pas en train de jouer.

« Je vous attendais plus tôt, fit l'homme.

— Je ne comprends pas », répartit Gabrielle.

L'homme eut un léger sourire qui disparut aussitôt. « Mon ami m'a téléphoné de l'aéroport. » Il leur fit signe d'avancer dans le couloir obscur, puis il leur indiqua avec le revolver un escalier délabré. « Montez ! » Gabrielle, puis Gary, commencèrent à monter les marches, suivis de près par leur ravisseur.

« Pourquoi nous gardez-vous ? demanda Grégoire en s'arrêtant brusquement.

— Mêle-toi de tes affaires, morveux ! Continue à monter comme je l'ai dit, si tu ne veux pas avoir d'ennuis.

— Monte », supplia Gaby.

Grégoire resta immobile un moment, puis, lentement, il recommença à gravir les marches. Gabrielle laissa échapper un soupir de soulagement. Dans le silence, seuls résonnaient les craquements du parquet.

Arrivés au deuxième étage, l'homme leur désigna un nouvel escalier. « Continuez à monter, leur dit-il, et ne faites pas de bêtises. Ne gaspillez pas votre salive à appeler à l'aide, sinon je vous ligoterai et vous bâillonnerai. De toute façon, les voisins sont en vacances. . . »

Il les poussa dans une pièce vide et poussiéreuse, près des escaliers. Gabrielle regarda autour d'elle, s'efforçant de voir quelque chose aux dernières lueurs du crépuscule qui filtraient par une fente de la fenêtre. Le verrou de la solide porte de chêne retomba et l'on n'entendit plus que le bruit des pas qui s'éloignaient.

« Brrr ! » Gabrielle frissonna en tentant de se débarrasser d'une toile d'araignée.

Grégoire se tenait au milieu de la pièce, la tête touchant presque les poutres du plafond. « Barbe-Bleue est fou. . . s'écria-t-il. Nous enfermer pour un vase cassé ! Qu'est-ce que cela peut bien cacher, Gaby ?

— Je ne sais pas, murmura Gabrielle. Te rends-tu compte que personne he sait où nous sommes ? » Un frisson la parcourut.

Grégoire hocha la tête d'un air distrait. « L'homme au complet brun se conduisait d'une façon bizarre. Il ne cessait de regarder par-dessus son épaule, comme s'il était surveillé. Et dès qu'il nous a remis la boîte, il s'est envolé ! »

Gabrielle respira profondément. « Tout le mystère tourne autour du vase. Et pourtant, c'était un vieux pot de fleurs, sans lettre ni indication. . .

— On y pensera plus tard, dit Grégoire. Pour l'instant, tâchons de trouver un moyen de sortir. » Il se dirigea vers l'étroite fenêtre.

Gabrielle le suivit sur la pointe des pieds. Mais tout ce qu'elle put voir, c'était une multitude de pignons et un toit escarpé. « Après les avertissements de Barbe-Bleue, mieux vaut ne pas crier. . .

— Il sait que personne ne peut nous entendre. . . Mais rien ne nous empêche d'écrire un mot et de le lancer par la fenêtre. »

Gabrielle acquiesça. « Tentons notre chance. Quelqu'un pourrait le trouver demain matin. Sur quoi peut-on écrire ? »

Grégoire parcourut des yeux la pièce vide et hocha la tête. « Attends. J'ai encore cette bande de papier de soie dans ma poche. » Et il tendit à Gabrielle le papier vert tout froissé et un bout de crayon.

Elle s'agenouilla et s'appliqua à défroisser le papier en le lissant sur le plancher. « Grégoire, s'écria-t-elle soudain, regarde ! » Elle approcha le papier de la fenêtre pour l'examiner de plus près. « Il y a des croquis dessus. Qu'est-ce que cela peut bien être ? »

Grégoire fronça les sourcils. « Cela me semble être des plans. Crois-tu qu'ils pourraient se rapporter à la fusée sous-marine secrète ? Gaby, je suis certain que ces hommes sont des espions.

— Voilà pourquoi Barbe-Bleue nous a kidnappés. . . Grégoire, nous devons nous enfuir à tout prix et avertir la police. »

— D'accord. . . Commence par écrire le message.

Et, sous le regard inquiet de Grégoire, elle écrivit en grosses lettres le message suivant : AU SECOURS ! APPELEZ POLICE ! SOMMES ENFERMÉS DANS LA GRANDE MAISON AUX DÉCORATIONS TARABISCOTÉES. GABRIELLE ROUSSEL, GRÉGOIRE BÉRY.

Le garçon enroula rapidement le papier autour de son canif, y mit un élastique et donna le tout à sa cousine. « Tiens-le pendant que j'ouvre la fenêtre. » Il plaça ses deux paumes sous le rebord supérieur du châssis de la fenêtre à guillotine pour la soulever.

« C'est peut-être verrouillé.

— Non, seulement bloqué. Aide-moi, dit-il en s'écartant. Un, deux, TROIS ! »

La fenêtre bougea de quelques centimètres en grinçant légèrement, puis remonta brusquement en faisant un bruit sec. Ils s'immobilisèrent et tendirent l'oreille. Grégoire jeta précipitamment le canif par la fenêtre ouverte.

Osant à peine respirer, ils attendirent le bruit de pas qui, ils en étaient certains, ne tardcrait pas à se faire entendre. Le bruit d'une porte qui claque leur parvint par la fenêtre ouverte. Puis tout redevint calme. Ils s'allongèrent et attendirent. Une vingtaine de minutes plus tard, Grégoire murmura :

« Il n'a rien entendu. . . Je vais descendre. . .

— Tu ne peux pas, Grégoire ! Nous sommes beaucoup trop haut. Et s'il revient ? » Elle regarda la porte comme si celle-ci était sur le point de s'ouvrir.

« Cela peut paraître effrayant, mais nous ne pouvons pas attendre. Mes semelles de caoutchouc m'empêcheront de glisser. » Il plissa les yeux pour s'habituer à la semi-obscurité. « Écoute. . . Je vais descendre sur le toit, puis trouver une cheminée ou un tuyau. Il y en a probablement.

— Sois prudent, je t'en prie, murmura Gabrielle.

— Bien sûr. . . Je serai de retour avant même que tu t'aperçoives de mon départ. » Il enjamba le rebord de la fenêtre, se glissa sur le toit escarpé et disparut.

Puis le temps passa. Gabrielle attendit un peu, puis remua et massa ses jambes engourdies. Grégoire semblait être parti depuis des heures. Avait-il réussi à atteindre le sol ? S'il était tombé, elle aurait sûrement entendu le bruit de sa chute. Elle pensa à ses parents : à cette heure-là, ils devaient sans doute être à leur recherche.

Elle se contracta soudain : de légers bruits étaient venus rompre le silence. Grégoire ? Non. . . Le bruit venait de la maison elle-même. Le bruit se rapprocha et Gabrielle sentit son cœur battre à tout rompre. Elle se glissa en tâtonnant le long du mur jusqu'à la porte et y colla l'oreille.

Des bruits de pas. . . L'homme montait les escaliers. Qu'allait-il faire lorsqu'il verrait que Grégoire était parti ? Une planche du parquet craqua dans le couloir.

Elle s'éloigna précipitamment de la porte. Si seulement elle pouvait se cacher quelque part ! Pourquoi ne pas feindre de dormir ? Elle s'étendit par terre et s'immobilisa, les yeux fermés.

Une clé tourna dans la serrure. La porte s'ouvrit : un bruit de pas se fit entendre. Puis elle sentit sur son visage le faisceau d'une lampe de poche. Elle était restée immobile.

« Debout », ordonna la voix de M. Trémert.

Elle mit sa main devant ses yeux pour se protéger de la lumière qui l'aveuglait. Sa tête semblait tourner à une vitesse folle. Que pouvait-elle faire pour détourner son attention ? Elle s'assit lentement. Mais Trémert lui saisit la main et la tordit.

« En bas ! Remue-toi ! »

Elle dégagea sa main. « D'accord. » Les jambes engourdies, elle avança en trébuchant dans le couloir, sordidement éclairé, et se mit à descendre les marches. Pourquoi n'avait-il pas demandé où était Grégoire ? Un sombre pressentiment l'envahit.

« À droite, vers la cuisine ! » L'homme la poussa du coude au moment où elle atteignait la dernière marche. Aveuglée par la vive lumière, elle pénétra dans la pièce et laissa échapper un cri : Grégoire était assis sur une chaise, ligoté et bâillonné. Elle courut à lui, s'agenouilla et lui demanda : « Es-tu blessé ? » Il hocha la tête en signe de négation.

« Il est ligoté. Était-il nécessaire de le bâillonner ? demanda Gabrielle.

— Je vous avais avertis. Allez, détache ses pieds. On s'en va ! »

Tout en dénouant la corde, Gabrielle pensa : « Si nous quittons la maison maintenant, personne ne pourra plus nous retrouver, du moins pas à temps. »

Du coin de l'œil, elle vit Trémert prendre hâtivement des papiers dans une armoire et les mettre dans une sacoche. Il avait posé le revolver sur le meuble tout près de son coude.

Soudain, la sonnette retentit. Gabrielle sursauta. Leur venait-on en aide ? Trémert se figea. Il tourna la tête et écouta. Gabrielle en profita alors pour s'élancer vers lui et faire glisser le revolver, qui roula sur le parquet et s'arrêta contre le mur, sous une table.

Furieux, Trémert s'élança vers le revolver. Gabrielle se précipita hors de la pièce. Comment pourrait-elle s'échapper ? Elle remarqua une lourde porte verrouillée. Elle souleva le verrou en tremblant, puis poussa un cri de joie : des silhouettes en uniforme passèrent brusquement devant elle. La police !

« Par là, chuchota-t-elle en indiquant la cuisine. Il a un revolver.

— Les mains en l'air, Trémert ! Vous êtes cerné de toutes parts ! »

Tout se passa ensuite très vite. En quelques minutes, on s'empara de Trémert, on lui passa les menottes et on le fit monter dans une voiture de police, sous les yeux du petit groupe, réuni dans l'allée.

Un robuste policier en civil leur montra du doigt une voiture de police.

« Montez, les enfants. L'inspecteur Dugommeux va vous emmener au quartier général pour recueillir votre témoignage. »

Gabrielle obéit sans mot dire. « Nous sommes si heureux que vous soyez venus, dit Grégoire une fois dans la voiture. Comment nous avez-vous trouvés ? »

Le policier sourit : « Ce fut un véritable travail d'équipe, Grégoire. Nous avons travaillé sur ce cas avec les Services de sécurité pendant des semaines. L'homme au complet brun était suspect et nous espérions qu'il nous mènerait à son complice.

— Ce qu'il a fait, remarqua Gabrielle.

— Oui, enfin, indirectement... Il a agi intelligemment, conclut l'inspecteur des Services de sécurité qui traquait le malfaiteur, en vous confiant le paquet.

— Dans l'espoir que nous irions le porter...

— Il a ensuite essayé de quitter le pays, mais nous l'avons cueilli à l'aéroport.

— Mais comment nous avez-vous trouvés ? demanda Gabrielle.

— Vos parents se sont inquiétés de votre retard et ils ont téléphoné à Suzon Laurier qui s'est souvenue du paquet. Vos parents nous ont ensuite téléphoné. Nous avons mis ces données bout à bout et nous avons volé à votre secours.

— Je n'ai jamais été aussi heureuse de voir quelqu'un, dit Gabrielle. J'avais oublié que Suzon savait...

— À propos, Gaby... Comment Suzon et toi avez-vous su que c'était la bonne maison ? demanda Grégoire.

— Eh bien, Suzon m'a dit que certaines fleurs se ferment à certaines heures, peut-être à cause de la chaleur ou de la lumière trop forte.

— Alors, vous en avez déduit que les roses moussues avaient dû se fermer », dit Grégoire.

Gabrielle acquiesça. « Oui, et c'était exact. Te rappelles-tu les plates-bandes vertes de la maison ?

— Oui... Et ces hommes, étaient-ils réellement des espions, inspecteur Dugommeux ?

— Absolument, Grégoire. C'étaient des amateurs, mais ils détenaient les plans les plus importants de la fusée sous-marine. »

Gabrielle pouffa de rire. « Il en manque un. » Et elle lui parla de la bande verte sur laquelle ils avaient écrit leur message.

— Nous la retrouverons. » Il envoya un message-radio aux policiers restés à la maison de Trémert.

« Savez-vous, dit Grégoire sans regarder Gabrielle, qu'aujourd'hui encore, certaines personnes riaient à l'idée qu'il puisse y avoir des espions à Ligueil ? »

Gabrielle éclata de rire. « D'accord, j'ai eu tort... Excuse-moi. Et s'il y a d'autres espions, ils sont à toi.

— Je n'en veux plus, dit Grégoire. Une aventure d'espionnage me suffit. »

Gabrielle en convint.

MISES À JOUR

Les articles de ce chapitre ont pour but de tenir à jour votre encyclopédie. Il s'agit d'articles sur des sujets nouveaux ou de révisions faisant suite à des changements importants.

RONALD WILSON REAGAN (1911-   )
40e PRÉSIDENT DES ÉTATS-UNIS

REAGAN, RONALD WILSON. La vie de Ronald Reagan est jalonnée de succès, qui, au départ, n'étaient pas plausibles. Reagan est né dans une famille pauvre de l'Illinois. Il finit ses études universitaires pendant les années 30, en pleine crise mondiale, ce qui ne l'empêche pas de devenir une vedette du cinéma et de la télévision. Lorsque sa carrière cinématographique commence à décliner, il décide de se lancer dans la politique. En 1966, il est candidat républicain au poste de gouverneur de la Californie. Traditionnellement, la Californie votait démocrate; il est pourtant élu.

En 1968 puis en 1976, Reagan cherche à obtenir l'investiture du Parti républicain comme candidat aux élections présidentielles des États-Unis. Il échoue les deux fois. Beaucoup croient alors qu'en raison de son âge — il a 65 ans — Reagan n'a plus aucune chance d'être retenu par son parti comme candidat aux présidentielles. Il se dépense sans compter pour imposer sa candidature en 1980 et réussit à convaincre l'électorat américain qu'il est de taille à faire face à la fonction qui est peut-être la plus exigeante du monde.

▶SA JEUNESSE

Le 40e président des États-Unis est né a Tampico dans l'Illinois, le 6 février 1911. Son père, John Edward Reagan, américain d'origine irlandaise, était vendeur de chaussures. Sa mère, Nelle Wilson Reagan, était d'origine anglaise et écossaise. Ni l'un ni l'autre n'avaient poursuivi leurs études au-delà du cycle élémentaire. Ronald avait un frère, Neil, de deux ans son aîné. Ils avaient chacun un surnom : Neil, c'était Moon; Ronald, c'était Dutch.

La famille Reagan déménage souvent d'un bout à l'autre de l'Illinois, au hasard des déplacements du père toujours à la recherche d'un emploi plus lucratif. N'empêche, il faisait bon vivre dans ces petites villes de l'Illinois. « J'ai vécu une jeunesse pauvre mais heureuse », déclare Reagan dans son autobiographie *Where's The Rest of Me ?* « C'est à cette époque-là que j'ai appris le luxe des haillons.»

C'est à Dixon, ville dans laquelle la famille emménage, alors qu'il a neuf ans, que Reagan fait la quasi totalité de ses études. À défaut de se révéler un élève brillant, il manifeste très tôt un vif intérêt pour l'expression dramatique, le sport et la politique. Sa mère lisait des œuvres dramatiques dans des clubs, des prisons et des hôpitaux. C'est ainsi que Reagan prend . contact avec le métier de comédien avant même d'aller à l'école. Il n'a pas dix ans lorsqu'il commence à jouer au football, sport qui est l'une des passions de sa vie. Les parties sont généralement improvisées avec les enfants du voisinage.

En 1928, à la fin de ses études secondaires, Reagan entre à Eureka College, une petite université de l'Illinois où il choisit de se spécialiser en sciences économiques. Bien entendu, il devient membre des équipes de football, d'athlétisme et de natation et poursuit ses activités théâtrales. Ses résultats scolaires ne seront jamais exceptionnels mais il obtient malgré tout des notes acceptables en « bachotant » juste avant les examens. Il remplit également la fonction de président du Conseil des étudiants pendant un an.

Lors de sa première année à l'université, Reagan participe à une grève d'étudiants. Cette dernière devait provoquer la démission du président de l'université, lequel avait proposé de réduire les programmes d'études et le personnel enseignant par suite de difficultés financières. C'est Reagan qui prononce le discours le plus important d'une manifestation qui ralliait la majorité des étudiants à la cause des grévistes. Il déclarera plus tard que c'est alors qu'il avait compris ce que c'était que de conquérir un public. Cette séduction qu'il exerçait sur son auditoire devait lui valoir de nombreux succès plus tard.

▶SA CARRIÈRE CINÉMATOGRAPHIQUE

Diplôme en poche, Reagan quitte Eureka College en 1932, à une époque où l'économie ressentait encore durement les contrecoups de la Crise de 29, surtout au niveau de l'emploi. Il passe un dernier été comme surveillant de baignade avant de tenter de décrocher un emploi d'annonceur à la radio. À la suite d'un test, c'est lui qui est choisi pour commenter les matches de football pour la station WOC à Davenport, Iowa, non loin de Dixon. Son bout d'essai au micro consistait à improviser un commentaire sur le vif d'un match de football imaginaire. Il s'en tire bien et c'est lui qui est embauché. Cet emploi devait lui servir de tremplin vers un poste plus important à la station WHO de Des Moines.

Au printemps 1937, Reagan accompagne les joueurs de l'équipe des Chicago Cubs à leur camp d'entraînement près de Los Angeles en Californie. Il profite de son séjour près de la capitale du cinéma pour faire un bout d'essai à l'écran pour la firme Warner Brothers qui lui offre immédiatement un contrat. Il accepte sans hésiter. Il pénètre ainsi de plain-pied dans une carrière cinématographique qui durera plus de 20 ans et au cours de laquelle il tournera plus de 50 films.

En 1942, en pleine Seconde Guerre mondiale, Reagan entre dans l'armée avec le grade de sous-lieutenant. Il est déclaré inapte au combat en raison de sa mauvaise vue et passe les quatre années suivantes à tourner des films de préparation militaire. La guerre terminée, il reprend le chemin des studios. Jusqu'à cette

Ronald Reagan enfant (à droite, au premier plan), avec ses parents et son frère aîné, Neil.

Dans le film *Knute Rockne — All American*, Reagan joue le rôle du demi-arrière étoile George Gipp.

En 1967, le gouverneur de la Californie, R. Reagan, signe une nouvelle loi sous le regard des membres de l'Assemblée législative de l'État.

époque-là, Reagan avait été un démocrate et avait soutenu de nombreuses causes libérales. Après la guerre, toutefois, il adopte une attitude plus conservatrice. Il déclarera plus tard que cette nouvelle option politique avait été en partie dictée par l'inefficacité gouvernementale dont il avait été témoin dans l'armée.

De 1947 à 1952, Reagan remplit la fonction de président de la Screen Actors Guild, le syncat américain des acteurs et des actrices. Sa profonde opposition au communisme date également de ces années.

À partir de 1954, la cote de Reagan commence à baisser; on lui offre de moins en moins de premiers rôles. Il accepte donc une offre de la General Electric qui lui propose de présenter l'émission télévisée de la société « General Electric Theater ». Entre deux émissions, Reagan parcourt les États-Unis pour le compte de la société et multiplie les discours. Il y met en garde contre les dangers d'un gouvernement trop puissant et loue la libre entreprise.

En 1940, il a épousé l'actrice Jane Wyman. Ils eurent deux enfants — Maureen, née en 1941, et Michael qu'ils adoptèrent tout petit en 1945. Le mariage se termine par un divorce prononcé en 1948. Quatre ans plus tard, Reagan se remarie avec une autre actrice, Nancy Davis, qui lui donne deux enfants — Patricia, née en 1952, et Ronald, né en 1958.

▶GOUVERNEUR DE LA CALIFORNIE

C'est un discours prononcé en octobre 1964 pour soutenir Barry Goldwater, sénateur de l'Arizona et candidat républicain aux élections présidentielles, qui précipite l'entrée de Reagan sur la scène politique. Intitulé « L'heure du choix », ce discours télévisée à l'échelle nationale persuade de nombreux Américains de s'associer à la cause défendue par Reagan. On a dit de ce discours qu'il avait influencé l'électorat plus que tout autre discours politique de l'histoire des États-Unis. Cette harangue a en outre le mérite de porter Reagan à l'attention des hautes personnalités du Parti républicain qui l'incitent à briguer le poste de gouverneur de Californie aux prochaines élections.

Reagan annonce sa candidature en janvier 1966 et n'a aucun mal à se faire désigner comme candidat officiel du Parti républicain. Les élections l'opposent à Edmund G. (Pat) Brown, le gouverneur sortant qui, après huit ans à la tête de l'État, jouit d'une grande popularité. Le programme électoral de Reagan appuie essentiellement sur une critique des dépenses du gouvernement et des paiements des prestations sociales qui, selon lui, sont trop élevés. Reagan est élu avec une marge de près de 1 000 000 de voix. Quatre ans plus tard, il triomphe facilement de Jesse Unruh, président de l'Assemblée de l'État de Californie.

Pendant ses deux mandats, Reagan s'applique à limiter les dépenses du gouvernement mais ses efforts ne sont pas toujours couronnés de succès. Au début de son premier mandat, il se voit contraint d'augmenter considérablement l'impôt sur le revenu, mesure impopulaire qu'il pourra toutefois contrebalancer plus tard en réduisant l'impôt foncier. Par ailleurs, s'il est vrai que les dépenses du gouvernement californien augmentent de façon notable au cours des deux mandats de Reagan, on s'accorde généralement à dire que ce dernier a su maintenir cet accroissement dans les limites du raisonnable.

LES GRANDES DATES DE LA VIE DE RONALD WILSON REAGAN

1911	Né à Tampico, Illinois, le 6 février.
1932	Fin des études à Eureka College, Eureka, Illinois.
1939	Premier film, *Love is on the Air*.
1942-1946	Service militaire dans l'armée américaine.
1947-1952	Président du syndicat américain des acteurs.
1966-1974	Gouverneur de la Californie.
1980	Élu président des États-Unis.

Reagan se heurte au corps législatif de la Californie pendant la majeure partie de son premier mandat mais apprend rapidement les moyens de négocier. Aujourd'hui encore, il considère que l'adoption de la loi sur la réforme du bien-être social a été l'accomplissement le plus marquant de sa carrière de gouverneur. Cette loi réduisait le nombre de personnes habilitées à toucher des prestations sociales et, en contrepartie, augmentait le montant des prestations versées à ceux qui se trouvaient vraiment dans le besoin. Cette loi contribua à alléger la charge fiscale des contribuables californiens. Reagan est également à l'origine de l'augmentation du budget alloué au système universitaire de Californie même si, par ailleurs, il s'oppose énergiquement aux manifestations estudiantines de la fin des années 60.

▶ LA MARCHE VERS LA PRÉSIDENCE

Reagan cherche à se faire nommer candidat officiel du Parti républicain aux élections présidentielles pour la première fois en 1968. Il se veut alors le porte-parole des éléments conservateurs du parti. Toutefois il s'y prend trop tard et sa campagne manque d'envergure. C'est Richard Nixon qui est choisi et qui, comme on le sait, est élu président des États-Unis. En 1976, Reagan mène une campagne dynamique pour finalement se faire battre de peu par Ge-

rald R. Ford, lequel a accédé à la présidence après la démission de Nixon en 1973. C'est toutefois Jimmy Carter, le candidat démocrate, qui sort vainqueur des présidentielles de 1976.

Reagan vient à peine de perdre qu'il entame la campagne électorale 1980. Il fait appel à ses talents d'orateur. Ses opinions semblent refléter le courant conservateur qui grandit aux États-Unis. Ses efforts et ceux de son équipe sont enfin couronnés de succès : c'est lui qui est choisi avec une majorité écrasante pour représenter le Parti républicain aux élections présidentielles de 1980.

Il s'expose parfois à la critique lorsqu'il fait des déclarations d'ordre général au lieu de proposer des solutions spécifiques aux problèmes américains. Certains de ses détracteurs ne cachent pas que d'autres pays risquent de voir des intentions belliqueuses dans son souci d'affermir la politique étrangère des États-Unis. Reagan n'en poursuit pas moins une campagne énergique. Il fait bonne figure lors du débat télévisé qui l'oppose à Carter et ses opinions trouvent un écho de plus en plus marqué auprès de l'électorat. Il est élu président avec 489 mandats de grands électeurs contre 44 à Carter qu'il devance en outre de 10 pour cent au niveau de la consultation populaire.

JAMES O. BALL
Directeur-adjoint à la rédaction nationale
The Los Angeles Times

En 1980, au Congrès républicain, la famille Reagan salue ses partisans. De gauche à droite : le fils de Reagan, Ronald; Patti; Nancy et Ronald Reagan; Michael, sa femme Colleen et leur fils, Cameron; et Maureen.

La ferme (1856) de Cornelius Krieghoff évoque la campagne québécoise et les mœurs de ses habitants.

LA GALERIE NATIONALE DU CANADA

La Galerie nationale du Canada est un musée que le peuple canadien considère comme l'un de ses joyaux. Elle compte la plus grande collection du monde d'œuvres d'art canadiennes, ainsi que de nombreux chefs-d'œuvre européens et asiatiques.

Les origines de la Galerie nationale du Canada remontent à la fondation de l'Académie royale des Arts du Canada en 1880. Le marquis de Lorne, alors gouverneur général du Canada, avait joué un rôle actif dans la fondation de l'Académie. Il lui assigna entre autres tâches celle de créer une Galerie nationale.

La première exposition de la Galerie attira de nombreux visiteurs, lesquels avaient pourtant dû braver une tempête de neige pour venir admirer les dix-sept œuvres exposées, toutes offertes par des artistes de l'Académie royale du Canada.

En 1913, une loi du Parlement faisait de la Galerie nationale un corps constitué et la plaçait sous la direction d'un conseil d'administration. Elle devait encourager l'intérêt du public pour les arts et favoriser l'épanouissement des arts au Canada.

▶LES COLLECTIONS

La Galerie nationale a régulièrement enrichi ses collections au fil des ans et l'on peut aujourd'hui y admirer plus de 30 000 œuvres d'art, peintures, sculptures, gravures, objets d'art décoratif et photographies... plus de la moitié étant signées par des artistes canadiens.

En enrichissant la collection d'art canadien, les conservateurs de la galerie ont surtout cherché à retracer l'évolution et l'histoire de l'art au Canada. Ainsi trouve-t-on des œuvres d'artistes célèbres des XIXe et XXe siècles, comme Antoine Sébastien Plamondon, Cornelius Krieghoff, Emily Carr, Paul-Émile Borduas, Alex Colville et les membres du Groupe des Sept, célèbres peintres de Toronto. Elle possède aussi les plus belles œuvres des grands maîtres canadiens d'aujourd'hui.

Le peuple canadien peut également découvrir les sources de sa propre tradition artistique en se penchant sur les œuvres d'artistes étrangers, témoins de l'héritage culturel canadien. Les œuvres de la collection européenne montrent l'évolution artistique du Moyen-Âge à

338

Ci-dessus : *Portrait de sœur Saint-Alphonse* **(1841) par Antoine Sébastien Plamondon. À droite :** *Le pin* **(1916-1917) par Tom Thomson, qui tirait son inspiration des paysages accidentés du nord du Canada.**

nos jours, au travers de signatures illustres comme celles de Bernini, Rembrandt, Jordaens, Turner et Cézanne. D'autres collections sont consacrées à l'art asiatique, à la photographie et aux arts décoratifs . . . objets en argent et meubles somptueux.

Si certaines œuvres ont été acquises par la Galerie nationale, d'autres, en revanche, ont été offertes par des donateurs. Parmi les donations les plus remarquables, citons la collection d'estampes et de dessins canadiens de Douglas Duncan, la collection d'argenterie canadienne de Henry Birks et la collection d'art sud-asiatique de Heeramaneck, qui se compose de sculptures sur bois et sur pierre et de peintures miniatures originaires de l'Inde.

La Galerie nationale expose en permanence certaines œuvres de sa collection et organise également environ vingt expositions par an. Ces dernières voyagent souvent dans tout le Canada pour permettre à un public plus grand de jouir des collections. Pour faire connaître l'art canadien, la Galerie participe à des expositions internationales, comme les Biennales de Venise et de Paris, et elle organise chaque année des expositions d'œuvres d'art canadiennes à l'étranger.

▶ACTIVITÉS PARTICULIÈRES DE LA GALERIE

Les œuvres d'art ayant tendance à se détériorer en vieillissant, la Galerie a créé un laboratoire spécial, le Laboratoire de restauration et de conservation, dont les experts soumettent chaque pièce du musée à des expériences scientifiques, ce qui leur permet de déterminer le traitement à suivre. Le personnel a également pour mission de conseiller les autres musées et galeries sur l'entretien de leurs collections et d'informer les collectionneurs particuliers de la meilleure façon de préserver leurs œuvres.

La bibliothèque de référence de la Galerie nationale établit un inventaire informatisé des œuvres d'art canadiennes. C'est là une source de renseignements inestimable pour les chercheurs et les historiens d'art.

Les services éducatifs de la Galerie organisent à l'intention des visiteurs des visites accompagnées et commentées, des projections de films, des conférences et des discussions. Ces services réalisent également des films et des programmes spéciaux pour enfants.

Lorna Johnson
Services éducatifs
Galerie nationale du Canada

339

Le Capitole domine Washington. À l'arrière-plan, on reconnaît la Cour suprême (à gauche), la bibliothèque du Congrès et la Chambre des représentants.

WASHINGTON, D.C.

Avec ses longues avenues bordées d'arbres, ses bâtiments en marbre blanc et ses nombreux parcs, Washington est l'une des villes les plus belles et les plus spacieuses des États-Unis.

Dès sa fondation, il avait été prévu qu'elle serait la capitale du pays. En 1790, le Congrès américain décida de créer un district fédéral, sur des terres n'appartenant à aucun des États, pour y installer le siège du nouveau gouvernement fédéral. George Washington choisit le site auquel on donna le nom de *District of Columbia*, en hommage à Christophe Colomb. Ce district occupe une superficie de 179 kilomètres carrés sur la rive nord-est du Potomac, entre les États de Maryland et de Virginie.

En tant que capitale et centre politique des États-Unis, Washington est de nos jours l'une des agglomérations les plus importantes du pays. C'est là que sont concentrés les pouvoirs législatif, exécutif et judiciaire.

▶UNE VILLE ADMINISTRATIVE

Les édifices du gouvernement sont les plus impressionnants de la ville, bien qu'ils ne dépassent pas 7 à 8 étages, le Congrès ayant décidé au début du siècle qu'il n'y aurait pas de gratte-ciel à Washington. Du haut de sa colline, la silhouette imposante du Capitole domine toute la cité et la divise en quatre sections : nord-est, nord-ouest, sud-est et sud-ouest. De larges avenues s'ouvrent en étoile à partir du Capitole. Les rues qui vont du nord au sud sont identifiées par des numéros et celles qui vont d'est en ouest par des lettres. Les artères disposées en diagonale portent le plus souvent le nom d'un État, comme Pennsylvania Avenue, où se trouve la Maison Blanche.

▶LE CAPITOLE

Le Congrès des États-Unis se réunit au Capitole pour rédiger les textes de loi et décider comment collecter et dépenser les impôts fédéraux. C'est en 1793 que la première pierre de cet édifice fut posée par George Washington. Les séances de la Chambre des représentants et du Sénat se tenaient jusqu'alors dans deux petits bâtiments, reliés par un passage, que les troupes anglaises incendièrent et détruisirent lors de la guerre de 1812. Le gouvernement fit reconstruire les deux bâtiments en 1814 et la galerie qui les réunissait auparavant fut remplacée par une rotonde surmontée d'un petit dôme en bois.

Par la suite, on rattacha les anciens locaux de la Chambre des représentants et du Sénat à un édifice beaucoup plus grand, dont le gros de l'œuvre fut terminée en 1865. Dans les années 1850, on bâtit des ailes en marbre sur les côtés nord et sud de ces locaux pour y installer les bureaux des sénateurs et des représentants des États formés après la Révolution. À présent, le Sénat se réunit dans la grande salle de l'aile nord, tandis que la Chambre des représentants occupe une salle, encore plus vaste, dans l'aile sud.

À la même époque, le Congrès décida de remplacer le petit dôme en bois du Capitole par un dôme en fonte. Haute de presque 88 mètres, l'imposante structure, qui est l'œuvre de l'architecte Thomas U. Walter, surmonte encore de nos jours cet édifice. Depuis 1862, elle porte à son sommet une statue de la liberté, œuvre sculptée de Thomas Crawford. Trente-six colonnes soutiennent le dôme, une pour chacun des États qui étaient fédérés à l'époque des travaux, et des peintures retraçant les grands épisodes de l'histoire américaine ornent les murs de la grande rotonde, placée sous le dôme. Tout à côté, les touristes peuvent aller faire un tour au National Statuary Hall, salle qui renferme les statues de quarante Américains célèbres, dont Daniel Webster, Robert E. Lee et Sam Houston. Il peuvent également visiter l'ancien Sénat, la Chambre des représentants et la Cour suprême, ainsi que la salle du Congrès pendant les débats.

Les bureaux des membres du Congrès se trouvent dans des bâtiments en marbre blanc, au nord et au sud des jardins du Capitole. Une rame spéciale de chemin de fer métropolitain relie le Capitole à ces locaux qui abritent des restaurants, des salons de coiffure et un bureau de poste spécialement réservés aux députés.

En 1874, à la demande du Congrès, le paysagiste Frederick Law Olmsted aménagea les jardins du Capitole. Il dessina la place Est (sur laquelle de nombreux présidents furent investis de leurs fonctions) et la grande pelouse bordée d'arbres en contrebas de la colline. Il suggéra également les terrasses de l'ouest du bâtiment d'où le promeneur a une vue panoramique de la ville. Ce projet ne devait être réalisé que dans les années 1890.

Réunie pour la première réunion en 1801 dans une petite pièce au sous-sol du Capitole, la Cour suprême occupa longtemps une aile séparée du bâtiment avant d'avoir son propre édifice en 1935. Cet édifice, qui se trouve à l'est du Capitole, fut dessiné par Cass Gilbert et construit en marbre blanc, avec un portique composé de colonnes à chapiteaux corinthiens.

Pendant plus de 70 ans, le Capitole abrita, dans son aile ouest, la bibliothèque du Congrès. Celle-ci fut déplacée en 1897 dans un immense bâtiment en pierre grise, couronné d'un dôme en cuivre peu élevé, à l'est du Capitole. Un second bâtiment, le Jefferson Building, fut construit en 1939; un troisième, le Madison Building, fut inauguré en 1980.

Fondée en 1800 pour servir de lieu de recherche au Congrès, au gouvernement fédéral et à tous les Américains, la bibliothèque du Congrès, qui compte plus de 75 000 000 de livres, de journaux, de manuscrits, de gravures, de photographies, de compositions musicales et d'autres articles, est la plus grande bibliothèque des États-Unis. Elle reçoit un spécimen de tous les ouvrages qui doivent être légalement déposés et s'assure du respect des droits d'auteur. Elle abrite l'une des plus riches collections de livres rares du monde et, en particulier, des ouvrages chinois, russes et japonais d'une valeur inestimable. On peut y admirer l'une des trois copies parfaites que l'on connaisse de la Bible de Gutenberg, un exemplaire original de la Déclaration américaine des droits de l'homme, les deux premières ébauches du discours de Gettysburg, écrites de la main de Lincoln, et un premier jet de la Déclaration d'Indépendance, rédigé par Jefferson.

▶ LE LONG DU MALL

On appelle National Mall (ou tout simplement Mall) la suite de grands parcs publics qui s'étendent, d'est en ouest, du Capitole au Lincoln Memorial. La plupart des édifices administratifs les plus intéressants — les Archives nationales, le Bureau de la gravure et de l'impression et le Bureau fédéral d'enquête — sont situés à proximité du Mall.

La Maison Blanche, dont les travaux de construction débutèrent en 1792, fut le premier bâtiment public construit à Washington. Elle abrite les bureaux du président et les salles de réception. À l'exception de George Washington, tous les présidents des États-Unis y élirent officiellement résidence.

La Smithsonian Institution, qui ouvrit ses portes en 1829, n'était au départ qu'une petite collection de spécimens scientifiques, de costumes, de livres, de peintures, de machines et autres pièces, réunis dans un petit château en pierre situé sur le Mall. Depuis, elle a pris une ampleur considérable et regroupe des millions d'objets, dont la plupart sont exposés dans les bâtiments qui bordent les deux côtés du Mall, du Capitole au monument de Washington.

Le premier ouvrage architectural élevé à côté du château Smithsonian fut le monument de Washington. Il fallut attendre 40 ans pour que cet édifice, mis en chantier le 4 juillet 1848, atteigne sa hauteur finale (environ 170 mètres).

En 1855, les travaux furent interrompus, faute de fonds. La construction ne reprit qu'en 1876 et s'acheva en 1884. Le monument, qui se compose d'une tour en marbre et en granite, accueille chaque année plus de 1 000 000 de visiteurs qui, par l'ascenseur ou les 898 marches, montent jusqu'au poste d'observation pour profiter de la vue extraordinaire sur la ville.

Le Lincoln Memorial, situé sur le bord du Potomac, fut inauguré en 1922. On doit sa conception à (un temple grec en marbre blanc) et la statue de Lincoln qui se trouve à l'intérieur à Daniel Chester French. Cette célèbre statue représente Lincoln assis, le regard fixé sur le monument de Washington et le Capitole, par-delà la grande pièce d'eau des jardins.

Dessiné par John Russell Pope et inauguré

Monument érigé à la mémoire de George Washington, le premier président des États-Unis.

en 1943, le Jefferson Memorial est une construction circulaire en marbre, d'un style semblable à celui de certains bâtiments conçus par Jefferson. À l'intérieur, on trouve une immense statue en bronze de Jefferson, au dos de laquelle se trouvent quatre panneaux de pierre portant des extraits de ses écrits les plus célèbres : la Déclaration d'Indépendance et l'Acte de la Virginie sur la liberté religieuse.

▶ D'AUTRES MONUMENTS

De l'autre côté du Potomac, face au Lincoln Memorial, s'étend le cimetière national d'Arlington, où reposent, en compagnie de leurs chefs, de nombreux soldats et marins. Un monument commémoratif abrite les tombes du président John F. Kennedy et de son frère Robert Kennedy. Non loin de là, se trouve un amphithéâtre en hommage du soldat inconnu.

Plus de 140 pays ont actuellement des représentants permanents dans la capitale. Les ambassades occupent généralement d'immenses résidences le long de Massachusetts Avenue, de Dupont Circle à Wisconsin Avenue; l'une des plus grandes abrite le corps diplomatique britannique. Ces ambassades sont d'une élégance architecturale remarquable et offrent souvent des exemples de l'art, de l'artisanat et des traditions des pays qu'elles représentent.

La Cour suprême dont les travaux furent achevés en 1935.

Washington est le siège social de la Banque mondiale, du Fonds monétaire international et de l'Organisation des États américains.

ÉDUCATION ET CULTURE

Washington compte six universités et plusieurs collèges. L'université Georgetown, fondée en 1789 par les Jésuites, est le plus vieux collège catholique des États-Unis. Celle d'Howard, ouverte par le gouvernement fédéral peu après la guerre de Sécession, comme centre d'études pour les esclaves affranchis, compte maintenant un effectif international. L'université George Washington fut fondée en 1821, l'université catholique en 1887 et l'université américaine en 1893. En 1975, la fusion du Washington Technical Institute, du Federal City College et du Miner College donna naissance à l'université du District of Columbia. Le premier collège au monde pour les sourds, Gallaudet College, fut établi en 1857.

C'est à Washington aussi que se trouvent quelques-unes des principales institutions scientifiques et de recherches. C'est là aussi que la National Geographic Society, l'Association nationale de l'enseignement et la Croix-Rouge américaine ont leur siège.

Le centre John F. Kennedy pour les arts du spectacle, situé en amont du Lincoln Memorial, fut achevé en 1971. Il réunit sous un même toit un théâtre, une salle de concert et une salle d'opéra, ainsi que l'Institut américain du film.

Il existe de nombreux autres théâtres dans la ville. Parmi les plus importants citons le Arena Stage, le Kreeger Theater, installé depuis les années 1960 dans le quartier sud-ouest de Washington, et le Ford's Theater, qui, fermé après l'assassinat de Lincoln en 1865, réouvrit en 1965. Le National Theater est l'un des plus anciens théâtres de la ville.

LA VIE À WASHINGTON

Washington occupe le centre d'une zone métropolitaine qui compte environ 3 000 000 d'habitants. Un tiers de la population active, vivant à Washington ou aux alentours, est employée par le gouvernement fédéral, au service du Congrès, de la Cour suprême, du président ou des nombreux services, commissions et bureaux fédéraux. Bon nombre de ces employés habitent les quartiers résidentiels de la ville : Capitol Hill, Georgetown, Woodley Park, Dupont Circle, Kalorama, Shaw, Foggy Bottom et Cleveland Park. D'autres vivent dans les banlieues situées au Maryland et en Virginie et doivent se déplacer chaque jour pour se rendre à leur travail.

Les Washingtoniens qui ne travaillent pas pour le gouvernement exercent souvent une activité dans les organismes commerciaux, les syndicats ouvriers, les cabinets juridiques ou les organismes professionnels, culturels et scientifiques de la ville. Beaucoup sont employés dans les hôtels, les restaurants et les magasins construits pour les millions de visiteurs venus, chaque année, faire du tourisme ou traiter d'affaires avec le gouvernement fédéral. Le secteur de l'immobilier et celui de la construction emploient un certain nombre d'habitants; les usines, par contre, n'occupent que relativement peu d'ouvriers.

Comme beaucoup de grandes métropoles, Washington abrite des gens de nationalités et de races différentes. Les Noirs forment actuellement 70 pour cent de la population, et l'histoire montre qu'ils ont depuis toujours une

Statue de Lincoln dans le Lincoln Memorial. Le sculpteur, Daniel Chester French, a su capturer la tristesse pensive de Lincoln.

Le Jefferson Memorial. Au printemps, les cerisiers en fleurs encerclent le plan d'eau qui se trouve près du monument.

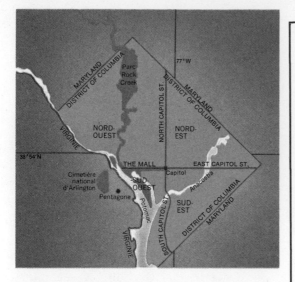

influence considérable sur la vie de la cité. La construction du Capitole est en partie le fruit du labeur des esclaves noirs américains, et la préparation du plan de la ville celui des efforts d'un Noir, du nom de Benjamin Banneker, mathématicien et astronome autodidacte employé comme géomètre adjoint à la planification des rues de Washington. En face de la Maison Blanche, Lafayette Square est resté un grand marché d'esclaves jusqu'en 1850. Les esclaves étaient souvent autorisés par leur maître à travailler au service d'une autre personne, ce qui leur permettait dans bien des cas d'épargner assez d'argent pour racheter leur liberté. En 1840 il y avait autant de Noirs affranchis que d'esclaves noirs à Washington. Ils travaillaient comme couturiers, jardiniers, ouvriers dans la construction ou journaliers. Certains, après avoir été cuisiniers, s'établirent comme propriétaires de restaurants.

À la fin de la guerre de Sécession, de nombreux esclaves affranchis vinrent s'établir à Washington. Certains s'installèrent dans des nouveaux quartiers comme Anacostia. Pendant presque vingt ans après la fin de la guerre, ils eurent le droit de s'inscrire dans les établissements d'études supérieures, de participer à la vie politique et de devenir hommes d'affaires, avocats, médecins ou architectes. Après 1890, cependant, les lois sur la ségrégation raciale refusèrent aux Noirs les libertés accordées aux autres résidents du district, et ce jusque dans les années 50. Certains parvinrent cependant au succès, grâce à Dunbar High School,

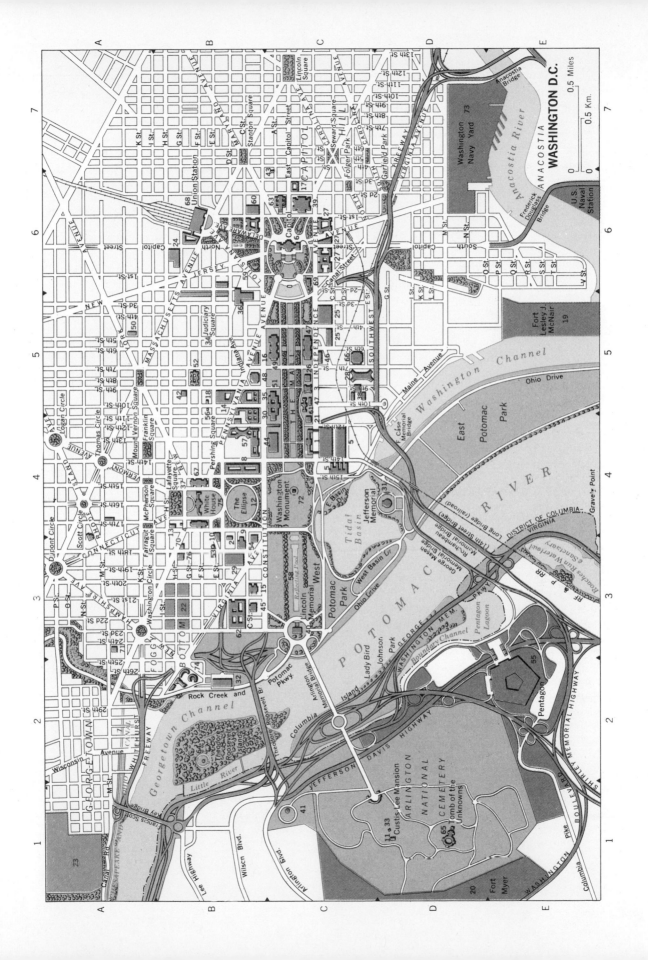

WASHINGTON D.C.

Washington Navy Yard 73

Anacostia River

ANACOSTIA

Frederick Douglass Bridge

Anacostia Bridge

U.S. Naval Station

0.5 Miles
0.5 Km.

Fort Lesley J. McNair 19

Washington Channel

Ohio Drive

East Potomac Park

POTOMAC RIVER

DISTRICT OF COLUMBIA
VIRGINIA

Gravely Point

Roaches Run Waterfowl Sanctuary

Long Bridge (railroad)

Richmond Bridge

George Mason Memorial Bridge

Boundary Channel

Pentagon Lagoon

Pentagon 55
Pentagon

SHIRLEY MEMORIAL HIGHWAY
BOULEVARD MEMORIAL HIGHWAY

JEFFERSON DAVIS HIGHWAY

WASHINGTON MEM. GEORGE
WASHINGTON MEM. PKWY.

Lady Bird Johnson Park

Columbia Island

Arlington Memorial Bridge

Jefferson Memorial 31

Tidal Basin

West Basin Dr.

E. Basin Dr.

Potomac Park

Reflecting Pool

Lincoln Memorial West

58

Potomac Parkway

ARLINGTON NATIONAL CEMETERY

Custis Lee Mansion
11 33

Tomb of the Unknowns 65

41

20 Fort Myer

WASHINGTON

Columbia Pike

Arlington Blvd.
Wilson Blvd.
Lee Highway

FREEWAY

WHITEHURST

Francis Scott Key Bridge

Little River

Roosevelt Island
Theodore Roosevelt

Rock Creek and
Potomac Pkwy.

32

74

FOGGY BOTTOM

Georgetown Channel

CHESAPEAKE AND
Canal Rd.

Wisconsin Avenue

GEORGETOWN

M St.

N St.
O St.
P St.
Q St.

22

23

Dupont Circle

Scott Circle

Thomas Circle

Logan Circle

Mount Vernon Square

Franklin Square

McPherson Square

Lafayette Square 37
White House

The Ellipse 12

Washington Monument 72

CONSTITUTION

Pershing Square

Judiciary Square 34

50

52

42

18

14

56

30 35 48 16

44

57

8

70

53 10
76

54

29

45 15

62

22

VIRGINIA

C St.

E St.

F St.

G St.

H St.

I St.

K St.

L St.

M St.

N St.

17th St.
18th St.
19th St.
20th St.
21st St.
22d St.
23d St.
24th St.
25th St.
26th St.
29th St.

RHODE ISLAND

CONNECTICUT

MASSACHUSETTS

NEW HAMPSHIRE

VERMONT

NEW YORK

PENNSYLVANIA

AVENUE

Indiana Ave.

THE MALL

INDEPENDENCE

AVENUE

21

26

47

5

25

25

46

66

28

39

69

27

6

Capitol

CAPITOL HILL

Union Station 68

24

NORTH CAPITOL

Capitol Street

DELAWARE

MARYLAND

NEW JERSEY

Lincoln Square

Stanton Square

Seward Square

Folger Park

Garfield Park

Stanton Square

East Capitol Street

D St.

C St.

B St.

A St.

K St.
L St.

1st St.
2d St.
3d St.
4th St.
5th St.
6th St.
7th St.
8th St.
9th St.
10th St.
11th St.
12th St.
13th St.
14th St.

SOUTH CAPITOL

Canal Street
C Canal Street

G St.

M St.
N St.

O St.
P St.
Q St.
R St.
S St.
T St.
V St.

Maine Avenue

SOUTHWEST

F. Case Memorial Bridge

4th St.
6th St.
7th St.
9th St.
10th St.
12th St.
14th St.
15th St.
16th St.
17th St.

36

59

55

60
63

43

67

17

39
27

5

49
51

Washington Circle

Farragut Square

A B C D E
1 2 3 4 5 6 7

à l'université Howard et au Howard Theatre. Ralph Bunche, un diplômé de Dunbar High School, remporta en 1950 le prix Nobel de la Paix pour ses travaux au poste de secrétaire général adjoint des Nations unies.

D'autres groupes ont également joué un rôle important dans la vie de la cité. Les premiers Chinois arrivèrent dans les années 1880 et se fixèrent tout d'abord le long de Pennsylvania Avenue, entre la Maison Blanche et le Capitole. Dans les années 30, ils occupèrent progressivement le quartier situé au nord-ouest, le long de la rue H entre les 6ème et 8ème rues. Cette partie de la ville, connue aujourd'hui sous le nom de Chinatown, compte de nombreux petits restaurants, épiceries et magasins de produits chinois.

La fin des années 60 et les années 70 virent l'arrivée de nombreux groupes ethniques, dont les Espagnols et les Vietnamiens, qui se sont installés aussi bien dans la ville que dans ses banlieues.

▶ LES TRANSPORTS ET LES MOYENS DE COMMUNICATION

L'impressionnante gare de Washington sert de terminus aux trains Amtrak. C'est un centre de tourisme, où les visiteurs peuvent obtenir des renseignements sur Washington. Trois aéroports desservent la ville : Dulles International Airport, Washington National Airport et Baltimore-Washington International Airport. Tous sont reliés au centre par de rapides autoroutes. Un chemin de fer métropolitain complète depuis 1976 le système de transport en commun et le réseau d'autobus interurbains. Avec ses stations impressionnantes et ses trains silencieux, le métro est vite devenu une attraction touristique.

Deux quotidiens paraissent à Washington : le *Washington Post* et le *Washington Star*. Plusieurs chaînes de télévision, dont un réseau public, et une douzaine de stations de radio diffusent leurs programmes à partir de la ville. L'une des plus grandes maisons d'édition du monde, le Government Printing Office, se trouve à Washington. Sa tâche la plus importante est de publier, au jour le jour, les rapports du Congrès, c'est-à-dire les comptes rendus des séances du Congrès.

▶ LES LOISIRS

Washington et ses banlieues sont ver-doyants. Dès 1901, la Commission sénatoriale des parcs arrêta les plans d'aménagement du Mall, du parc Rock Creek et des parcs longeant l'Anacostia et le Potomac. Au début du XXe siècle, une grande partie des terrains qui entourent maintenant le Lincoln Memorial et le Jefferson Memorial, furent conquis (par assèchement) sur le fleuve Potomac. Les célèbres cerisiers qui fleurissent en avril autour du Tidal Basin, à côté du Jefferson Memorial, ont été offerts à la ville par Tokyo.

Dans le nord-ouest de la ville serpente une suite de grands terrains boisés, connus sous le nom de Rock Creek Park. C'est là que se trouve le Parc zoologique national (National Zoological Park), qui fait partie de la Smithsonian Institution.

Des autoroutes au paysage aménagé se faufilent le long du Potomac, en direction de Mount Vernon, la propriété de George Washington au sud, et vers les chutes du Potomac au nord. Au milieu du Potomac s'étend l'Île Theodore Roosevelt, un sanctuaire boisé qui a été déclaré parc commémoratif national.

Les sports occupent également une place importante dans la vie de la cité. Le stade Robert F. Kennedy, à l'est du Capitole, est le quartier général des Redskins de Washington, célèbre équipe de la Ligue nationale de football. La zone métropolitaine de Washington compte de nombreuses équipes professionnelles de basket-ball et de hockey.

▶ L'HISTOIRE ET LE GOUVERNEMENT

La cité de Washington fut établie en 1791 sur des terres offertes par le Maryland et la Virginie. Le site était occupé par un marécage, formant le fond d'une dépression bordée de collines au nord et au sud. Mais il se trouvait à proximité de deux ports, Alexandria (Virginie) et Georgetown, qui devint, en 1895, partie intégrante de Washington. La Virginie, peu satisfaite du lent développement de la capitale, récupéra ses terres en 1846.

George Washington choisit l'emplacement et désigna comme architecte de la nouvelle cité à Pierre Charles L'Enfant (1754-1825), un brillant ingénieur et architecte français qui avait combattu pendant la guerre d'Indépendance sous les ordres du général Lafayette.

Les plans conçus par L'Enfant pour la capitale étaient audacieux, imaginatifs et difficiles à comprendre, même par Washington et Jef-

Rue élégante de Georgetown, un quartier résidentiel situé au nord de Washington, où les maisons ont été rénovées avec beaucoup de goût.

Le complexe Watergate, l'un des plus beaux bâtiments modernes de la ville, se dresse près du Potomac.

ferson. Pour la première fois dans l'histoire, une nouvelle capitale était créée de toutes pièces sur un emplacement complètement inoccupé. L'Enfant voulait que la cité s'étende à perte de vue et que, comme Paris ou Rome, elle soit quadrillée de rues et coupée par de grandes avenues disposées en étoile. Il rêvait de dessiner une capitale dont la magnificence serait le symbole de la grandeur des États-Unis. Jefferson pensait que la ville devait simplement être découpée par de grands axes à angle droit, selon le plan traditionnellement suivi, par la suite, pour l'aménagement des cités américaines. L'Enfant se querella avec Washington et Jefferson, et il fut renvoyé. Le major Andrew Ellicott entreprit de préparer, avec Benjamin Bannckcr, une version simplifiée des idées de L'Enfant.

Le programme de développement urbain connut des fortunes diverses, et la ville de briques rouges qui sortit des marais au début du XIXᵉ siècle ne fut finalement guère marquée par les plans de L'Enfant. Washington grandit très lentement pendant les 100 premières années, les étés chauds et humides et les marécages voisins favorisant les épidémies de malaria et de fièvre jaune.

En 1871, le Congrès décida que le gouvernement de la région de Washington ne devrait plus être élu mais plutôt nommé, puisqu'il s'était révélé à la fois corrompu et inefficace. Les Washingtoniens, qui n'appartenaient à aucun État, se virent privés de leur droit de vote aux élections et les fonctionnaires du gouvernement furent désormais choisis par le président.

Alexander Robey Shepherd, qui accéda au poste de gouverneur du District of Columbia dans les années 1870, fit paver les rues, planter des arbres et installer un système d'égouts, mais ces dépenses menèrent la ville à la ruine. Le Congrès s'engagea à acquitter les dettes et se saisit du pouvoir municipal, qu'il garda pendant les 100 années suivantes. En 1901, la Commission sénatoriale des parcs, s'inspirant des concepts de L'Enfant, entreprit l'édification des principaux monuments et bâtiments commémoratifs que l'on trouve aujourd'hui à Washington. C'est entre la Première et la Seconde Guerre mondiale que la cité connut un essor considérable.

Conformément au 23ᵉᵐᵉ amendement à la Constitution, ratifié en 1961, les résidents du District of Columbia obtinrent le droit de vote pour l'élection présidentielle et vice-présidentielle, en se faisant accorder trois mandats de grands électeurs. À partir de 1970, ils purent élire un délégué, qui ne pouvait pas voter, à la Chambre des représentants. Quatre ans plus tard, le Congrès leur accorda le droit d'élire un maire et 13 conseillers municipaux, tout en se réservant le contrôle du budget et l'autorité d'annuler les décisions municipales.

Grâce à l'invention de la climatisation et au modernisme des moyens de transport, Washington a finalement surmonté les inconvénients premiers que présentait son emplacement. C'est maintenant une ville internationale, dotée d'institutions culturelles, gouvernementales et privées à la hauteur du rôle toujours plus important qu'elle est appelée à jouer dans la vie du pays.

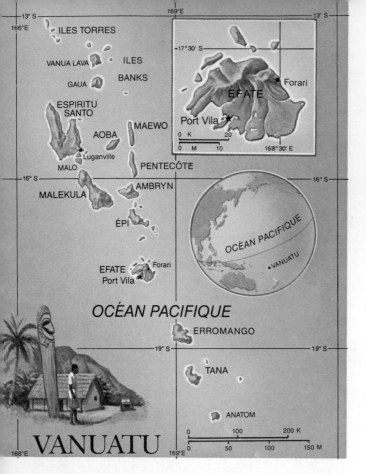

OCÉAN PACIFIQUE

VANUATU

VANUATU

Vanuatu, qui jusqu'à très récemment s'appelait les Nouvelles-Hébrides, est un archipel se composant d'environ 70 petites îles dans l'océan Pacifique situé à l'est de l'Australie. La France et l'Angleterre, puissances de tutelle, accordèrent son indépendance à Vanuatu le 30 juillet 1980.

▶ LA POPULATION ET L'ÉCONOMIE

La majorité des habitants de Vanuatu sont d'origine mélanésienne. L'anglais et le français sont les deux langues officielles alors que le bislama est le dialecte que presque tout le monde parle. La plupart des habitants sont chrétiens; il existe cependant plusieurs autres cultes. Bien que la scolarité ne soit pas obligatoire, presque tous les enfants fréquentent l'école primaire; il existe, en revanche, peu d'établissements d'enseignement secondaire. Le collège Malapoa, à Port-Vila, forme des enseignants.

La population se concentre le long des côtes et la principale ressource du pays est l'agriculture. On cultive des ignames, du taro, du manioc, des patates douces et des arbres à pain. Les fermiers élèvent également du bétail, des porcs et pratiquent la pêche. Les produits d'exportation sont le cacao, les noix de coco et le café, mais en petites quantités.

▶ LA CONFIGURATION GÉOGRAPHIQUE

Vanuatu est un chapelet d'îles coralliennes et volcaniques en forme d'Y. L'archipel se compose de 12 îles importantes où se concentre la population et d'environ 60 îlots. La forêt couvre la presque totalité des îles et le climat y est équatorial avec un fort taux d'humidité.

▶ L'HISTOIRE ET LE GOUVERNEMENT

En 1606 fut fondée à Espiritu Santo une colonie espagnole. Les premiers explorateurs français et britanniques visitèrent l'archipel vers la fin du XVIIIᵉ siècle. C'est en 1906 que fut instauré un gouvernement commun anglais et français. On institua des écoles, des hôpitaux et des églises séparés pour les deux communautés. Pendant la Seconde Guerre mondiale, les îles furent une base militaire importante pour les Alliés.

Vanuatu devint une république indépendante en 1980. Peu avant, un mouvement autonomiste francophile se forma dans les îles d'Espiritu Santo et de Tanna et essaya, mais en vain, d'obtenir son indépendance des îles à majorité anglophone.

FAITS ET CHIFFRES

NOM OFFICIEL : république de Vanuatu.

CAPITALE : Port-Vila.

SITUATION : Sud-Ouest du Pacifique. Latitude — de 15° 15' sud à 20° 12' sud. Longitude — de 166° 55' est à 199° 46' est.

SUPERFICIE : 14 800 km².

POPULATION : 113 000 habitants (estimation).

LANGUES : anglais, français, bislama.

GOUVERNEMENT : république. **Chef de l'État :** président. **Chef du gouvernement :** premier ministre. **Coopération internationale :** Commonwealth des Nations.

ÉCONOMIE : produits agricoles : noix de coco, ignames, taro, manioc, patates douces, fruits à pain, cacao, café. **Industries et ressources :** coprah, conserves de viandes, pêche et poisson congelé, tourisme, banques, matériaux de construction. **Minerai :** manganèse. **Principales exportations :** coprah, conserves de viandes, poisson, cacao, café. **Principales importations :** denrées alimentaires et boissons, matériaux de construction, pétrole, machines, bateaux, véhicules, textiles. **Unité monétaire :** franc de Vanuatu.

MARGUERITE YOURCENAR, LA PREMIÈRE « IMMORTELLE »

À n'en pas douter, l'année 1980 restera une année mémorable dans les annales de l'Académie française. En effet, plus de trois siècles et demi après sa création par le cardinal de Richelieu, l'illustre institution du Quai Conti ouvre enfin ses portes à une femme. Mais qu'on ne s'imagine pas que l'affaire s'est faite toute seule, et qu'on a offert un siège à la nouvelle élue en obéissant à un mouvement spontané de générosité ou de politesse. L'on n'avait pas vu depuis des lustres une telle bataille se livrer dans le champ clos de la Coupole, et sur la place publique, à propos d'une candidature. Certes, personne ne contestait la grandeur de l'œuvre ni l'éminente personnalité de son auteur, c'était la femme qu'on refusait avec véhémence au nom d'une tradition séculaire mais vétuste. Jusqu'à la toute fin, dans cette querelle d'où ne sort pas grandie l'aile conservatrice de l'Académie, les plus optimistes ont pu craindre que la force des préjugés l'emportât une fois de plus. Heureusement, il arrive au bon sens de triompher et, le 6 mars, Marguerite Yourcenar était appelée à succéder à Roger Caillois.

Née à Bruxelles le 8 juin 1903, de mère belge et de père français, Marguerite de Crayencour changera de patronyme quand elle commencera à écrire. Elle deviendra *Yourcenar,* qui est l'anagramme de son nom. Humaniste dans la grande tradition gréco-latine de la Renaissance, polyglotte, voyageuse, la nouvelle académicienne vit depuis quarante ans aux États-Unis. À l'heure actuelle, elle habite dans une île au large des côtes du Maine où elle s'est installée à l'époque des *Mémoires d'Hadrien.* C'est cet ouvrage qui devait la révéler au grand public en 1951. Pourtant, Marguerite Yourcenar avait déjà publié une dizaine de volumes remarqués avant 1939 : *Alexis ou le Traité du vain combat* (1929), *La Nouvelle Eurydice* (1931), *Pindare* (1932), *La mort conduit l'attelage* (1934), *Denier du rêve* (1934), *Feux* (1936), *Les Songes et les sorts* (1938), *Nouvelles orientales* (1938), *Le Coup de grâce* (1939), œuvres à l'inspiration multiple mais une par la grandeur de la pensée et la somptuosité du style. Après la Seconde Guerre mondiale, Margue-

rite Yourcenar donne ce chef-d'œuvre qu'est *Mémoires d'Hadrien* (1951), des pièces de théâtre, des poèmes, des essais, des traductions du Grec Constantin Cavafy, d'Hortense Flexner, des *Negro Spirituals,* puis enfin *L'Œuvre au noir* (1968), autre chef-d'œuvre qui lui vaut à l'unanimité le prix Fémina. En ce moment, elle achève une vaste chronique familiale intitulée *Le Labyrinthe du monde* dont les deux premiers tomes, *Souvenirs pieux* et *Archives du Nord,* ont paru en 1974 et 1977. Écrivain d'une lumineuse intelligence, classique vivant, Marguerite Yourcenar a donné aux lettres françaises une œuvre dressée comme une stèle au bord du Temps, œuvre installée déjà dans la durée parce qu'elle ne sacrifie jamais qu'à l'essentiel.

YVON BERNIER
Collège Mérici (Québec)

UNE ANNÉE DE SÉISMES

En 1980, la terre a tremblé dans plusieurs régions du monde : en Algérie, en Italie, aux Açores, en Colombie, en Grèce, en Yougoslavie, au Mexique ainsi qu'en Inde. Toutefois, c'est en Algérie et en Italie que les dégâts causés par les séismes ont été les plus importants et que le nombre de victimes a été le plus élevé.

Celui d'Algérie, survenu le 10 octobre à El Asnam, a fait plus de 20 000 morts, 60 000 blessés et quelque 300 000 sans-abri. La secousse, d'une amplitude de 7,3 à 7,5 à l'échelle Richter, a détruit la ville à 80 pour cent, faisant apparaître dans le sol de larges fissures, parfois très profondes. Le gouvernement algérien s'est vu dans l'obligation d'amorcer un programme massif de secours, le plus important jamais mis sur pied. Les autorités ont également lancé un appel à l'aide internationale, devant l'ampleur de la catastrophe.

Le terrible tremblement de terre qui a secoué tout le Sud de l'Italie le 23 novembre 1980 a été lui aussi d'une ampleur peu commune. C'est la première fois, soulignent les géologues italiens, qu'un mouvement sismique affecte une zone aussi vaste de l'Italie. Selon des spécialistes, la quantité d'énergie libérée en son foyer équivalait à l'explosion de 35 millions de tonnes de T.N.T. L'épicentre se trouvait à Acerno, petit village proche d'Eboli, au sud de Salerne. Parmi la centaine de villes et de villages touchés, plusieurs ont été totalement détruits. Partout où se posaient les yeux, la vision était la même : toits éventrés, voitures écrasées sous des blocs de pierre, routes et rues obstruées par des monceaux de gravats, brancards transportant des blessés et croisant des cercueils, habitants errant dans les rues. Le bilan, selon des sources officielles, s'élèverait à environ 3 000 morts. L'organisation des secours, souvent qualifiée de « chaotique, lente et inefficace », devait valoir au gouvernement italien de nombreuses critiques.

Deux spectacles cauchemardesques. Ci-dessous : le centre d'El Asnam en Algérie n'est que décombres. Ci-contre : Balvano, dans le sud de l'Italie, l'un des villages qui a été le plus touché par le séisme.

LES DISPARUS DE L'ANNÉE

BROZ, JOSIP dit TITO (1892-1980)

Quand Josip Broz prend le nom de Tito en 1934, il a déjà derrière lui un long passé de militant communiste et d'agitateur révolutionnaire. Son enfance est misérable. Il est le septième de quinze enfants. En 1914, blessé au dos d'un coup de lance, il se retrouve prisonnier en Russie d'où il ne rentre qu'en 1920. En 1934, il purge cinq ans de travaux forcés pour « avoir enfreint les lois pour la protection de l'État. Le 6 avril 1941, Hitler bombarde Belgrade et s'empare rapidement de la Yougoslavie. Ce combat permet à Tito de montrer des dons exceptionnels d'adaptation aux circonstances et d'acuité politique. En 1942, il fait proclamer la formation d'une Armée de libération nationale (A.L.N.). En 1943, la confusion règne en Yougoslavie et ses compagnons, appuyés par Churchill, le nomment maréchal de Yougoslavie. Staline a lui aussi l'œil sur les Balkans et, en 1944, sa rencontre avec Tito est orageuse. Staline fait « excommunier », en juin 1948 à Bucarest, Tito et ses camarades qui sont, jusqu'à 1953, l'objet des plus violentes attaques. Le « dégel » intervient en 1955 quand Khrouchtchev vient à Belgrade pour lui signifier son retour en grâces. Tito consacre les longues années qui suivent à consolider son pouvoir. Il devient, sur le plan international, l'un des champions des pays non alignés qu'il regroupe au sein d'un organisme de pression.

DEPAILLER, PATRICK (1944-1980)

Pilote de Formule 1, Patrick Depailler trouve la mort durant une session de tests privés sur la piste de Hockenheim en République fédérale allemande. Ce circuit a toujours fait le sujet de vives discussions malgré de nombreuses améliorations qui y sont apportées au fil des ans. Depailler entreprend sa carrière de coureur automobile en 1966 après une incursion chez les motocyclistes. Il gagne le championnat européen de Formule 2 en 1974 et une place dans l'équipe Formule 1 en 1972. Il remporte deux Grands Prix, celui de Monaco en 1978 et celui d'Espagne en 1979. Il rejoint une liste impressionnante de pilotes talentueux qui ont perdu la vie en course. La cause de l'accident ne sera jamais connue; l'auto a été complètement démolie.

FROMM, ERICH (1900-1980)

Erich Fromm, psychologue et psychanalyste américain d'origine allemande, est né à Francfort. Il émigre aux États-Unis au début de la campagne anti-sémite nazie après la prise du pouvoir par Hitler en 1933. Considéré comme l'une des figures prédominantes du mouvement psychanalytique, il est notamment l'auteur de *Psychanalyse et religion*, *Saine Société* et *L'Art d'aimer*. Il enseigne dans plusieurs universités américaines et durant plusieurs années à l'université de Mexico. Il meurt d'une défaillance cardiaque.

GARY, ROMAIN (1914-1980)

Né à Vilno, en Lithuanie, d'ancêtres tartares et juifs, Romain Gary est considéré comme l'une des personnalités les plus attachantes du monde littéraire et cinématographique français. Personnage touche-à-tout, prix Goncourt 1956 pour son roman *Les Racines du ciel*, metteur en scène, avec notamment *Les oiseaux vont mourir au Pérou*, membre d'un cabinet ministériel dans le gouvernement Pompidou, sa silhouette aristocratique hante pendant de longues années le monde du Tout-Paris. Romain Gary a réalisé une œuvre littéraire importante, avec *L'Éducation européenne* (1945), *Les Couleurs du jour* (1952), *Les Racines du ciel* (1956), *Frère Océan* (1965), *Chien blanc* (1970), *Claire de femme* (1977), *Charge d'âme*

(1978) et *Les Cerfs-volants*, son dernier roman, paru au printemps 1980.

GENEVOIX, MAURICE (1890-1980)

L'écrivain Maurice Genevoix, mort en Espagne à l'âge de 90 ans, occupe pendant un demi-siècle une place prépondérante dans la vie littéraire française. Prix Goncourt en 1925 pour *Raboliot*, qui raconte l'histoire d'un braconnier, Grand prix national des Lettres en 1970, secrétaire perpétuel de l'Académie française pendant plus de quinze ans (de 1958 à 1974), Maurice Genevoix est resté attaché à ses origines provinciales.

Né en novembre 1890 à Decize, mobilisé en août 1914, réformé en avril 1915 après avoir été blessé, Maurice Genevoix dans ses premiers livres raconte le dur combat de « ceux de 14 ». Le monde de la forêt occupe une part primordiale dans son œuvre. La série des *Bestiaires* (1968 à 1971), qu'il illustre, montre sa connaissance de la vie animale. Amoureux du mot exact et rare, Maurice Genevoix était un ardent défenseur de la langue française.

HITCHCOCK, ALFRED (1900-1980)

Sir Alfred Hitchcock est devenu le maître du suspense. Pourtant, rien ne semblait le destiner au cinéma. Né à Londres, élève au Collège des Jésuites, il fait des études d'ingénieur et entre en 1920 dans la succursale britannique de la firme cinématographique américaine « Players Lasky ». Deux ans plus tard il est assistant réalisateur et, l'année suivante, dirige son premier film. Il en fera 53. Hitchcock obtient son premier succès avec *The Lodger* dont le héros est Jack l'éventreur. Il poursuit sa carrière à Hollywood à partir de 1939. Naturalisé américain en 1955, il tourne ensuite presque exclusivement aux États-Unis. Sa maîtrise du cinéma se manifeste par l'originalité de ses angles de prises de vue, la qualité du montage, l'utilisation du contrepoint sonore. En 1943, dans *Lifeboat*, il réalise le tour de force de tourner un film dans un seul décor, et en 1948, dans *La Corde*, il tourne les plus longues séquences qu'on ait jamais vues.

LÉGER, JULES (1913-1980)

Vingt et unième gouverneur général du Canada, Jules Léger est né à Saint-Anicet. Il commence sa carrière comme journaliste au *Droit* d'Ottawa puis se dirige, après son mariage en 1938, dans l'enseignement à l'université d'Ottawa. En 1940, il embrasse la carrière de diplomate et occupe successivement les postes d'ambassadeur du Canada à Londres, au Mexique, en Italie, puis en France. Nommé gouverneur général en 1974, il aide à redéfinir le rôle du gouverneur général au Canada. À peine est-il nommé qu'une commotion cérébrale le prive de ses forces et de sa facilité d'élocution. Il ne s'en remet jamais entièrement mais parvient à force de courage à retrouver l'usage de la parole et termine dignement son mandat.

LENNON, JOHN (1940-1980)

John Lennon est né à Liverpool. Son enfance est difficile. Son père parti, sa mère incapable de prendre seule la charge de son jeune fils et de ses quatre filles, Lennon est confié à sa tante. La mère de Lennon meurt dans des conditions tragiques en 1956, tuée d'un coup de revolver. Lennon sera assassiné un quart de siècle plus tard devant son domicile, à New York.

Il est encore au collège quand il commence sa carrière musicale. Il rencontre Paul McCartney, qui n'a que 14 ans, et décide de former équipe avec lui. Les *Quarrymen* obtiennent un certain succès à Liverpool et en Allemagne. Georges Harrison et Ringo Starr se joignent au groupe en 1961 pour former les *Beatles*.

En 1962, Lennon épouse une camarade de classe, Cynthia Powell. Il divorce en 1969 pour épouser Yoko Ono. Avec McCartney, Lennon écrit plus de chansons que n'importe quel compositeur de l'histoire moderne. Quelques titres célèbres : « Yesterday », « I Want to Hold your Hand », « Let It Be », « Yellow Submarine », « Sgt. Pepper's Lonely Hearts », « Hey Jude ».

Cette collaboration prend fin en 1971 lors de la dissolution des *Beatles*. Pendant les dix années de vie des *Beatles*, le groupe vend 250 millions de disques. Lennon a toujours été le poète et le révolutionnaire du groupe. Après avoir été décoré de l'Ordre de l'Empire britannique, Lennon renvoit sa médaille à la reine pour protester contre la politique de l'Angleterre dans la guerre du Biafra.

Après la dissolution du groupe, Lennon fait quelques disques avec Yoko Ono. À partir de 1975, Lennon habite à New York avec sa femme et son fils. Au moment de sa mort, il venait de faire sa rentrée sur la scène musicale.

LESAGE, JEAN (1912-1980)

Jean Lesage fait presque toutes ses études à Québec où il commence à pratiquer le droit, en 1934. Intéressé dès son jeune âge par la politique, il milite au sein du parti libéral du Québec, dont il prend la direction en 1958.

En 1960, c'est le coup de théâtre : lors des élections générales de juin, son parti remporte 52 sièges, contre 42 pour l'Union nationale, et il est nommé premier ministre. Il raffermit son pouvoir lors des élections précipitées de 1962 — déclenchées sous le thème de la nationalisation de l'électricité — en obtenant 63 circonscriptions contre 31 pour l'Union nationale.

Les réalisations de son gouvernement — « l'équipe du tonnerre » comme elle est baptisée — seront fort nombreuses : créations du ministère de l'Éducation, de la Caisse de dépôt,

de la Maison du Québec à Paris, du Conseil du Trésor, réorganisation, modernisation puis reconnaissance du droit de grève dans la fonction publique et, surtout, nationalisation complète des sociétés privées d'électricité.

McQUEEN, STEVE (1930-1980)

Né à Slater (Missouri), Steve McQueen a une enfance mouvementée et fait même des séjours en maison de redressement. Il occupe ensuite divers emplois et s'engage comme « marine ». Passionné de théâtre et de littérature, il réussit à s'inscrire à l'Actor's Studio, la célèbre école américaine de comédiens. Engagé à la télévision, il tourne *Au nom de la loi*, ce qui le met en selle pour une longue carrière. Il trouve la consécration avec deux films de John Sturges, *Les Sept Mercenaires* et *La Grande Évasion*. Parmi ses autres films, on se rappelle *Bullit*, *Le Kid de Cincinnati*, *L'Affaire Thomas Crown*, *Le Mans*, *Papillon* et *La Tour infernale*. Il est l'une des stars les mieux payées d'Hollywood pour *The Hunter*, son dernier film où il touche 3 M$ plus une participation aux bénéfices. Il se marie trois fois et a deux enfants de son premier mariage : Chad, 21 ans, et Terri, 20 ans. Il succombe à une crise cardiaque au Mexique où il était allé subir l'ablation d'une tumeur cancéreuse.

MILLER, HENRY (1891-1980)

Avant de devenir écrivain, Henry Miller, né à New York de parents d'origine allemande, est tour à tour plongeur de restaurant, garçon de café, vendeur de journaux, garçon de courses, fossoyeur, colleur d'affiches, groom, barman, bibliothécaire, mécanicien, éboueur, poinçonneur, secrétaire d'un ecclésiastique, laitier, colporteur et trafiquant d'alcool.

Ses débuts en littérature sont difficiles, mais il réussit à se faire connaître en publiant *Jours tranquilles à Clichy* (1932), puis *Tropique du Cancer*. Entre 1934 et 1939, Miller travaille avec acharnement et son œuvre prend forme : six titres, dont *Aller-retour New York*, *Printemps noir*, *Max et les phagocytes*, *Tropique du Capricorne*, sont publiés. En 1939, il s'embarque pour la Grèce. Le voyage aboutira à ce livre, peut-être le meilleur de Miller : *Le Colosse de Maroussi*.

Qui était-il ? Il le disait clairement : « Je suis tout simplement un homme né pour écrire et qui a choisi comme sujet l'histoire de sa propre vie. »

OHIRA, MASAYOSHI (1910-1980)

Né dans une famille de paysans de l'île de Shikoku, Masayoshi Ohira entre en 1936 au ministère des Finances et fait le saut en politique en 1952. Il est réélu député et occupe divers portefeuilles entre 1960 et 1976. Personnage influent, Ohira est l'un des artisans du boom économique japonais. Ministre des Affaires étrangères en 1960, il négocie la normalisation des relations sino-japonaises, met fin à 20 années de reconnaissance de la Chine nationaliste et ouvre pour le Japon une nouvelle ère de prospérité grâce à la signature de mirobolants contrats avec Pékin.

OWENS, JESSE (1913-1980)

Jesse Owens est né à Oakville, Alabama. L'athlète noir entre dans l'histoire en enlevant quatre médailles d'or aux Jeux olympiques de Berlin en 1936, ridiculisant ainsi les théories d'Hitler sur la suprématie aryenne. Ses performances restent gravées dans les mémoires : il faudra attendre 40 ans pour que le dernier de ses onze records du monde soit battu.

PALHAVI, REZA, CHAH D'IRAN (1920-1980)

Rarement un homme d'État — il est roi à 21 ans — n'aura été autant adoré puis haï par les siens au cours de son règne, qui durera 37 ans. À la fin de celui-ci, il est le dernier autocrate de droit divin.

Grâce au pétrole, il fonde des bases navales ultra-modernes, érige des centrales nucléaires dans le désert, transforme une île en casino géant et investit à l'étranger. Cependant, il se coupe peu à peu de son peuple, dont le mécontentement va grandissant. Il crée un parti unique et mate toutes les résistances en s'appuyant sur une police redoutable, la Savak. Mais l'instabilité est grande et de son exil l'ayatollah Khomeiny appelle le peuple à la révolte.

En janvier 1979, le chah perd la partie et s'enfuit d'abord en Égypte, puis en Amérique centrale, enfin aux États-Unis pour s'y faire soigner. Il revient en Égypte pour y mourir, sans pardonner aux États-Unis de l'avoir abandonné.

PIAGET, JEAN (1896-1980)

Le professeur Jean Piaget, auteur de travaux sur le développement de la pensée et du langage chez l'enfant et sur l'épistémologie génétique, psychologue et pédagogue suisse de renommée mondiale, était membre de plusieurs sociétés savantes, docteur « honoris causa » d'une trentaine d'universités et lauréat de nombreux prix. Il s'est rendu particulièrement célèbre par la publication entre 1920 et 1930 de quatre ouvrages fondamentaux dont *La Naissance de l'intelligence* et *La Construction du réel chez l'enfant*.

ROBERT, PAUL (1910-1980)

Ce grand lexicographe du XXe siècle est né à Orléansville, en Algérie, et a fait des études pour faire carrière au barreau. Avocat-stagiaire à Alger, il part préparer son doctorat en droit à Paris mais il interrompt ses études au début de la Seconde Guerre mondiale. C'est à cette époque qu'il manifeste sa passion pour le « mot juste ». Il commence à songer à un ouvrage qui pourrait montrer la richesse et la diversité de la langue. Par jeu d'abord, puis par passion, il continue à développer son idée de base. Il devient ainsi un véritable collectionneur de mots. En 1965, il présente avec succès son *Grand Robert* en six volumes. Il y a consacré 15 ans de sa vie. Il entreprend ensuite la mise au point d'une formule condensée qui devient *Petit Robert*. Outre le Petit Robert, il édite *Le Dictionnaire alphabétique et analogique de la langue française*, le *Micro-Robert* et *Le Dictionnaire universel des noms propres*.

▸ SELLERS, PETER (1926-1980)

Né à South Sea en Angleterre, Peter Sellers est reconnu comme l'un des comédiens les plus populaires de l'histoire du cinéma. Il incarne une centaine de personnages dans une cinquantaine de films, dont l'inspecteur Clouzot dans la série *La Panthère rose*. Sa vie est tumultueuse et ses mariages nombreux. De graves problèmes de santé l'affectent dont des déficiences cardiaques chroniques depuis sa première attaque en 1964. « Derrière nos masques, nous clowns, menons une vie triste », déclare-t-il un jour.

▸ SOMOZA, ANASTASIO (1925-1980)

L'ancien dictateur du Nicaragua est mort assassiné dans une rue d'Asuncion, la capitale du Paraguay. Il avait été renversé l'année précédente à l'issue d'une sanglante guerre civile. Sa famille gouvernait le Nicaragua depuis le milieu des années 30.

Fils du général et président Anastasio Somoza, qui mourut lui aussi de mort violente, il succéda à son frère à la présidence et consolida sa fortune en se chargeant des affaires économiques. Le Front de libération sandiniste devait mener une lutte sans merci contre le dictateur qui s'appuyait sur une garde nationale dotée des armes les plus modernes. À deux reprises, Somoza avait réussi à réprimer des soulèvements populaires, n'hésitant pas à employer les grands moyens pour réduire l'insurrection. Militaire de carrière formé aux États-Unis, Somoza, très pro-américain, s'était réfugié au Paraguay le 18 août 1979 et avait obtenu l'asile politique du président Stroessner.

▸ TRIQUET, PAUL (1910-1980)

Brigadier-général du 22e régiment durant la Seconde Guerre mondiale, il est né à Cabano et s'enrôle dans l'armée à l'âge de 17 ans. À 33 ans, alors qu'il est devenu capitaine, il est décoré de la plus prestigieuse médaille britannique pour sa bravoure à l'issue de la bataille de Casa Berardi en Italie, en décembre 1943.

En 1945, le héros devient lieutenant-colonel. L'année suivante, il est nommé commandant adjoint de l'École nationale d'infanterie au Camp Borden, en Ontario. En 1959, il est aide de camp honoraire du gouverneur général Georges Vanier. Il était à la retraite depuis 1969. Il meurt d'une maladie de rein.

▸ WEST, MAE (1893-1980)

Sex symbol des années 30, célibataire endurcie mais entourée de jeunes hommes jusqu'à la fin, elle meurt à 87 ans. Elle est née à New York dans le quartier de Brooklyn et entreprend sa carrière au Caf'Conc en 1907 où sa voix rauque, sa silhouette aux formes prononcées et son attitude provocante en font sur-le-champ une vedette. C'est toutefois une pièce qu'elle écrit en 1926, *Sex*, qui lui vaut la consécration. C'est l'histoire d'une prostituée des quais de New York. 1932 la voit arriver à Holywood avec en poche un contrat fabuleux de 5 000 $ par semaine. Et pendant 50 ans, le mythe de Mae West envahit l'Amérique. Son nom évoque le péché tel que ne peut l'admettre l'Amérique puritaine de l'époque. Les années 50 la voient s'éloigner du cinéma, mais pas du monde du spectacle puisqu'elle monte une tournée de night-clubs. En 1955, elle sort un recueil de ses chansons. En 1966, elle enregistre deux albums de rock avec Paul McCartney, John Lennon et Bob Dylan. Depuis, elle n'est apparue que dans deux films, *Myra Breckenbridge* en 1969 et *Sextett* en 1978.

STATISTIQUES INTERNATIONALES ET CANADIENNES

Pays indépendants du monde

Statistiques canadiennes

Gouvernement du Canada

Provinces et territoires du Canada

357

PAYS INDÉPENDANTS DU MONDE

PAYS	CAPITALE	SUPERFICIE (en km²)	POPULATION (estimation)	GOUVERNEMENT
Afghanistan	Kaboul	647 500	15 500 000	Babrak Karmal—président
Afrique du Sud	Pretoria Le Cap	1 221 037	28 500 000	Marais Viljoen—président Pieter W. Botha—premier ministre
Albanie	Tirana	28 750	2 700 000	Enver Hoxha—secrétaire du parti communiste Mehmet Shehu—premier ministre
Algérie	Alger	2 381 735	19 200 000	Benjedid Chadli—président
Allemagne de l'Est	Berlin-Est	108 179	16 800 000	Erich Honecker—secr. du parti communiste Willi Stoph—premier ministre
Allemagne de l'Ouest	Bonn	248 576	61 500 000	Karl Carstens—président Helmut Schmidt—chancelier
Angola	Luanda	1 246 693	6 900 000	José Eduardo dos Santos—président
Arabie saoudite	Riyad	2 149 682	8 100 000	Khalid ibn Abdul Aziz—roi
Argentine	Buenos Aires	2 753 940	27 100 000	Jorge Rafael Videla—président
Australie	Canberra	7 686 836	14 400 000	Malcolm Fraser—premier ministre
Autriche	Vienne	83 848	7 500 000	Rudolf Kirchschläger—président Bruno Kreisky—chancelier
Bahamas	Nassau	13 934	230 000	Lynden O. Pindling—premier ministre
Bahreïn	Manama	621	360 000	Isa ibn Sulman al-Khalifa—chef du gouvernement
Bangladesh	Dacca	143 999	88 000 000	Ziaur Rahman—président
Barbade (La)	Bridgetown	435	250 000	J.M.G. Adams—premier ministre
Belgique	Bruxelles	30 513	9 900 000	Baudoin Ier—roi Wilfried Martens—premier ministre
Bénin (Dahomey)	Porto-Novo	112 620	3 600 000	Mathieu Kerekou—président
Boutan	Thimbu	47 000	1 200 000	Jigme Singye Wangchuk—roi
Birmanie	Rangoon	676 552	32 573 000	U Ne Win—président U Maung Maung Kha—premier ministre
Bolivie	La Paz	1 098 577	5 400 000	Luis Garcia Meza—président
Botswana	Gaberones	600 370	800 000	Quette Masire—président
Brésil	Brasilia	8 511 939	119 000 000	João Baptista Figueiredo—président
Bulgarie	Sofia	110 911	8 900 000	Todor Zhivkov—secr. du parti communiste Stanko Todorov—premier ministre
Burundi	Bujumbura	27 835	4 300 000	Jean-Baptiste Bagaza—président
Cambodge	Phnom-Penh	181 035	5 000 000	Heng Samrin—président
Cameroun	Yaoundé	475 442	8 200 000	Ahmadou Ahidjo—président
Canada	Ottawa	9 976 140	24 100 000	Pierre Elliott Trudeau—premier ministre

PAYS	CAPITALE	SUPERFICIE (en km²)	POPULATION (estimation)	GOUVERNEMENT
Cap-Vert (Îles du)	Praïa	4 033	320 000	Aristides Pereira—président
Centrafricaine (rép.)	Bangui	622 983	2 400 000	David Dacko—président
Chili	Santiago	756 942	11 100 000	Augusto Pinochet Ugarte—président
Chine	Pékin	9 596 932	1 000 000 000	Hua Guofeng—président du parti Zhao Ziyang—premier ministre
Chypre	Nicosie	9 251	620 000	Spyros Kyprianou—président
Colombie	Bogota	1 138 911	27 200 000	Julio César Turbay Ayala—président
Comores	Moroni	2 170	400 000	Ahmed Abdallah—président
Congo	Brazzaville	342 000	1 500 000	Denis Sassou-Nguessou—président
Corée du Nord	Pyongyang	120 538	17 500 000	Kim Il Sung—président Li Jong-ok—premier ministre
Corée du Sud	Séoul	98 485	37 600 000	Chun Doo Hwan—président Nam Duck Woo—premier ministre
Costa Rica	San José	50 699	2 200 000	Rodrigo Carazo Odio—président
Côte d'Ivoire	Abidjan	322 461	7 600 000	Félix Houphouët-Boigny—président
Cuba	La Havane	114 524	9 800 000	Fidel Castro—président
Danemark	Copenhague	43 069	5 100 000	Margrethe II—reine Anker Jorgensen—premier ministre
Djibouti	Djibouti	22 776	81 000	Hassan Gouled—président
Dominique (île)	Roseau	751	81 000	Mary Eugenia Charles—premier ministre
Dominicaine (rép.)	Saint-Domingue	48 733	5 400 000	Antonio Guzmán—président
Égypte	Le Caire	1 001 445	41 000 000	Anouar el-Sadate—président
El Salvador	San Salvador	21 041	4 500 000	José Napoléon Duarte—président
Émirats Arabes Unis	Abou Dhabi	83 600	860 000	Zayd ibn Sultan—président
Équateur	Quito	283 560	8 100 000	Jaime Roldos Aguilera—président
Espagne	Madrid	504 781	37 500 000	Juan Carlos Ier—roi Adolfo Suárez González—premier ministre
États-Unis	Washington	9 371 830	226 000 000	Ronald W. Reagan—président élu George H. Bush—vice-président élu
Éthiopie	Addis-Abeba	1 221 897	30 400 000	Mengistu Hailé Mariam—chef d'État
Fidji	Suva	18 272	620 000	Ratu Sir Kamisese Mara—premier ministre
Finlande	Helsinki	337 009	4 800 000	Urho K. Kekkonen—président Mauno Koivisto—premier ministre
France	Paris	547 024	53 500 000	Valéry Giscard d'Estaing—président Raymond Barre—premier ministre
Gabon	Libreville	267 665	540 000	Albert B. Bongo—président
Gambie	Banjul	11 295	570 000	Sir Dauda K. Jawara—président
Ghana	Accra	238 535	11 500 000	Hilla Limann—président
Grèce	Athènes	131 944	9 400 000	Constantin Caramanlis—président George John Rallis—premier ministre
Grenade	Saint-Georges	344	110 000	Maurice Bishop—premier ministre

PAYS	CAPITALE	SUPERFICIE (en km²)	POPULATION (estimation)	GOUVERNEMENT
Guatemala	Guatemala	108 888	7 000 000	Romeo Lucas García—président
Guinée	Conakry	245 857	4 900 000	Sékou Touré—président
Guinée-Bissau	Bissau	36 125	780 000	João Bernardo Vieira—chef du gouvernement
Guinée équatoriale	Malabo	28 050	286 000	Teodoro Obiang—président
Guyana	Georgetown	214 969	870 000	Forbes Burnham—président
Haïti	Port-au-Prince	27 749	4 900 000	Jean-Claude Duvalier—président
Haute-Volta	Ouagadougou	274 199	6 700 000	Saye Zerbo—chef du gouvernement
Honduras	Tegucigalpa	112 087	3 700 000	Policarpo Paz García—chef d'État
Hongrie	Budapest	93 030	10 700 000	János Kádár—secr. du parti communiste György Lazar—premier ministre
Inde	New Delhi	3 287 591	640 000 000	Neelam Sanjiva Reddy—président Indira Gandhi—premier ministre
Indonésie	Jakarta	1 904 338	143 000 000	Suharto—président
Irak	Bagdad	434 924	12 800 000	Saddam Hussein—président
Iran	Téhéran	1 647 994	34 200 000	Abolhassam Bani-Sadr—président Mohammed Ali Rajai—premier ministre
Irlande	Dublin	70 282	3 400 000	Patrick Hillery—président Charles J. Haughey—premier ministre
Islande	Reykjavik	102 999	230 000	Vigdis Finnbogadottir—président Gunnar Thoroddsen—premier ministre
Israël	Jérusalem	220 769	3 700 000	Yitzhak Navon—président Menahem Begin—premier ministre
Italie	Rome	301 223	57 000 000	Alessandro Pertini—président Arnaldo Forlani—premier ministre
Jamaïque	Kingston	10 992	2 200 000	Edward P. G. Seaga—premier ministre
Japon	Tokyo	372 279	116 000 000	Hiro-Hito—empereur Zenko Suzuki—premier ministre
Jordanie	Amman	97 741	3 000 000	Hussein Ier—roi Mudar Badran—premier ministre
Kenya	Nairobi	582 641	15 300 000	Daniel Arap Moi—président
Kiribati	Tarawa	684	58 000	Ieremia Tabai—président
Koweït	Koweït	17 819	1 300 000	Jaber al-Ahmed al-Sabah—chef d'État
Laos	Vientiane	236 800	3 600 000	Souphanouvong—président Kaysone Phomvihan—premier ministre
Lesotho	Maseru	30 355	1 300 000	Moshoeshoe II—roi Leabua Jonathan—premier ministre
Liban	Beyrouth	10 399	3 100 000	Elias Sarkis—président Shafig al-Wazan—premier ministre
Libéria	Monrovia	111 369	1 800 000	Samuel K. Doe—président
Libye	Tripoli	1 759 534	2 900 000	Muammar el-Kadhafi—président

PAYS	CAPITALE	SUPERFICIE (en km²)	POPULATION (estimation)	GOUVERNEMENT
Liechtenstein	Vaduz	158	26 000	François-Joseph II—prince
Luxembourg	Luxembourg	2 587	360 000	Jean—grand-duc Pierre Werner—premier ministre
Madagascar	Antananarivo	587 039	8 500 000	Didier Ratsiraka—président
Malaisie	Kuala Lumpur	329 747	13 300 000	Sultan Ahmad Shah—souverain absolu Hussein Onn—premier ministre
Malawi	Lilongwe	118 484	5 800 000	H. Kamuzu Banda—président
Maldives	Malé	298	145 000	Maumoon Abdul Gayyoom—président
Mali	Bamako	1 239 996	6 500 000	Moussa Traoré—président
Malte	La Valette	316	340 000	Sir Anthony Mamo—président Dom Mintoff—premier ministre
Maroc	Rabat	448 060	18 300 000	Hassan II—roi Maati Bouabid—premier ministre
Maurice (Île)	Port-Louis	1 994	920 000	Sir Seewoosagur Ramgoolam—premier ministre
Mauritanie	Nouakchott	1 030 696	1 600 000	Mohammed Khouna Ould Haidalla—président
Mexique	Mexico	1 973 058	67 400 000	José López Portillo—président
Monaco	Monaco-ville	1,5	25 000	Rainier III—prince
Mongolie	Oulan-Bator	1 564 995	1 600 000	Yumzhagiyn Tsedenbal—secrétaire du parti communiste
Mozambique	Maputo	801 589	10 200 000	Samora Machel—président
Nauru	—	21	8 000	Hammer DeRoburt—président
Népal	Khatmandou	140 797	13 700 000	Birendra Bir Bikram Shah Deva—roi Kirtinidhi Bista—premier ministre
Nicaragua	Managua	129 999	2 500 000	Sergio Ramírez Mercado—chef de la junte militaire
Niger	Niamey	1 266 996	5 200 000	Seyni Kountche—chef du gouvernement
Nigeria	Lagos	923 766	75 000 000	Shehu Shagari—président
Norvège	Oslo	324 217	4 100 000	Olav V—roi Odvar Nordli—premier ministre
Nouvelle-Zélande	Wellington	268 675	3 100 000	Robert D. Muldoon—premier ministre
Oman	Mascate	212 457	860 000	Qabus ibn Saïd—sultan
Ouganda	Kampala	236 036	13 200 000	Milton Obote — président
Pakistan	Islamabad	803 940	80 000 000	Mohammed Zia Ul Haq—président
Panama	Panama	75 651	1 900 000	Aristides Royo—président
Papouasie-Nouvelle-Guinée	Port Moresby	461 691	3 100 000	Julius Chan—premier ministre

PAYS	CAPITALE	SUPERFICIE (en km²)	POPULATION (estimation)	GOUVERNEMENT
Paraguay	Asunción	406 750	3 000 000	Alfredo Stroessner—président
Pays-Bas	Amsterdam	40 844	14 100 000	Beatrix—reine Andreas A. M. van Agt—premier ministre
Pérou	Lima	1 285 212	17 300 000	Fernando Belaúnde Terry—président
Philippines	Quezon City	299 998	46 600 000	Ferdinand E. Marcos—président
Pologne	Varsovie	312 674	35 600 000	Stanislaw Kania—secr. du parti communiste Jozef Pinkowski—premier ministre
Portugal	Lisbonne	92 082	9 800 000	Antonio Ramalho Eanes—président
Qatar	Duha	11 000	210 000	Khalife ibn Hamad al-Thani—chef du gouvernement
Roumanie	Bucarest	237 502	22 000 000	Nicolae Ceausescu—secrétaire du parti communiste Ilie Verdet—premier ministre
Royaume-Uni	Londres	244 044	55 900 000	Elizabeth II—reine Margaret Thatcher—premier ministre
Ruanda	Kigali	26 338	4 800 000	Juvénal Habyalimana—président
Sainte-Lucie	Castries	616	113 000	Allan Louisy—premier ministre
Saint-Vincent et les Grenadines	Kingstown	388	100 000	Milton Cato—premier ministre
Salomon (îles)	Honiara	28 446	200 000	Peter Kenilorea—premier ministre
Samoa occidentales	Apia	2 841	156 000	Malietoa Tanumafili II—chef d'État
São Tomé et Île du Prince	Sao Tomé	963	84 000	Manuel Pinto da Costa—président
Sénégal	Dakar	196 192	5 500 000	Léopold Senghor—président
Seychelles	Victoria	277	63 000	France-Albert René—président
Sierra Leone	Freetown	71 743	3 500 000	Siaka P. Stevens—président
Singapour	Singapour	580	2 400 000	Benjamin H. Sheares—président Lee Kuan Yew—premier ministre
Somalie	Mogadishu	637 655	3 500 000	Mohammed Siad Barre—chef du gouvernement
Soudan	Khartoum	2 505 806	17 900 000	Gaafar al-Numeiry—président
Sri Lanka (Ceylan)	Colombo	65 610	14 700 000	Junius R. Jayewardene—président Ranasinghe Premadasa—premier ministre
Suède	Stockholm	449 964	8 300 000	Carl XVI Gustaf—roi Thorbjörn Fälldin—premier ministre
Suisse	Berne	41 287	6 300 000	Kurt Furgler—président

PAYS	CAPITALE	SUPERFICIE (en km²)	POPULATION (estimation)	GOUVERNEMENT
Surinam	Paramaribo	163 265	400 000	Henck Chin a-Sen—président
Swaziland	Mbabane	17 363	530 000	Sobhuza II—roi
Syrie	Damas	185 407	8 300 000	Hafez al-Assad—président Abdel Raouf al-Kassem—premier ministre
T'ai-wan	Taipei	35 962	17 500 000	Tchang Tching-kuo—président Sun Yun-souan—premier ministre
Tanzanie	Dar es-Salaam	945 081	16 600 000	Julius K. Nyerere—président
Tchad	N'Djamena	1 283 997	4 400 000	Goukouni Oueddei—président
Tchécoslovaquie	Prague	127 868	15 200 000	Gustáv Husák—secrétaire du parti communiste et président Lubomír Štrougal—premier ministre
Thaïlande	Bangkok	513 990	46 100 000	Bhumibol Adulyadej—roi Prem Tinsulanonda—premier ministre
Togo	Lomé	56 001	2 500 000	Gnassingbe Eyadema—président
Tonga	Nukualofa	699	95 000	Taufa'ahau Tupou IV—roi Prince Tu'ipelehake—premier ministre
Trinité et Tobago	Port of Spain	5 128	1 100 000	Sir Ellis Clarke—président Eric Williams—premier ministre
Tunisie	Tunis	163 610	6 400 000	Habib Bourguiba—président
Turquie	Ankara	780 573	45 000 000	Kenan Euren—chef d'État Bulent Ulusu—premier ministre
Tuvalu	Funafuti	26	8 000	Toalipi Lauti—premier ministre
U.R.S.S.	Moscou	22 402 132	262 500 000	Leonid I. Brejnev—secrétaire du parti communiste et président Nicolaï A. Tikhonov—premier ministre
Uruguay	Montevideo	176 216	2 900 000	Aparicio Méndez—président
Vanuatu	Port-Vila	14 800	113 000	Walter Lini—premier ministre
Venezuela	Caracas	912 046	13 500 000	Luis Herrera Campíns—président
Vietnam	Hanoi	329 460	52 700 000	Le Duan—secrétaire du parti communiste Pham Van Dong—premier ministre
Yémen du Nord	Sanaa	195 000	6 471 893	Ali Abdullah Saleh—président
Yémen du Sud	Aden	322 968	1 900 000	Ali Nasser Mohammed—président
Yougoslavie	Belgrade	255 803	22 200 000	Lazar Mojsov—président Veselin Djuranovic—premier ministre
Zaïre	Kinshasa	2 345 402	28 000 000	Mobutu Sese Seko—président
Zambie	Lusaka	752 614	5 600 000	Kenneth D. Kaunda—président
Zimbabwe	Harare	390 308	7 140 000	Canaan Banana—président Robert Mugabe—premier ministre

STATISTIQUES CANADIENNES

GOUVERNEMENT DU CANADA

Capitale: Ottawa

Chef d'État : S.M. la reine Élisabeth II

Gouverneur général :
le très hon. Edward Richard Schreyer

Premier ministre :
le très hon. Pierre Elliott Trudeau (Libéral)

Chef de l'opposition :
le très hon. Joseph Clark (Progressiste-conservateur)

Population : 24 009 600

Superficie : 9 976 139 km²

PROVINCES ET TERRITOIRES DU CANADA

ALBERTA

Capitale : Edmonton

Lieutenant-gouverneur :
l'hon. Frank Lynch-Staunton

Premier ministre :
l'hon. Peter Lougheed (Progressiste-conservateur)

Chef de l'opposition : Rod Sykes (Crédit-social)

Date d'admission dans la Confédération :
1er septembre 1905

Population : 2 000 000 (est.)

Superficie : 661 185 km²

COLOMBIE BRITANNIQUE

Capitale : Victoria

Lieutenant-gouverneur : l'hon. Henry P. Bell-Irving

Premier ministre :
l'hon. William R. Bennett (Crédit-social)

Chef de l'opposition :
David Barrett, M.L.A. (Nouveau parti démocratique)

Date d'admission dans la Confédération :
20 juillet 1871

Population : 2 400 000 (est.)

Superficie : 948 596 km²

ILE DU PRINCE-ÉDOUARD

Capitale : Charlottetown

Lieutenant-gouverneur : l'hon. J.A. Doiron

Premier ministre :
l'hon. J. Angus MacLean (Progressiste-conservateur)

Chef de l'opposition : W. Bennett Campbell (Libéral)

Date d'admission dans la Confédération :
1er juillet 1873

Population : 122 800

Superficie : 5 657 km²

MANITOBA

Capitale : Winnipeg

Lieutenant-gouverneur : l'hon. Francis L. Jobin

Premier ministre :
l'hon. Sterling P. Lyon (Progressiste-conservateur)

Chef de l'opposition :
Howard Pawley (Nouveau parti démocratique)

Date d'admission dans la Confédération :
15 juillet 1870

Population : 1 021 506

Superficie : 650 087 km²

NOUVEAU-BRUNSWICK

Capitale : Fredericton

Lieutenant-gouverneur : l'hon. Hédard Robichaud

Premier ministre :
l'hon. Richard B. Hatfield (Progressiste-conservateur)

Chef de l'opposition : Joseph Z. Daigle (Libéral)

Date d'admission dans la Confédération :
1er juillet 1867

Population : 677 250

Superficie : 73 437 km²

NOUVELLE-ÉCOSSE

Capitale : Halifax

Lieutenant-gouverneur : l'hon. John Elvin Shaffner

Premier ministre :
l'hon. John M. Buchanan (Progressiste-conservateur)

Chef de l'opposition :
A.M. (Sandy) Cameron (Libéral)

Date d'admission dans la Confédération :
1er juillet 1867

Population : 828 571

Superficie : 55 491 km²

ONTARIO

Capitale : Toronto

Lieutenant-gouverneur : l'hon. John Aird

Premier ministre :
l'hon. William G. Davis (Progressiste-conservateur)

Chef de l'opposition : Dr. Stuart Smith (Libéral)

Date d'admission dans la Confédération :
1er juillet 1867

Population : 8 570 400

Superficie : 1 068 582 km²

QUÉBEC

Capitale : Québec

Lieutenant-gouverneur : l'hon. Jean-Pierre Côté

Premier ministre :
l'hon. René Lévesque (Parti québécois)

Chef de l'opposition : Claude Ryan (Libéral)

Date d'admission dans la Confédération :
1er juillet 1867

Population : 6 234 445

Superficie : 1 540 680 km²

SASKATCHEWAN

Capitale : Regina

Lieutenant-gouverneur : l'hon. Irwin McIntosh

Premier ministre :
l'hon. Allan E. Blakeney (Nouveau parti démocratique)

Chef de l'opposition :
Eric Berntson (Progressiste-conservateur)

Date d'admission dans la Confédération :
1er septembre 1905

Population : 970 000 (est.)

Superficie : 651 900 km²

TERRE-NEUVE

Capitale : Saint-Jean

Lieutenant-gouverneur : l'hon. Gordon A. Winter

Premier ministre :
l'hon. A. Brian Peckford (Progressiste-conservateur)

Chef de l'opposition : Len Sterling (Libéral)

Date d'admission dans la Confédération :
31 mars 1949

Population : 620 000

Superficie : 404 517 km²

TERRITOIRE DU NORD-OUEST

Capitale : Yellowknife

Commissaire : John H. Parker

Date d'organisation du territoire :
1er septembre 1905

Population : 42 609

Superficie : 3 379 383 km²

YUKON

Capitale : Whitehorse

Commissaire adjoint (administration) : Douglas Bell

Chef du Comité exécutif : Christopher Pearson

Date d'organisation en territoire séparé :
13 juin 1898

Population : 24 499

Superficie : 536 324 km²

INDEX

E

F

G

H

I

J

K

L

M

N

R

S

T

U

V

WYZ

RÉFÉRENCES DES ILLUSTRATIONS

La liste suivante donne les références de toutes les illustrations contenues dans ce livre. Les références pour chaque illustration sont données dans l'ordre suivant : de gauche à droite et de haut en bas. Quand plus d'une illustration apparaît sur une même page, chaque référence est séparée par un point-virgule. Quand la référence doit indiquer à la fois le photographe ou l'artiste ainsi que l'agence ou toute autre source, leurs noms respectifs sont généralement séparés par un tiret. Les extraits de livres déjà publiés sont cités par pages entières. Quand une illustration s'étend sur deux pages, on indique la première page.

Solution du labyrinthe:

384